果呔

世界超级畅销小说大系

全世界都在读

献给我所失去的

别对我温柔

PRETTY BABY

【美】玛丽·库比卡 / 著

高环宇 / 译

北京联合出版公司
Beijing United Publishing Co.,Ltd.

我们有的不多，

但我们拥有彼此。

海 蒂

那是我第一次看见她，她站在富勒顿火车站的站台上，怀里紧紧地搂着一个婴儿。开往林登的紫线特快呼啸而至，她强打着精神托了托胸前的孩子。那天是四月八日，气温 8 摄氏度，正下着雨。雨水从天上冲刷下来，这儿、那儿，到处都是，狂风肆虐。真是糟糕的一天。

那个女孩穿着一条牛仔裤，有一边膝盖的位置破了；外衣很薄，是尼龙的，军绿色；既没戴帽子也没有打雨伞。她把下巴缩进衣领里，直直地盯着前方，任凭雨水浇灌。她旁边的人蜷缩在各自的雨伞下，对她视而不见。婴儿安安静静的，像一只被塞进育儿袋里的小袋鼠一样。擀毡的粉色绒布边时隐时现，我料定那个婴儿在熟睡，而且是个女婴。但是那时的我却快要崩溃了—彻骨的寒冷和"L"1 线呼啸而过时震耳欲聋的噪声。

---

1 "L"来自 Elevated Lines，芝加哥人亲切称它为"L"或"el"。所谓"elevated（高架）"就是芝加哥地铁的特色了。铁路总长 170.6 公里，大部分建在高架上，地下的不足 18.3 公里，叫"地铁"勉为其难。

她穿着一双系带靴子，脚边立着一个破旧的棕色小皮箱，已经湿透了。

她绝对不会超过十六岁。

她瘦小。我觉得是营养不良，不过也许只是消瘦而已。她的衣服松松垮垮，裤子宽松，外套肥大。

广播通知列车即将进站，一列棕线车驶入站台。早高峰的上班族涌进相对温暖干燥的车厢，可是女孩没动。我犹豫了一下，感觉应该做点儿什么，可我还是登上列车，和那些什么都没做的人一样，把自己埋进座位里，看着窗外。车门关上，我们逃走了，把女孩和她的婴儿留在雨中。

但是她一整天都没有离开我的脑海。

我在卢普区换乘前往亚当斯／沃巴什站的车。我小心翼翼地挪着步子走下台阶。路面上全是积水，角落里弥漫着呛鼻的下水道味儿。一群鸽子在城市上空懒洋洋地兜着圈。垃圾桶旁边靠着无家可归的流浪汉，成千上万的都市男女从他们身边走过，马不停蹄地从 A 点赶往 B 点。

我利用所有的空闲时间—在"成人识字与普通教育"预备班会议和给一个孟买男子上英语课的间歇—琢磨一个女孩带着一个婴儿把一段好时光浪费在站台上，看着"L"线列车进进出出的事。我编织出各种故事。那是一个喜欢哭闹的孩子，只有在摇晃中才能入睡，而列车进站带来的振动正好满足她。一把女式雨伞—假设是耀眼的红色，还印着金闪闪的雏菊—被一阵狂风卷飞了。因为最近几天雨伞总是被吹得倒翻过来。雨伞、婴儿、手提箱：她两只手拿不了这么多东西。当然，她不能扔下孩子。那么手提箱呢？在这样的天气里，箱子里有什么比雨伞更重要的东西呢？也许她一整天站在那里，在等待。或许她是在等人来而不是要离去。或许棕色线驶出视线之后，她登上了随后而来的红色线。

晚上我到家的时候才不再想这件事。我没有对克里斯提起，因为我知道他会说："谁在意那些事呢？"

我在餐桌上辅导佐伊写数学作业。佐伊总说她痛恨数学。这我一点儿也不吃惊。最近她几乎痛恨所有的事。她十二岁了。虽然记不清楚了，但是我知道"我痛恨一切"的阶段应该还要晚一些，大概十六岁或者十七岁吧。不过，如今什么都来得早了。我在幼儿园里玩耍，学会 ABC；而她在幼儿园学习，成长为比我更有知识和技能的人。男孩子和女孩子的青春期来得更早了，有的甚至比我们这代人提前两年之久。十岁有手机，七八岁的女孩胸部已经开始发育。

克里斯吃过晚饭就像往常一样钻进工作室，埋头在让人昏昏欲睡的、无聊的电子表格里，总要等到我和佐伊上床睡觉才出来。

第二天，那个女孩仍在那里。天还在下雨。才刚到四月的第二个星期，气象专家已经预报出整月的降水量。他们说这是有史以来最湿润的四月。报道说，芝加哥机场昨天的降雨量达到 15 毫米。城里的雨水开始渗进地下室，并在马路的低洼处汇集。机场的航班不是延误就是取消。我一边提醒自己，"四月雨浇出五月花"，一边套上乳白色的防水派克大衣，穿上橡胶雨鞋，奔赴艰苦的上班之路。

她穿着破牛仔裤、军绿色的夹克和那双系带靴子，脚边依然靠着那个老旧的手提箱。她在阴冷的空气里打着寒战，婴儿不安地蠕动着。她上下不停地颠着婴儿，我看出她在说"嘘。嘘。"我听见旁边打着超大的高尔夫雨伞的女人们一边吸着滚烫的咖啡一边说：她真不该带着那孩子出来，尤其是今天这样的天气。她们冷嘲热讽地议论着：那姑娘怎么了？小宝宝的帽子呢？

紫色线呼啸而过；棕色线飞奔而来，停在站台前。什么都没做的人们像流水线上的产品一样鱼贯而入。

我磨蹭着，再一次想要做点儿什么，最好不要显得鲁莽或是冒犯。助人为乐和冒失唐突仅有一线之隔，我不想找麻烦。她可能有一百万个理由抱着孩子、带着箱子、一直站在雨里，但是这一百万个理由中肯定没有悬在我脑子里、搅得我心烦意乱的那一个——她无家可归。

我的工作是面对那些穷困潦倒的人，大部分是移民。芝加哥的识字率统计结果让人心寒：大约有三分之一的成年人近乎文盲，意思就是他们不能完整地填写就业申请表；他们看不懂说明，也不知道在"L"线的哪一站下车；他们不能辅导自己孩子的功课。

穷人一脸沮丧：年老的女人蜷缩在公园的长椅上，她们的全部财产就在购物车里推来推去，她们以垃圾为生；男人们在最寒冷的一月里，靠着摩天大厦酣睡，他们迟钝的身体前斜，挡着一块硬纸板，上面写着："求助。饥饿。上帝保佑。"这些难民住在简易房里，治安混乱；他们在最好的时候也吃不饱，经常挨饿；他们只享有很少的医疗保健，甚至没有接种疫苗；他们的子女只能在入不敷出的学校就读，行为举止多有不轨，暴力事件频发。此外，他们是年轻人中从事色情活动的高危人群。十几岁的女孩生出的孩子通常低于正常体重，缺少医疗保健和不能及时接种疫苗导致幼儿生病，由此恶性循环。

芝加哥的贫困人群集中在黑人和西班牙裔之中，但不能忽视白人女孩受穷的事实。

所有这些想法在我迟疑该怎么做的瞬间飞驰在我的脑海里。帮助这个女孩？上车？帮助这个女孩？上车？帮助这个女孩……

接下来，出乎意料地，女孩上车了。在电子播报"叮咚，车门即将关闭"前的几秒钟，她挤进了车门。我跟上，不知道她们去向哪里。

车厢里人满为患。一个男人慷慨地给女孩让座。女孩一言不发地接受了，她一屁股坐在金属椅上，旁边是一个穿着黑色长外套的生意人，他看孩子的眼神好像是看火星人似的。早班通勤的乘客沉迷在各自的事务之中——他们捧着手机、电脑，或者其他的科技产品读书，或者翻阅早上的简报；他们抿着咖啡，盯着窗外的天际线，迷失在忧郁的天气里。女孩小心翼翼地从她的育儿袋里抱出婴儿，打开粉色的毛毯，婴儿竟然奇迹般的没有淋湿。列车朝着阿米蒂奇站飞奔，咆哮地驶过砖房和三四栋公寓，与民舍擦身而过。我想象着那些房子从"L"线列车经过时左右摇晃的样子，想象着玻璃窗震荡的声音，想象着电视在火车的噪声中沉默的寂静，从早到晚，每隔几分钟重复一次。列车开过林肯公园钻进老城。不知道什么时候婴儿安静下来，在火车的安抚中，她不哭了，只是轻轻地抽泣。

我强迫自己和她们保持距离，在随时到来的晃动中稳定自己。我隔着乘客和公文包看过去——婴儿疯狂地吮吸着安抚奶嘴，鲜嫩的象牙色皮肤带着哭泣的红晕，有着和妈妈一样凹陷的面颊，以及空灵的眼睛。一个路过的女人说："可爱的孩子。"女孩挤出一个微笑。

她笑得很不自然。我拿她和佐伊比较了一下，她应该大一点儿：一个是她绝望的眼神；一个是她缺少佐伊未经世事的柔弱。当然，还因为这个婴儿（我坚信佐伊一直以为孩子都是鹳衔来的）。坐在商人的旁边，女孩渺小得就像一个孩子。她的发型不对称：一侧是不整齐的短发，另一侧长至肩膀的长发；褐色，像随时间变黄的老照片；有几缕挑染的红色，不是她本来的发色。她画着厚厚的黑色眼妆，在雨水中晕开，长长的刘海儿像一道屏风挡住了她的眼睛。

　　列车减速进入卢普区，车身倾斜着拐来拐去。我看见她用粉色的毛毯裹好婴儿，重新塞进自己的尼龙外套里，准备下车。州府 / 范布伦站到了，她先我一步下车，我透过车窗追寻她的身影，生怕她消失在拥挤的人群。

　　可是，我竭尽全力，熙熙攘攘的人群还是吞没了她，她不见了。

克里斯

我推开房门，走进家。海蒂问候道："今天怎么样？"而真正迎接我的是刺鼻的茴香味、客厅电视里的新闻和佐伊要掀翻屋顶的音响声。新闻里正在播报：中西部降雨量已经达到历史新高。门口已经堵着一堆湿乎乎的东西——大衣、雨伞和鞋，我又添进去一些，然后像落水狗那样甩了甩头。走进厨房，我亲了一下海蒂的脸，不像是亲昵，更像是例行公事。

海蒂穿着红色的法兰绒格子睡衣，红褐色的自来卷被雨水打湿贴在头上。她没戴隐形，换了一副眼镜。"佐伊！"她喊着，"晚饭好了。"尽管这一声响彻门厅，但是女儿躲在卧室里听男孩乐队，关着门，开着震耳欲聋的音响，根本听不到。

"晚饭吃什么？"我问。

"辣酱汤。佐伊！"

我喜欢辣酱汤，但是最近海蒂的辣酱汤全是素汤，只放些黑豆、芸豆和鹰嘴豆（很明显，今天有茴香），还有让人望梅止渴、被她称为"蔬菜肉碎"的东西。她从柜橱里拿出碗，开始分汤。海蒂不是素食主义者，但是，自从两周前佐伊对肉里的脂肪大谈特谈之后，海蒂决定全家戒肉一段时间。所以，我们吃素肉糕、素肉面和素肉酱，总之全没肉。

"我去叫她。"我说着走进公寓的小门厅。我敲了敲震颤的屋门，佐伊回应后我推开门，探头进去告诉她晚饭好了，她答应着。她躺在天蓬床上，腿上放一个黄色的笔记本，正面贴满了她从杂志上剪下来的少女流行音乐明星照。看见我进来，她猛地合上笔记本，摸出身边被冷落的社会学卡片。

我没告诉她晚饭吃肉碎汤，转身去我和海蒂的卧室。我一边走一边解领带，结果被猫绊了一跤。

很快，我们都在餐桌旁坐好，海蒂又问起我今天的工作。

"不错，"我说，"你呢？"

"我讨厌豆子。"佐伊舀起一勺汤的时候一本正经地说，然后倒回碗里。客厅的电视被调成了静音，我们都把目光转向屏幕，拼命通过唇语读出今天的晚间新闻。佐伊蜷缩在椅子里，拒绝吃饭。她和海蒂简直是一个模子刻出来的：圆脸、卷发、棕色的眼睛，包括像丘比特的弓一样的嘴唇和翘鼻子上的少许雀斑，几乎一模一样。

"你今天都做了些什么？"海蒂问。我心里很排斥，不想回忆一天的事情，不想听她的故事——寻求庇护的苏丹难民和不识字的成年人——让人感到压抑。我就想安安静静地看唇语新闻。

但是，我还是告诉她，我尽职尽责地给客户打了一个电话，起草了一份购买协议，另外和香港客户有一个早得荒唐的电话会议，凌晨三点。当时，我从我们的卧室爬起来，溜进办公室打电话。电话结束后，我洗了一个澡，然后去单位上班。又过了很久，海蒂和佐伊才起床。

"我明早去旧金山。"我提醒她。

她点点头:"知道。多长时间?"

"一晚。"

然后我问起她这一天是怎么过的,她讲起一个六个月前从印度移民到美国的年轻男子。他住在孟买的贫民窟,准确地说是达拉维,世界上最大的贫民窟之一。海蒂告诉我,他在自己的家乡每天挣不到两美元。她告诉我他们的厕所有多稀少又有多遥远,所以当地人就在河里解决。她教这个叫阿卡的年轻人语法。这可不容易。她对我强调说:"英语是很难学的。"

我说我懂。

我老婆的心很软。当年求婚的时候,这的确是个值得赞赏的优点,但是结婚十四年后,"移民"和"难民"这两个词总是刺痛我,我坚信比起对我的关心,她更关心他们的幸福。

"你呢,佐伊?"海蒂问道。

"恶心。"佐伊瘫在椅子里,盯着肉汤,仿佛对着一堆狗屎一样嘟嘟囔囔地回答。我笑出来。至少这是实话。我想重新回答刚才的问题,我这一天也过得很恶心。

"怎么嘬[1]?"海蒂问。她这么说让我心生爱意。这种非常规的用法很有喜剧效果,海蒂只在提到棒棒糖和吸管的时候才会说"嘬"。接着她问:"你的汤有问题吗?太烫了?"

---

1 "恶心"的英语单词 Sucked,也可以表示"嘬,吮"等。

"我告诉过你了，我讨厌豆子。"

如果是五年前，海蒂会给她讲印度、塞拉利昂或者布隆迪的儿童难民。但是，最近想让佐伊吃点东西简直成了一项任务。她要么对什么都没有食欲，要么就嫌脂肪太多，比如说肉类。所以，我们现在吃这种碎"饲料"。

我的公文包放在前门的地板上，最里面传出手机铃声。海蒂和佐伊一起转过头来看我，她们想知道我会不会被电话从饭桌上拉回工作室。我的工作室在家里，当我和海蒂知道我们不会再有孩子的时候，第三间卧室变成了我的工作室。偶尔，她在我的办公室看着那些深色的办公家具——写字台、书架和我最喜欢的皮椅——的时候，我能够从她飘忽的眼神里看出完全不同的另一幅景象：一张婴儿床、一张折叠桌、满墙可爱的野生动物。

海蒂一直渴望大家庭。可惜事与愿违。

我们短暂的晚餐时光很少有不被烦人的电话打扰的时候。我接不接电话取决于当晚我的心情，更重要的是海蒂的心情或者白天是否有突发事件。今晚，我喝了一小口肉汤，以此表示拒绝接电话，海蒂温柔地笑了一下，我权当她在说"谢谢"。海蒂的微笑是最甜的，看上去甜甜的，尝起来美美的。她的笑发自内心，不像其他那些长着丘比特弓一样的嘴唇的人流于唇边的假笑。每次她笑的时候，我都会回忆起我们第一次见面的情景：那是在城里的慈善舞会上，她穿着一件古典的抹胸纱裙，红色的，和她的口红一个颜色。她就像一件艺术品，一件绝世之作。那时她还是个大学生，在一家现在几乎由她全权负责的公益机构实习。

想当初，熬夜和只睡四个小时对那时的我来说真是小菜一碟。海蒂总埋怨我工作的时间太长。可我认为一周七十个小时的工作实属正常。有时候我深夜两点才回家；有时候我在家，把自己锁在工作室里直到太阳升起才出来。我的电话无论白天黑夜都响个不停，仿佛我是一个随时待命的医生，而不是一个负责企业并购的人。海蒂在非营利性机构工作，我们中只有一个人在挣钱，可是我们必须面对林肯公园里的公寓费、佐伊在私立学校昂贵的学费和她将来上大学的费用。

电话不响了。海蒂转向佐伊，她想更多地听她讲讲一天的生活。

终于，她说七年级的地球学老师彼得斯夫人请假，代课老师完全是一个……佐伊停下来，考虑用一个更得体的词代替那个处于青春期叛逆的孩子被灌输进脑子里的词。啊，完全是一个"碎嘴"。

"为什么？"海蒂问。

佐伊避开妈妈的目光，盯着肉汤说："我不知道。她就是那样。"

海蒂抿了一口水，换上一副双眼圆瞪、一脸好奇的面孔。我提起凌晨三点的电话时，她也是这个样子。"她不友善？"

"不全是。"

"太严厉？"

"不是。"

"太……丑？"为了缓解气氛，我插了一句。海蒂的刨根问底有时会造成紧张。她自信地认为做一名参与型的家长（我感觉是过度参与）能让佐伊切实感受到关爱，因为她正在进入海蒂称之为狂躁的青春期。我记得自己在狂躁的青春期的做法是逃离父母。他们越追，我跑得越快。但是，海蒂从图书馆借了很多书：关于儿童发展、父母关爱、幸福家庭的秘籍等心理学书籍。她有义务也有决心做好。

佐伊咯咯地笑起来。她这样笑的时候很少，仿佛回到她六岁时纯洁无暇的样子。"不是。"她回答。

"就是……嘴碎吗？一个坏脾气的老碎嘴？"我启发着。我把黑豆推到一边，用勺子捞其他的东西：一块西红柿、玉米、肉汤寻宝……我在逃避那些素肉碎。

"对，我想是的。"

"还有呢？"海蒂接着问。

"啊？"佐伊穿着一件写有桃红色荧光字体"和平"和"爱"的扎染衬衫，扎了一个歪向一边的马尾辫，显得比戴着橘黄色牙套的她本人成熟很多。她把左臂涂得满满当当的：和平的 V 字形、她自己的名字、一颗心，还有 Austin。

Austin？

"还有什么？"海蒂又问。

Austin 是什么意思？

"泰勒吃午饭的时候把牛奶洒了，全洒在我的数学书上了。"

"书没事吧？"海蒂想知道。泰勒是佐伊最好的朋友，从四岁开始、一辈子的朋友。她们的项链合在一起可以拼出"最好的朋友"，她们在一起商量每一件事。佐伊的项链是祖母绿的，整天挂在脖子上，从来不摘。泰勒的妈妈詹妮弗是海蒂最好的朋友。如果我没记错的话，她们应该是在公园里认识的，当时两个小女孩在玩沙箱，两个妈妈坐在同一条长椅上休息。虽然海蒂说那是偶然，但我相信一定是佐伊把沙子扔进了泰勒的眼里，而且最初的几分钟并没有那么和谐。如果不是海蒂拿水瓶冲出泰勒眼里的沙子，如果当时詹妮弗没有陷入离婚的困扰，急不可待地想找人倾诉，那故事很可能是另一个结局。

佐伊回答："我不知道，我想没事。"

"要不要换一本？"

没有答复。

"还有什么？有什么好事吗？"

佐伊摇摇头。

简单地说，这就是佐伊说的恶心的一天。

佐伊没喝肉汤，找了一个借口离开饭桌。海蒂说服她吃了几口谷物松饼，喝完杯子里的牛奶，然后送她回房间写作业。现在只剩下我们两个人。我的电话又响了。海蒂腾地站起来，开始收拾桌子，而我犹豫着，不知道是否被原谅了。我拿起几个碗跟在海蒂后面，她把佐伊的剩汤倒进了垃圾处理机。

"肉汤不错。"我在撒谎。肉汤一点儿也不好喝。我把该洗的碗摞在水池里。然后，我站到她身后，把手放在红色的法兰绒格子上。

"都有谁去旧金山出差？"海蒂问。她关上水龙头，转身看着我。我靠上去，唤醒了只有我和她在一起的感受，一种渗透进我们骨髓里的熟悉感；这是自然的，习惯的，这是第二天性。我几乎一半的生命是和海蒂一起度过的。我能在她开口之前知道她想要说什么，我能读懂她的肢体语言，我了解她在佐伊熟睡以后或者是躺在床上很久之后充满欲望的眼神。现在，她抬起胳膊拉我入怀，双手搂住我的腰，我也知道，这不是爱欲，这只是占有欲。

她现在是用肢体语言宣誓着"你是我的"。

"几个同事。"我回答。

她又瞪大好奇的眼睛。她想让我说得具体一些。"汤姆，"我说，"还有亨利·汤姆林。"我停顿了一下，就是这个停顿差点儿害死我，"卡西迪·克努森。"我谨慎地用了全称，就像她不认识卡西迪似的。

听到这个名字，她移开双手，转身对着水池。

"这是出差，"我对她解释说，"都是公务。"我一边说一边把脸埋进她的头发里。草莓的味道，香甜、多汁，混合着城市的复杂气味。

"她知道吗？"海蒂问。

"我保证会告诉她。"我回答。对话结束了，屋内陷入沉默，只听见餐具毫不优雅地跌进洗碗池的声音。我趁机溜走，回卧室收拾行李。

我有一个赏心悦目的同事，这不能算我的错。

海 蒂

早上，我睡醒的时候克里斯已经走了。廉价木的床柜上放着一杯咖啡，温热，很可能加了太多的榛子奶，但不管怎么说，它是一杯咖啡。我坐起来，端过杯子，拿起遥控器，漫无目的地调换着无聊的电视节目。正巧碰到天气预报：雨。

我懒洋洋地往厨房走。在门厅，我没停下来欣赏佐伊从幼儿园开始到七年级的毕业照，因为我看见她站在厨房里冲牛奶麦片。

"早。"我说，她跳起来。"睡得好吗？"我问，然后轻轻地吻了一下她的额头。她有一点儿僵硬，最近她对这种温情的动作总是很不自然。但是，作为母亲，我觉得有必要表达我的感情；她和克里斯的击掌，或者神秘的握手根本不够，所以我吻她，看着她离开，我知道我的爱会跟随她一整天。

佐伊已经穿好校服：格子图案的百褶裙、海蓝色的开衫，还有她不喜欢的绒面玛丽鞋。

"好。"她说着端起碗到餐桌边吃起来。

"想来点果汁吗？"

"我不渴。"但是我看见她瞟了一眼咖啡机。她刚才掀开了盖子，现在我把它死死地扣上。没有哪个十二岁的孩子需要用兴奋剂叫醒清晨。不过，我让自己的马克杯满到不能再满的程度，又加了奶，走过去坐在她旁边。她面前放着一碗冒尖的葡萄干小麦片。我尝试着和她聊聊今天的计划，听到的答复不是"是""不是"，就是"我知道了"。然后她匆匆忙忙地跑去刷牙，留下我一个人在寂静的厨房里，听着雨滴打在飘窗上单调的节奏。

当我们穿过大堂，正准备走进湿漉漉的雨里时，碰巧遇到邻居格雷汉姆。他正在鼓捣一块新潮手表上的按钮，不时地响起各种各样的哔哔声。他心满意足地笑着。

"见到你们真是太高兴了，小姐们。"格雷汉姆像小鸟一样欢快地问候我们，带着我见过的最开怀的笑。他金黄色的头发稍微有点儿长，耷拉在油光锃亮的额头上，要不是抹了太多的啫喱，估计它们会直挺挺地竖起来。他浑身湿透了，也许是雨水，也许是汗水，我真的不知道。

他刚刚从湖边晨跑回来，从头到脚一身耐克，戴着一块价格不菲的能记录距离和步数的手表。他的衣服搭配相当完美，夹克上黄绿色的色带呼应着鞋上的同色彩条。

他是那种可以被称作都市型男的人，但是克里斯觉得远不止这些。

"早上好，格雷汉姆，"我说，"跑得怎么样？"

他斜靠在小麦色墙壁的白色护墙板上，狂饮一大口水之后说："好得难以置信。"他的脸上荡漾着兴奋，这让佐伊感到难为情，她低头盯着自己的鞋，用鞋尖踢另一只鞋上看不见的泥点。

格雷汉姆是个孤儿，大概三十来岁。之所以住在这栋公寓里，是因为很多很多年前，他母亲在临死前把隔壁的单元赠送给了他。他理所当然地继承了妈妈的遗产，一下子就腰缠万贯了。但是，他一点儿一点儿地把钱挥霍在了名表、名酒和奢华的家居用品上。

格雷汉姆本来计划在母亲去世后把房子卖掉，结果自己却搬了进来。搬家公司搬走他母亲所有的遗物和混搭的物品，摆上他那些追赶潮流的家具。那些东西如此奢华时尚，好像全部出自"触手可及设计公司"[1]：笔直的线条、利落的拐角和中性的色彩。他是一个简约主义者，要不是零七碎八地扔在地板上的床单和复印纸，这间公寓还算简洁。

"同性恋，"我们第一次参观完他的房间之后克里斯这样说，"他是同性恋。"让克里斯大开眼界的不仅仅是房间的摆设，还有衣橱里琳琅满目的衣服，比我的还多。他故意敞开着柜门让我们看到。"记住我的话。走着瞧。"

但是，总有女人频繁来访。那些绝色美人连我都看得目瞪口呆：漂过的金发、夸张的蓝眼睛和芭比娃娃一样的身材。

格雷汉姆是在佐伊蹒跚学步的时候搬过来的。佐伊像果蝇追随熟透的香蕉一样围着他转。他是一名自由撰稿人，时常待在家里，要么两眼发直地盯着电脑，要么喝下过量的咖啡，然后进行自我否定。他不止一次地在佐伊生病而我和克里斯又无暇顾及的时候伸出援助之手。他热情地招呼佐伊坐在植绒沙发上，两个人一起看卡通片。当你需要一杯奶油、一块防静电布，或者找人帮忙挡一下门的时候，他总是乐于跑腿。他是写说明文的高手，经常在我和克里斯爱莫能助的时

---

1 创始人是福布斯（Rob Forbes），通过展示一系列自己拍摄的照片来给大家讲解他的观看之道。

候辅导佐伊的英文作业。他是烹制火鸡的专家，我也学过，但是我在招待亲戚的感恩节晚餐上只能完成不到四分之三的步骤。

总之，格雷汉姆是个不错的朋友。

"你们两个应该加入我。"他说的是跑步的事。看见他腰上挂着一排水瓶，我觉得我们还是不去为妙。

"我如果去了，你会难受的。"我说。我看着他揉搓佐伊的头发，佐伊脸红了，不过这次玫瑰色的红晕和格雷汉姆的性别无关。

"你呢？"他问佐伊，佐伊耸耸肩。十二岁有十二岁的好处，耸耸肩或者一个羞涩的微笑都可以帮她解脱。"考虑一下。"他说着又飞递出一个谄媚的笑容，他的牙齿洁白无瑕，像学校里行为端正的孩子一样整齐地排成行。佐伊像躲避瘟疫一样回避他新刮过的脸和低垂的双眼。不是不喜欢他，恰恰是因为喜欢。

我们和他道别，钻进雨里。

我陪佐伊走到学校，然后去上班。佐伊在我们附近的学校上学，学校紧挨着一座气派的拜占庭教堂，灰色的砖墙、厚重的木门、神圣的圆顶直达天际。教堂的装饰极尽华丽，接连不断的金色壁画、彩绘的玻璃窗，还有大理石圣坛。学校隐身在教堂后面，中规中矩的砖房和一个操场，大批穿着同样的格子校服的孩子套着五颜六色的雨衣。书包压在他们幼小的身体上显得过于沉重。佐伊不情愿地说了声再见，从我身边逃走。我站在路边看着她和其他七年级的同学会合，注视着他们匆匆忙忙地穿过积水的马路，走向干爽的教室。我躲闪着小家伙们，他们贴在父母的大腿上，哀求着说他们不想去。

我一直看着她进去了才走，我要去富勒顿车站。走着走着，雨突然间变得急促，竟然变成冰雹砸下来。我情不自禁地跑起来，慌不择路地踩进一个一个水坑里，脏水飞溅到我的腿上。

女孩和婴儿闯入我的脑海，我想，她们是不是也在外面的某个地方经受着骤雨的袭击？

我刷卡进站，然后急匆匆地迈上湿滑的楼梯。我想知道是否能看见她们。我很欣慰，在这样恶劣的天气里，婴儿和她的母亲不在站台上。但是，我的脑子又开始胡思乱想：她们在哪儿？更重要的是她们安全吗？她们被淋湿了吗？她们冷吗？这就是所谓的自寻烦恼吧。我焦急地等待列车进站。车一来我就蹿上去，我目不转睛地盯着车窗外面，期盼着也许她们在某一秒钟出现：军绿色的外套、系带靴子、破旧的皮箱，还有湿乎乎的粉毛毯、露在外面的婴儿乳白的小脑袋、柔软纤细的绒毛和咧开嘴没有牙齿的微笑。

今天，有一队三年级的学生到我们的识字中心参观学习。在志愿者的帮助下，我们给学生朗读诗歌，然后让他们自己写诗，并且在小组间分享互评，这是比较具有挑战性的。到中心来的学生大部分来自社会底层，居住在美国黑人或拉丁美洲人的社区里，在家里讲英语以外的其他语种，西班牙语、波兰语或中文。

这些学生中，很多父母同时工作，如果他们拥有双亲的话；很多孩子是单亲；很多孩子挎着钥匙，独自度过下午和晚上的时间。他们不被重视，因为有更紧迫的事情需要关注，准确地说是食物和安身之地。整个上午，我们不只教他们识字，还培养他们对十四行诗和俳句的兴趣。他们刚刚走进中心大门的时候，疑虑重重（他们轻声抱怨着领到手的任务），几个小时之后，经过他们自己的努力和我的同事们一心一意的帮助，他们带着十足的信心离开。

他们一走，女孩和婴儿重新出现在我的脑海里。

午饭的时候，大雨平静地变成蒙蒙细雨。我穿上雨衣，直奔图书馆去取我借的书，路上我狂吃了几根营养麦棒，代替午餐。我真心地喜欢图书馆，喜欢它洒满阳光的中庭（虽然今天没有），喜欢它奇形怪状的花岗岩滴水嘴，还有数百万的书籍。我喜欢图书馆里的静谧，引领我走近知识，走近法语，走近中世纪历史，走近水利工程和神话传说。阅读书籍是最基本的学习形式，它是通向现代技术的捷径。

一个流浪的女人靠在红砖墙上乞讨，我停下来在她的手里放下几美元。她向我表示感谢，但是嘟嘟囔囔的说什么我听不懂。她冲我笑笑，我看见她的牙齿所剩无几，剩下的都已经变黑，我猜是服用中枢神经兴奋剂造成的。她戴着一顶薄薄的黑色帽子，也许由此获得了些许温暖。

我查到我的书在七层的预留书架上，为了避开保安、小学生参观团、闲逛的流浪汉和女人们在图书馆里过分吵闹的聊天声，我选择坐扶梯。图书馆里温暖宁静，对所有人敞开胸怀。我拐进文学书走廊，想找几本最新的《纽约时报》畅销书。

就在那里，我看见了她们，女孩和她的孩子。她盘腿坐在地板上，婴儿横在她的腿上，她抬高一只膝盖托着孩子的头。皮箱在她的旁边。女孩一副如释重负的样子。她从军绿色的外衣兜里掏出一个小瓶，塞进乖巧的婴儿嘴里，然后从最下面的书架上拿出一本书。我蹭到最近的架子旁，抽出一本科幻惊悚小说，随手翻到第 47 页。我听见她温柔地读起《清秀佳人》，我看见她的手抚摸着婴儿的脚心。

婴儿安稳恬静。我隔着铁架子偷偷地观察：她不停地吸吮，直至瓶底只剩下残余的气泡，但是她的眼睛已经睁不开了，慢慢地、慢慢地合在一起，她的身体下沉，随之进入梦乡，除了偶尔无意识地扭动一两下以外，相当平静。她的妈妈还在念，还在用拇指和食指爱抚着她的小脚，而我在窥视一个母亲和她的孩子间最私密的交流。

突然一个图书管理员走过来问："需要我帮忙吗？"我攥着那本科幻惊悚小说跳起来，心生内疚，有些狼狈。我的外衣还在滴水。管理员微笑着，温和且友善。

"不用。"我立即轻声回答，生怕吵醒婴儿。我压低嗓音说："我已经找到了。"然后，迅速地找到扶梯下楼，去登记新找到的这本书。

回家的路上，我在音像店租了一个我和佐伊看的女性电影，买了一盒无脂的微波炉爆米花。克里斯经常出差。这位"这一分钟在这儿，下一分钟在那儿"的父亲给年幼的佐伊造成了负面影响。他旅行的时候，我们会做一些爸爸在家时不能做的乐事：通宵看电影、和朋友在外过夜、编故事，故事里克里斯是时空旅行家（更有趣），而不是投资银行的旅行家（无聊）。

我坐电梯到了我们这一栋老楼的五层。进家以后，我发现屋里一片漆黑，静得吓人。通常，迎接我的是佐伊震耳欲聋的音乐声。但是，今晚出奇地安静。我打开客厅的灯，呼唤佐伊。接着我去敲她卧室的门。门缝里渗出灯光，可是没有回应。我推门进去。

佐伊还穿着格子校服，最近很少见她这样。四肢伸开，躺在硬木地板的乳白色长绒地毯上。她总是一进门就扒掉校服，换上一件有图案的、带亮片的或者有钻钉的衣服。我看到她睡着了，松了一口气。我望着她，她搂着黄色笔记本这样松懈地躺在地上，仿佛突然间不堪重负倒下的样子。她裹着毛毯，枕着一个写着"拥抱和亲吻"的抱枕。加热器的温度设置在26摄氏度，那是佐伊多次抱怨卧室太冷之后，克里斯买回来的。这屋子像个烤箱，躺在两脚开外的佐伊正在被蒸熟。她双颊通红；毯子没着真是个奇迹。我关掉加热器，屋子还要几个小时才能凉下来。

抓住这个机会，我开始巡视她的房间，如果她没睡着肯定会大喊大叫的。整座公寓里到处是裸露的砖墙，克里斯分析这是佐伊的房间特别冷的原因；带天蓬的床上铺着拼布床单，没有整理过；校园偶像的明星照和热带天堂专辑的海报贴了满墙；她的双肩背书包在地上，东西满得溢出来，上学前我塞到她手里的课后零食原封不动地待在那儿；同学间传递信息的纸团散落在地上；两只猫趴在她旁边，分享这过度的热量。

我用手指理顺她的长发，轻声地唤她，一声、两声。她腾地一下坐起来，眼睛睁得老大，犹如做错事，或者做坏事被当场抓到一样。她跳起来，猫也跟着蹿起来，她把毯子扔到床上。

"我累了。"她解释着，然后她的眼睛飞速地扫过房间，想要知道我是不是发现了什么出格的东西。快到七点了，太阳已经西沉。克里斯，很可能正在旧金山某家奢侈的餐馆，一边注视着对面的卡西迪·克努森，一边享用奢靡的晚餐。我自己设计着剧情。

"我很高兴你睡了一会儿，"我看着她脸上的压痕和她疲惫的棕色眼睛说，"今天怎么样？"

"不错。"她说着从地上抄起黄色的笔记本，攥紧，就像小狐猴紧紧抓着妈妈一样。

"彼得斯夫人回来了吗？"

"没有。"

"她一定病得很重，"我说。流感大有在年底暴发的趋势。"还是那个代课老师吗？碎嘴？"

佐伊点头："对的，是碎嘴。"

"我们马上吃晚饭。"我对佐伊说。但是她出乎我意料地说："我吃过了。"

"噢？"

"我饿了。放学以后，我不知道你什么时候回来。"

"好吧，"我说，"你吃了什么？"

"奶酪三明治，"她说，然后补充道，"还有一个苹果。"

"好。"

我意识到我还穿着雨衣、雨鞋，背着包。我兴奋地把手伸进包里，掏出光碟和爆米花。

"今晚想看电影吗？"我问，"只有你和我。"

她没出声，她的表情很冷淡，既没有愉快的微笑，也没有我脸上那种傻傻的笑。我在她说"不"之前早有预感。

"因为……"她开始了，"明天有考试，考平均数、中位数和众数。"

我把光碟扔回包里。这个理由足够了。"那么我帮你复习。"我建议道。

"不用了，我做了复习卡。"她展示给我看。

我努力让自己不要太敏感，因为我知道我也有过十二岁——也许十六岁，或者十七岁——宁愿看牙医也不愿意和我妈妈去逛街。

我点点头："好。"我说着走出去。然后，她像小老鼠似的在我身后轻手轻脚地关上门，并且锁上。

克里斯

我们坐在酒店的房间里：亨利、汤姆、卡西迪和我。这是我的房间。电视上放着一盒吃了一半的意大利辣香肠比萨（有肉哦！），随处可见打开的苏打水。亨利在厕所，我想他在上大号，因为他在里面很久了。汤姆躲在角落里打电话，一根手指堵着耳朵避开干扰。我的床上铺满了饼形图和柱形图。桌子上、地上，到处是脏纸盘子。卡西迪的盘子放在茶几上，里面整齐地码放着一堆被拣出来的香肠，旁边有一罐无糖苏打水。我捏了一粒扔进嘴里，她看着我，我耸耸肩说："怎么了？海蒂最近在吃素。我快营养不良了。"

"纽约牛排没解馋？"她笑着问。明快的笑容。卡西迪·克努森，快三十岁了，刚刚读完MBA，和我们共事近十个月。她不是那种把"受托人"和"套期保值"一类听起来特别酷的词挂在嘴边的书呆子，而是一个超级天才。

"如果我老婆在这儿，我就把她带来了。"

她穿着铅笔裙和两寸多高的高跟鞋，坐在我的床边。她这种身材的女人不需要这么高的高跟鞋，这样显得招摇。她用手捋着顺滑的香槟色波波头对我说："对极了。"

酒店的厚窗帘敞开着。窗外，旧金山的夜晚一片灯火通明。我恰巧能看见坐落于加利福尼亚大街555号的环美金字塔中心和旧金山湾。现在已经九点多了。隔壁房间的电视音量很大，棒球热身赛隔墙可闻。我从她的盘子里又捏了一粒香肠，听见"巨人队又得一分，现在3比2"。

亨利带着臭味从厕所出来，我们都屏住呼吸。"克里斯，"他伸手递给我他的电话。我想知道他是不是洗过手了。我怀疑他上厕所的时候一直在打电话。他不是个讲究人。老实讲，他从厕所走出来的时候裤链没拉上，我本来想告诉他，但是他臭气熏天阻止了我。"亚伦·斯温德勒要和你通话。"我从他的手里接过电话，看着他抓起一角比萨，顿时食欲全无。

我的潜在客户里只有一个斯温德勒。我在这个拥挤的房子里找到一个私密的角落，拿出我最专业的营销语调说道："斯温德勒先生，巨人队打得怎么样？"其实从隔壁传过来的倒彩声中我就知道，巨人队已经无力回天。

我并不是从小立志要做投资银行家的。六岁的时候，我有各种各样的远大理想：宇航员、职业棒球员、理发师（那时感觉理发像给头发做手术一样高深）。随着年龄的增长，理想和职业的关系越来越远，和收入的关联越来越近。我期望在富人生活的湖滨区拥有一间豪华的顶层公寓、一辆名牌跑车和人们仰视的目光。我的脑海里马上浮现律师、医生和飞行员，但是我对他们都不感兴趣。到了上大学的时候，对钱的强烈渴望促使我选择了金融专业，因为我觉得那才是正确的选择，和一群娇生惯养的毛孩子坐在一间教室里谈论着钱钱钱，还是钱。

回过头去想一想，当年海蒂让我一见钟情的原因，就是她不像我身边那些人一样眼里只有钱。她的眼里装着穷人，她用"没有"代替了"拥有"，而我只关心"拥有"。谁拥有最多的钱？我怎么拥有更多的钱？

亚伦·斯温德勒一直在东拉西扯，我听见自己的手机响起来，它在房间的另一边，放在卡西迪旁边的条纹围巾上。四十岁的亨利是个单身贵族，正肆无忌惮地盯着她穿着透明丝袜的大腿。我正在等一个重要的电话，一个不能错过的电话，所以我示意卡西迪帮我接听电话，然后我听见她唱歌似的说道："嗨，海蒂。"

我沮丧至极，像一只活动结束后的热气球。该死！我对卡西迪竖起食指——等一会儿——但是亚伦·斯温德勒没完没了地唠叨那些可恶的闲事，我只能竖起耳朵听卡西迪和我老婆之间拖拖拉拉的对话，飞旧金山的航班、在昂贵的牛排餐厅吃的晚饭，还有恼人的天气。

准确地说，海蒂和卡西迪见过三次。我知道是因为每次她们见过之后，所有到场的人都对我置之不理，好像是我把她招进了我的团队，应该对她的美貌负有责任似的。她们第一次见面是去年夏天公司在植物园郊游的时候。我从来没有在海蒂面前提起过卡西迪。那时，她才和我们一起工作了六周，那样做既没必要，也不够明智。当卡西迪穿着长长的抹胸连衣裙气定神闲地向我们走来。在 32 摄氏度高温的天气里，我们躲在枫树的树荫下汗流浃背，无精打采。我看见海蒂穿着牛仔裙和衬衫正挥汗如雨地问路。我看见自信在一点点熔化。

"她是谁？"当完成"很高兴见到你们"的问候，看着卡西迪离开去搅和另一对幸福的夫妇之后，海蒂收起虚伪的微笑，问道，

"秘书？"

我不知道海蒂这话是什么意思，如果卡西迪·克努森是我的秘书是更好还是更糟？

后来回到家，我看见海蒂用小镊子拔掉了几根并不显眼的白发。没过多久，梳妆台上摆满了抗皱和防衰老的美容产品。

我把电话塞给亨利的时候不忘特意说了一句："给你，亨利。"语气坚定，以便家里的海蒂知道我不是和卡西迪单独相处，然后，我拿着自己的电话快步走到走廊。海蒂是个美丽的女人，千万不要误解我，她是极好的。没有人会猜到卡西迪和我的妻子相差了足足十岁。

然而，海蒂知道。

"嘿。"我说。

"怎么回事？"她问。我想象着她在家里的样子：在床上，穿着睡衣，红色法兰绒那件，或者是佐伊在她生日时送的带圆点的那件；卧室的电视被调到新闻频道，笔记本电脑支在腿上；头发松松垮垮地盘在头上——不挡眼睛——她上网搜集达拉维贫民区或者世界各地贫困地区的资料。谁知道。也许，我不在家的时候，她会看点情啊爱啊之类的东西。我驱赶着这种念头。这不是海蒂，海蒂是有品位的人。也许，她在查素肉汤的做法，或者是找猫食？猫砂？

"什么？"我一时无以应对，好像我走神了。走廊里贴着全世界最烂的壁纸，红色的几何图形让我头疼。

"卡西迪接了你的电话。"

"哦，"我说，"是。"我告诉她我在和亚伦·斯温德勒通电话，然后迅速地转换话题，脱口而出地问起闯入我脑海的第一件事："回家的时候还下雨吗？"再也没有比谈论天气更安全的话题了。

"下雨，一整天都在下。"

"这么晚了你在干什么呢？"我问。家里应该已经十一点儿多了。

"我睡不着。"她说。

"因为你想我了。"我启发她，其实我们都知道不是这么回事。从我们约会开始，我不在的时间总比我在的时间多。她习惯了我的缺席。"距离产生美。"每次我问她是否想我的时候她总是这么回答。我猜她是喜欢一个人独占整张床。她总是趴着睡——抢被子——尤其喜欢斜趴在床上。我们的婚姻生活，对我而言，更像住酒店。

"当然，"她说，接着不出所料地说，"距离产生美。"

"这句话是谁说的？"我问。

"不知道。"我听见她敲击键盘的声音——咔嗒，咔嗒，咔嗒，"进展怎么样？"

"还行，"我回答，希望她能停下来。

可是她没有。

"仅仅还行？"她试探着。于是我不得不讲述航班因雨延误的消息引发的骚乱和一杯泼洒出来的橙汁；跟客户在渔人码头的午餐，以及不喜欢亚伦·斯温德勒的理由。

但当我问起她一天的生活时，她却谈起佐伊。"她变得怪怪的。"她说。

我轻声一笑。我顺着有几何图案的红色壁纸滑下去，坐在地板上。"她已经十二岁了，海蒂。"我说，"她可以有点儿怪怪的了。"

"她睡午觉了。"

"因为她累了。"我说。

"她十二岁了，克里斯。十二岁的孩子不爱睡午觉。"

"她也许病了。流感，你知道，"我说，"到处都是。"

"也许吧，"她说，但是又说，"她看起来不像生病。"

"我不知道，海蒂。我已经过十二岁很久了。而且，我是男人，我不清楚。也许是快速生长期，也许是青春期。也许就是没睡好。"

我几乎听到海蒂的下巴掉到地上的声音。"你认为佐伊到了青春期？"她问。按照她的想法，佐伊应该一辈子兜着尿布，穿着连脚裤。她没容我回答，就坚定地说："没有，还没有，她还没来过月经。"

我感到局促不安。我讨厌这个词。"月经""经期""经血"，想到我的女儿使用卫生巾——或者我必须听这种事——我就心慌意乱。

"和詹妮弗聊聊，"我建议，"问问詹妮弗，是不是泰勒也有……月经"我挣扎着说出那个词。我了解女人，一点点友情足以化解所有事情。如果泰勒也到了青春期，海蒂和詹妮弗就可以互相打电话或者发短信讨论一下阴毛和少女胸罩的事，然后一切都迎刃而解。

"我会的，"她果断地说，"这个主意不错。我要问问詹妮弗。"她的语气平缓，这段时间以来，这个担忧一直折磨着她。我设想着她关上电脑，把电脑放在我的位置上以此当作夜晚可以依偎的密友。"克里斯。"她说。

"哦？"

她犹豫不决："没事。"

"怎么了？"我又问了一遍。一对夫妇手挽手地走进大厅，我把腿缩回来给他们让路。那个女人用非常夸张的语气说："不好意思，先生。"我点头回敬她。他们到了六十五岁肯定也会手拉手的。

我的目光追随着他们配套的斜布裤子和春装外套，想起我和海蒂很少拉手。我们仿佛是车子上的轮胎，协调却永远分开。

"没事。"

"确定吗？"

"嗯，"她说，"等你回来我们再谈吧。"她第一次表示累了。她的声音很疲惫。我仿佛看见她缩进被子里，越裹越紧，即使在冷得要死的冬天，闷热的羽绒被也让我大汗淋漓。我似乎看见卧室的灯灭了，电视关了，海蒂的眼镜在床边的茶几上，一切都一如既往。

我的脑海闪过一幅画面，像出膛的炮弹一样突如其来，我忙不迭地轰赶它：亚伦·斯温德勒睡觉的时候穿什么？

"好吧。"我说。有人在敲门，他们在找我。我站起来，同时告诉海蒂我必须挂电话了，她说没问题，我们互道晚安。我告诉她我爱她，她也像往常一样说她也爱我，虽然我们都知道心口不一。这就是我们。

我回到房间的时候，偷窥了卡西迪的铅笔裙和两寸多高的高跟鞋，她还坐在我的床边，我情不自禁地想：丝滑的绸缎，还是皱褶的短袍？

海 蒂

我醒来的时候满脑子都是卡西迪·克努森，我是不是昨晚梦见她了？还是昨晚我们尴尬的交谈之后，她来了，就站在那儿，在晨曦里？她接克里斯电话的声音一遍遍地在我耳边回荡，那个活泼的声音"嗨，海蒂"就像在黑板上钉钉子一样尖锐、刺耳、令人愤怒。

上班的路上，我克制自己不去想女孩和她的孩子，但是谈何容易。在火车上，我尽最大的努力强迫自己专注在借来的那本科幻惊悚小说上，而不是眼巴巴地对着脏车窗，期待着军绿色外套的出现。中午，我约了一个同事共进午餐，没有去图书馆。尽管我特别想去，我想到文学通道里去寻找她。我担心她和她的孩子，不知道她们睡在哪里，吃了什么。我冥思苦想如何帮助她们，是像对待游荡在图书馆旁边的那个黑牙老妇一样给她钱，还是介绍她去一家城里的妇女收容所呢？就这样，我决定了，我要找到她们，然后送她去凯兹路的收容所，她们在那里才是安全的。只有这样，我才能不去想她们。

我准备忙里偷闲把这件事情搞定——结束和同事的午餐——这时电话响起来，是我亲爱的朋友詹妮弗打来的回电。我和同事告别，回自己的办公室。接通电话的时候，我暂时把女孩和婴儿抛到了脑后。

"你拯救了我。"我说着"扑通"一声跌坐在椅子上，又硬又凉，一点儿也不符合人体学的设计。

"怎么说？"詹妮弗催促着。

"厌世嫉俗。"我用法语回答。

"你能说英语吗？"

"厌世。"我说。

我的办公桌上放着一个镜框，里面装着詹妮弗、泰勒、佐伊和我的合影。照片上的她们笑得阳光灿烂，双眼炯炯有神。那是四年前姑娘们八岁的时候，我们在路边的照相亭拍的。那时她们还能接受和妈妈一起出现在公共场合。她们分别坐在我们的腿上，泰勒的眼睛很大但是带着哀怨，微笑的时候有一点儿撇嘴，佐伊在她旁边；我和詹妮弗的头紧紧贴在一起，只有这样我们才能都在照片里。

詹妮弗离婚多年。我没见过她的前夫，不过从她的描述中得知那个男人冥顽不化、脾气暴躁、情绪不稳定，所以他们争吵不断，詹妮弗总要睡在客厅的沙发上（他的前夫死赖在床上不走）。

"泰勒还没到青春期，是不是？"我直言不讳地问她。有知己是件幸福的事。不需要措辞，不需要提炼，怎么想就怎么说。

"你什么意思？是指月经吗？"

"对。"

"还没有，谢天谢地。"她回答，听到这个消息我有一种如释重负的感觉。

然而，我爱钻牛角尖的弱点又一次暴露出来，接着问道："你认为她们是不是该到了？"我在不同的网站查到月经可能提早到八岁，最迟在十三岁，但是同时也查出月经通常比胸部发育晚两年左右。佐伊，十二岁了，胸部还像煎饼一样平展。"她们没有滞后于时间表或者其他什么问题吧，是吧？"

詹妮弗听出了我的焦虑。她是社区医院的营养师。我所有关于医学的问题全都找她解决，就跟她工作的医院授予了她一个免费医疗学位似的。"这不是大事，海蒂。她们会按照自己的节奏成熟的，没有什么时间表。"她安慰我，然后提醒我说我无法控制佐伊的青春期。"我知道你肯定会做，"接着她刺激我，"因为你一直在做。"只有最好的朋友才有这么直白的表达。我笑出声，我知道她说得对。

然后，我们的话题转到春季足球赛。我们讨论姑娘们对艳粉色队服的看法，纠结"幸运符"是否适合做十二岁女生的队名，还有女孩们对教练的迷恋。教练是一个二十多岁的大学男孩，他没把球队命名为洛约拉[1]。所有的妈妈都觉得山姆教练好得不得了。我和詹妮弗滔滔不绝地聊着他茂密的棕色头发、漆黑迷幻的双眼、足球运动员练就的力量和敏捷，还有小腿上的肌肉，好像我们从来没见过似的——佐伊青春期的苗头、女孩、婴儿统统被挤出局。我们又聊起男孩，青春期前的男孩，比如奥斯丁·贝尔，所有女孩的偶像。佐伊和泰勒也不例外。詹妮弗诚实地说起泰勒的笔记本上有奥斯丁·贝尔夫人潦草的签名，而我则想起佐伊苍白的胳膊上粉色的纹身 Austin，i[2] 的上方覆盖着一颗心。

"我那个时候喜欢布莱恩·拜彻尔，"我坦白地说，我记得他的头发优雅地竖在头上，眼睛一只是蓝色的，一只是绿色的。他从加利福尼亚州的圣地亚哥，一个人才辈出的地方，转学到我们中学，这本身

---

1 芝加哥洛约拉大学（Loyola University Chicago），一所四年制私立天主教大学。

2 是"Austin"英文名字中的一个字母，同时代表"我"的意思。

就是一件值得敬佩的事，再加上他会跳舞，无论是简单的摇摆舞，还是煽情的，或是奔放的，他都能跳起来。总之，他是所有男孩嫉妒的对象，所有女孩崇拜的偶像。

我记得当年邀请他作为我的第一个男伴参加聚会，可是他拒绝了。

我想了想佐伊，又想了想泰勒。也许，我们的孩子根本没什么特殊。

有人敲门。我抬起头，是我们优秀的前台接待达纳，她示意我去给一个二十三岁的妇女上辅导课。她最近刚刚获得夹在印度和中国之间的南亚小国不丹国的庇护。她一生大部分时间在尼泊尔附近的难民营度过，住在搭在泥地上的竹棚里，依靠配给食物生存。她父亲自杀以后，她到美国寻求庇护。

我捂住电话，低声告诉达纳我马上过去。"工作了。"我对詹妮弗说，然后我们再次确认今晚佐伊去她家和泰勒一起睡。今早，佐伊听到这个消息的时候欣喜若狂，她甚至在跑进学校之前才想起来和我说再见。

一天浑浑噩噩，时间慢悠悠的让人难以忍受。外面的雨也变得轻飘飘的，天际线还是灰蒙蒙的，臃肿的云层吞没了摩天大厦的高顶。终于到五点钟，我和同事告别后乘电梯下楼。我几乎没有在五点下过班，但是在这样一个晚上——佐伊出去过夜、克里斯的飞机晚点要到十点才能回来——我要享受一个人在公寓的时光，这样简单的幸福是可遇不可求的。我盼望着能够穿着温暖舒服的睡衣惬意地躺在沙发里，独自一人看一场言情片，还能一边看一边吃掉整袋的爆米花，自始至终只有我一个人（没准，还要加一勺巧克力薄荷冰激凌！）。

头顶的积云开始变薄，太阳艰难地在云缝间完成了美丽的谢幕。空气凉飕飕的，不到 4 摄氏度，起风了。我戴上皮手套，用围巾裹住头，和晚高峰的人群一起奔向"L"站台。我挤进拥挤的车厢，像罐头里的沙丁鱼一样和其他人贴在一起。列车随着高低起伏的轨道咔嚓咔嚓地蜿蜒前行。

我在富勒顿站下车，小心翼翼地走下湿滑的台阶。我旁边的一个家伙点着一根烟，空气中顿时充斥着烟草的气味，这股气味停留在我的记忆里，勾起了我的乡愁。小的时候，我和家人住在克拉夫兰郊外一座20世纪70年代殖民地的房子里，我妈妈最喜欢它贴着海绵的彩色墙壁。我爸爸抽红色万宝路，每天半盒。他在车库里抽烟，从来不在房间里，因为妈妈不允许。他的毛孔里、衣服上、头发里、双手上都散发着烟草的芳香。车库里烟味聚集不散，妈妈总是抱怨烟味从厚重的金属门里渗出来，飘进了那洁白无瑕的厨房——白色的橱柜、白色的灶台、白色的冰箱和一张敦实的餐桌。早上，爸爸起床后，一定会在五分钟之内端着咖啡、拿着红色万宝路溜进车库。他回来的时候，我应该坐在餐桌旁吃可可泡芙，他肯定看着我、带着最迷人的微笑（我知道妈妈嫁给爸爸是抓住了一个好人）告诉我永远不要吸烟，他常说："一定不要抽烟，海蒂。永远不要。"然后，他洗手，和我坐在一起吃可可泡芙。

下楼梯的时候我一直在想爸爸，手情不自禁地摸着挂在脖子上的金色婚戒。手指抚摸着戒指内圈上的刻字：永远的开始。

有那么一刹那，我几乎看见他了，在那儿，在拥挤的人群中，爸爸穿着工装，一手插兜，一手夹着红色万宝路，笑呵呵地看着我。他的裤子上挂着一把锤子，头上戴着棒球帽，上面印着"克利夫兰印第安人"。他总是顶着一头乱蓬蓬的棕色头发，被妈妈催促才去修理一下。

"爸爸。"我差一点儿喊出来，但是他消失了，和来时一样让人猝不及防。我晃晃脑袋，清醒了。这一切都不可能。

也许，有可能？

当然不可能，我确定。

于是，我在这熟悉的致癌的气味中深深地吸气，感受它又不想闻到它。突然我听见婴儿的号啕大哭。我的脚刚刚迈上人行横道就被那个声音勾住了脖子，我本能地四处张望，寻找声音的来处。

我看见她在那里，坐在高架桥的下面，在寒风中瑟瑟发抖。她坐在冰凉潮湿的水泥地上，后背贴着砖墙，身旁是报摊和恶臭的垃圾桶，脚边是深陷的水坑。她摇晃着怀里的婴儿，孩子哭闹不止。她的动作有些急躁，一个伤心欲绝的孩子让母亲有瞬间的疯狂之举。佐伊小时候很爱哭，无休无止地哭闹。我可以想象出女孩眼里的心灰意冷和无力抵挡的心力交瘁；但我不能想象她在这样一个寒冷的春日里出现在黄昏的街头；我无法想象她绝望地向行人伸出湿漉漉的咖啡杯（很可能来自旁边的垃圾桶）乞讨，路人瞥一眼，把零钱扔进她的杯子。二十五美分、一小把硬币，似乎每一分零钱都能拯救这个女孩的命运。有那么一会儿，我感觉无法呼吸。这个女孩就是个孩子，她的孩子还是个婴儿。没有人应该遭受这样的命运，身无分文、无家可归，尤其是一个孩子。我的脑子里迅速浮现出婴儿用品和尿片的巨大开销，我知道如果她买了尿片就绝没有钱留给自己、留给食物、留给住所、留给带着艳丽金色雏菊的雨伞。

我差点儿被从"L"线涌来的人群撞倒。我慌忙闪到一边，避开那些有月薪、赶着回到温暖干爽的家里去做饭吃饭的人。我走不动。我的脚被钉在人行道上，我的心跳加速。婴儿号啕大哭，撕心裂肺、惨不忍闻，完全失去控制。这牵扯着我的神经。我注视着女孩，注视着她歇斯底里的晃动，听见她伸出杯子时有气无力地挤出几个字：

"求求你，帮帮忙。"

她在请求，我对自己说。她在请求帮助。

无动于衷的人们继续赶路，冷漠地往她的杯子里扔零钱。那些零钱即使不在这里，也有可能毫无用处地躺在洗车房、柜台或者书架的粉色陶瓷小猪里。

走近她的时候，我感觉到自己在颤抖。她抬起头，我们四目相视，可是她随即避开，反而递上手里的杯子。她的眼睛暗淡无神，透着疲惫和悲伤。面对那双眼睛，我有瞬间的迟疑，几乎要停下脚步。冰冷的蓝色，矢车菊般的蓝色，浮肿的眼皮上画着浓浓的眼线，太粗太深。我想逃离。我计划在她的杯子里放下二十美元以后继续走自己的路。二十美元远比一把零钱更货真价实。如果节省地花，二十美元足够她吃一周。我在迟疑的时候这样劝慰着自己。但是，我猛地意识到她很可能会先给婴儿买美赞臣奶粉，而不会满足自己。她瘦得像根麻秆、皮包骨头，佐伊和她比起来像颗菜豆。

"我帮你买份晚饭吧。"我唐突地说，但是我的声音轻飘飘的，有些抖，几乎被淹没在城市的喧嚣中：出租车对着富勒顿站台来来往往乱穿马路的行人大肆鸣笛；头顶上方，紧随广播声"乘客们请注意，从卢普区开来的列车即将进站"，棕线列车冲进站台；婴儿啼哭；行来走去的人，对着手机高谈阔论或者笑声朗朗；夜幕降临，被人们淡忘的雷声滚滚而来。

"不用，谢谢。"她回答，语气里带着一丝哀怨。对她而言，扔下钱然后转身离开更容易接受。也许，此刻是这样的，但是当她被饥饿掏空、在婴儿的号哭中崩溃的时候就不一定了。她站起来，提起箱子，左右晃动怀里的婴儿。

"这样，"我脱口而出，我知道她准备逃走，"有时候可以让他们趴着，像这样。"我用手比画着。"可以缓解肚子疼。"她看着我的手从竖直到水平的变化，点点头。我进一步补充道："我也是妈妈。"她上下打量我，想知道我为什么不走开，像其他人那样，扔下零钱然后离开。

"有一个收容所——"我切入正题。

"我不需要。"她打断我。我想象着收容所里面的样子，数不清的简易床，一字排开。

她的表现出乎意料地强硬、坚定、抗拒。不知道她的内心是否也同样强硬。她穿着同一条破牛仔裤、同一件军绿大衣，同一双系带靴子，肮脏、潮湿。她的卷发油污污的很久没洗过了。她有多长时间没有洗过舒服的热水澡，睡个安稳的好觉了？我看见婴儿也是脏兮兮的。

我把她想象成佐伊，孤单一人，流浪街头，无家可归。外表活泼莽撞、内心敏感谨慎的佐伊在"L"沿线乞讨。还没进入青春期的佐伊，可能三年或者四年以后就会有她自己的孩子。这纯粹的假设让我忍不住想哭。

"让我帮你买晚餐吧。"我又说了一遍。但是女孩已经转身离开，婴儿别扭地趴在她的肩膀上，烦躁不安地扭动着幼小的身躯。我的心情跌入谷底，拼命地想要做点什么。但是女孩离我越来越远，淹没在富勒顿如潮的人海车流中。"等一等，"我听见自己的声音，"请停下来。等一等。"可是她没有。

我摘下自己的包放在浸水的便道上，做了我能想起来的唯一的一件事。在富勒顿和霍尔斯特德拥堵的十字路口，我脱下带衬里的雨衣，趁她在焦急地等待绿灯过马路时，我把雨衣盖在婴儿身上。她厌恶地看了我一眼。

"你要——"她质问我。我退后两步，这样她就不能阻止我了。我穿着短袖束腰外衣和单薄的紧身裤，寒流冲刷着我赤裸的胳膊。

"我会在斯特拉之家等你，"绿灯亮起的时候我说，"如果你改变主意的话。"然后，我目送着她随人流走过富勒顿路口。斯特拉之家24小时提供全美各地的美食，绝对的亲民和实惠。"在霍尔斯特德街！"我在她身后喊，她在马路中间停下来，回头看我，她的身影在川流不息的车辆中模糊不清。"在霍尔斯特德街！"怕她听不清，我又喊了一声。

我一直站在路口，直到在人群中再也找不出一点儿军绿色，直到再也听不见一声婴儿的啼哭。一个女人撞了我一下，我们同时道歉："对不起。"我搂着自己的胳膊，瑟瑟寒气让我觉得自己好像一丝不挂——没有春天的样子，倒更像秋天——然后，我拐进霍尔斯特德街，快步走向斯特拉之家。我不知道女孩会不会出现，不知道她是否能找到，也不知道她到底有没有听见我的话。

我一头扎进熟悉的小店，老板娘热情地打招呼："怎么没穿外套？你会冻死的。"她黄褐色的眼睛上下打量着我——蓬乱的头发和与天气不相称的单薄衣服——我手里攥着一个昂贵的、填棉的紫色佩斯利手提包，仿佛宣告着我不是流浪汉，我有家。可似乎无家可归并不是流浪汉的唯一标志，除了缺衣少食，没有住所或干净的衣服，还有贴在流浪汉身上的可怕的、耻辱的标签：懒惰、污秽、瘾君子。

"一个人？"老板娘——一个风姿绰约的女人，雪白的肌肤、杏核眼——问我，我回答："两个。"一直心存希望。她把我领到转角处，能看见霍尔斯特德街的圆桌边。我点了一杯加奶和糖的咖啡，然后就一直盯着窗外，看着路人奔波：城市佬们走在每天下班回家的路上；二十来岁的年轻人赶着去林肯路大学生酒吧街，他们的笑声透过漏风的窗子传进来。我喜欢追随着这些在窗子前缓慢流淌的平庸的都市生活，我喜欢观察人。穿炭黑色西装、脚踩几千美金一双鞋的有钱男人，穿着二手店衣服的邂逅文化崇拜者，推着时髦婴儿床的母亲，招呼出租车的老头，这些人摩肩接踵。但是今晚，我几乎一个也没看到。我全神贯注地搜寻那个女孩的身影。我一次次地以为自己看见她了。我以为她的发丝飘过眼前，我认定是她浅色的头发混着泥和水变深了；不挡风遮雨的尼龙外衣；没系好的鞋带。我错把一个公文包看成她的皮箱；误把湿漉漉的人行道上尖锐的刹车声当作婴儿的啼哭。

我收到詹妮弗发来的短信，说她已经回家而且姑娘们表现很好。我查阅邮件打发时间，大部分邮件和工作有关，还有一些垃圾邮件。接着我又查天气预报，雨什么时候停？遥遥无期……服务员过来点餐，我说："不用，谢谢。"她温柔地笑着说："好的。"她四十来岁，一头耀眼的红发，皮肤苍白松懈。我已经没有什么事情可做了，只好翻看菜单。我决定来一个烤面包，但是转念一想，如果她一直不来，我有咖啡就够了。如果等到七点，她们还不出现，我就结账，并且给白等一场的服务员一笔可观的小费。然后回家，看言情剧、吃爆米花，继续无法抗拒地为女孩和她的孩子牵肠挂肚。

我就这样等着，不停地看表，每隔两三分钟看一次。六点三十八，六点四十，六点四十三。

终于，她们出现了。

杨 柳

"很久以来，海蒂是第一个对我好的人。"

这就是我对她说的话。她留着长长的银色头发，长得不符合她的年龄。老女人一般都是短发，祖母头，短短的，裹着密密的发卷，就像我小时候妈妈给达尔夫人做的头发一样。妈妈先把艳粉色的发卷加热，然后花上半个小时或者更长的时间，煞费苦心地把达尔夫人灰黑色、易断的头发缠在发卷上，再喷上定型水。我们在小浴室里（我的任务是给妈妈递卡子）一边等，一边听达尔夫人不厌其烦地讲怎么给自己农场的牛人工授精。那年我八岁，完全听不懂她们在说什么，但是我听出了她们说的词，好像是"精液"和"阴道。"

"那么，你为什么那么做？"她问。她的银发又长又直，满嘴大牙，像马。

"我不想伤害她，"我说，"还有她的家庭。"

她从迈进这间冰冷的屋子开始就对我心存戒心，现在她长舒一口气。她刚进来的时候，站在门口犹豫不决，瞪着长方形眼镜后面的灰色眼睛研究我。她很瘦，皮肤像餐巾纸，用过的餐巾纸，到处都是褶。她说她叫露易丝·弗洛雷斯，然后又一个字一个字地重复了一遍弗、洛、雷、斯，好像我有必要知道似的。

"我们从头开始吧。"她说。她坐在另一把椅子上，在我们之间的桌子上放上一个录音机、一只秒表、一摞纸和一支签字笔。我对她没有一点儿好感。

"她想给我买晚饭。"我说。有人告诉我坦率地面对银发女人露易丝·弗洛雷斯大有益处。他们是这么讲的，在这儿的那些人说的，那个带着下巴托、长着胡子的男人和那个从头到脚一身黑的冷酷的女人。

"伍德夫人想要给你买晚饭？"

"是的，夫人。"我回答，"海蒂。"

"好吧，她是不是太善良了，"她悻悻地说，然后用签字笔在那摞纸上写了点儿什么，"你听说过'恩将仇报'吗？"

我愣愣地发呆，完全忽视了她的存在。她又刺激了我一次："嗯？你听见了吗？你听说过'恩将仇报'吗？"她灰色的眼睛盯着我，映射着镜片的反光。

"没有，"我撒谎，我用头发挡住自己的脸不去看她。看不见的东西不会伤害你，我听说过这句话。"从来没有。"

"我看咱们还是从头开始吧。"露易丝·弗洛雷斯说，脸上带着丑陋的冷笑按下录音机的红色键。她接着说："我不想聊伍德夫人，现在还不想。我想回到起点，回到奥马哈。"我心知肚明，奥马哈也不是起点。

"她怎么了？"我反问。我不想伤害她，我对自己说，我向上帝起誓，我不想。

"谁？"她明知故问。

"伍德夫人。"我直截了当地说。

她向后靠过去，依在椅背的弧线里。"你真的，当真在乎吗？还是在有意拖延时间？"她像约瑟夫似的盯着我，用鹰一样的眼睛。"我不急，你知道的。"她环抱住自己，双手交叉放在刺眼的白衬衫上说，"我有全世界的时间。"她的声音带着刺痛，暴露出她其实并没有。

"她会怎样？"我再问一次，"海蒂会怎样？"

我想象着那个美好的家里的温暖、柔软的床铺，我和宝宝一起躺在棕色的毛毯下，那感觉就像钻进小兔子的绒毛里。墙上有照片，是一张家庭合影，他们三个人紧紧地靠在一起，面带笑容，很幸福。那里总是那么温暖，从心里往外的温暖。自从妈妈去世之后，我已经很久没有那种感觉了。海蒂对我几乎亲如母亲，给了我八岁那年的一切。她是个好人。

露易丝的薄嘴唇摆出一个自鸣得意的假笑，她的眼睛却是死气沉沉的。

"俗话说'好人没好报'。"她说。我看见伍德夫人穿着和我一样的橘红色夹克，善良的微笑遮住了她的脸。

海 蒂

　　女孩站在那儿，站在霍尔斯特德街上，在店门口隔着玻璃往里看。我不知道她是不是想进来。她特意过来，但是还没有下定决心。我透过玻璃看见婴儿还在哭，不过不那么激烈了，只是在抽泣。婴儿裹着我的雨衣躺在她的怀里，这样更方便她提箱子。我心想，真是个好孩子。她在听，她把一只手放在门上。我突然不怕她不来了，反而开始怕她出现。我的心怦怦地跳，脑子里出现了一个从未想过的问题：她来了，我和她说什么呢？

　　一个小伙子风风火火地跑过来，差点儿把她推进来。她踉跄着退到旁边，我猜她改变主意了。这个抹着太多润发油、一脸势利相的年轻人让她改变了主意。他走进温暖的餐厅，拉着大门等待举棋不定的女孩。她看看他，又看看霍尔斯特德街，徘徊不定。留下还是离开，留下还是离开？餐馆里人声鼎沸，餐具叮当响个不停。等了一会儿，我隐约听见小伙子硬生生地问道："你进不进来？"他脸上的表情清楚地表明他如果松手了，门会拍在女孩和婴儿的脸上。

　　我强忍着，等待她的决定，留下还是离开，留下还是离开。

　　她决定留下。

她走进餐馆，老板娘黄褐色的眼睛把她从头到脚扫视了一遍。军绿色的外衣、磨破的牛仔裤，还有流浪街头的人身上那股霉腐味儿。突如其来的暖气、天花板上的灯光和让人心烦意乱的嘈杂震住了婴儿，她莫名其妙地安静下来。

"一个人？"老板娘冷淡地问。我腾地一下站起来，朝她们招手。

"她是来找我的。"我大声说。也许老板娘猜出了我们之间的联系：我裸露的胳膊和额外裹在婴儿身上乳白色的外衣。她指指我的位置。女孩臃肿的身子在模压餐桌和高背椅之间穿梭，避让端着盛满食物的餐盘的服务员。

"你来了。"她站在桌边的时候我说道。婴儿听见我的声音转过头，这是我第一次近距离地看她。借助吊顶上的一排射灯，我看见她露出一个没牙的笑容。

"我发现这个，"女孩说着掏出一张常见的绿色卡片，我一眼认出那是我的借书卡，"在口袋里，你衣服的口袋里。"

"噢。"我惊讶地说，毫无掩饰。我怎么那么傻，给她衣服之前也没有翻一下兜。我记得是那天捧着科幻惊悚小说从图书馆回单位的路上顺手塞进去的。她来是为了还我的借书卡。

"谢谢！"我说。我从她手里接过卡片，顿时生出一种强烈地想要摸摸婴儿的欲望。轻轻捅捅她柔软的脸蛋，或者拨弄几下她如雪的软发。"和我一起吃晚饭吧。"我说。借书卡在我的两手间翻来倒去，最后被插进填棉的手包里。

她没有回答，仍然站在桌子旁边。她的眼睛——怀疑、疲倦——向下看，躲开我，说道："对你来说，我吃与不吃有什么不同吗？"她的手很脏。

"我就是想帮你。"

孩子对嵌入屋顶的灯失去兴趣，开始挣扎。女孩把箱子放在两脚之间，腾出手来安抚。通常婴儿毫无征兆地躁动就是饿了。

"不是世界给了你什么，而是你给了它什么。"她近乎耳语似的嘟囔着，我默默地凝视着她，"《清秀佳人》。"

《清秀佳人》，她在背诵《清秀佳人》。哦，我想起来了，那天，她带着婴儿在图书馆朗读 L. M.蒙哥马利的名著。这让我好奇地猜测她还看过什么其他的经典童书：《柳林风声》？《秘密花园》？

"你叫什么名字？"我问。她没有马上告诉我。"我叫海蒂。"我先说，这样似乎才对。我提醒自己，我是成年人。"海蒂·伍德。我有一个女儿叫佐伊，十二岁。"

提起佐伊是明智的。过了一会儿，她坐下，调整好怀里的婴儿。她们尴尬地缩在这个角落的桌子旁。女孩从口袋里掏出一个配方奶瓶，灌满桌子上的冰水，放进婴儿的嘴里。水太冷，又没有配方奶和母乳的营养，婴儿稍微抗拒了一下，终于接受了。这不是婴儿第一次以水充饥了，随便什么都可以填补她空虚的小胃。

"杨柳。"

"这是你的名字？"我问，她迟疑了一下，点点头。

我和克里斯给佐伊起了一个我们喜欢的名字。备选的名字——朱丽叶、索菲亚、亚历克西斯——都会被适时地用上，我们相信。男孩，我们想叫他佐克，和佐伊相配，当然，克里斯也把自己的"克"字藏在了里面。我们谈论过很多次，怎么把这套老公寓换成一套单独的房子，比现在的位置更靠北，或者往东搬到罗斯科村，虽然上班和上学稍微远一点儿，但抵押贷款可以轻松一些。我们挑选佐伊的婴儿床时，我发现自己选的是白色的双层床；我预见家里会放着成堆用过的时髦的床上用品，儿童房里摆着成排的书架，地板上铺散着数不胜数的玩具。我设想用家庭教育取代佐伊上的这种私立学校，这是相当实际的选择，算上我们想象中的孩子，每年总共能省下四万美金的学费。

"子宫切除"，医生用了这个词。晚上睡不着觉的时候，我躺在床上翻来翻去地琢磨这个词的意思。在医生和克里斯看来，这只是一个词，一个医疗程序，但对我而言就是杀戮，简单而且直接。这毁灭了朱丽叶、佐克、索菲亚和亚历克西斯，终结了我用过的时髦的床上用品和家庭学校的幻想。

当然，那时朱丽叶已经走了。一台简单的刮宫手术，简单吗？它是一切而不是简单。"没办法知道她是不是女孩"，医生这样说的，这也是克里斯一遍又一遍复述的话，但是我知道，我确信是朱丽叶，她像医学废物一样从我的子宫经阴道排出体外。

我发现自己还在购买精品屋里的婴儿服装——淡紫色的宽松连裤外衣、纯天然的动物图案的爬装——存在一个我故意将标签写成"海蒂的书"的箱子里，藏在我卧室的柜里，我有十足的把握克里斯永远不会去探究枯燥的识字统计资料和大学 ESL 课本。

"多美的名字，"我说，"你的孩子叫什么？"

"露比。"女孩迟疑地说。

"好听，"我说，"多大了？"

她停顿了一会儿，仿佛并不确定，然后说："四个月。"

"可以点菜了吗？"红头发的服务生不知道从什么地方冒出来，问我们。女孩杨柳看着我，等我回答。她面前的菜单没动过。

"再等一会儿。"我说，然后给杨柳点了一杯热巧克力，她在桌子的另一边打着寒战。我把两只手捂在自己的杯子上，虽然咖啡已经凉下来，还是能感觉到一些余热，服务员过来第三次帮我加满。

"鲜奶油？"服务员问。杨柳看着我征求意见。有趣，我想，她怎么在提到鲜奶油的瞬间一下子就变成小孩儿了。她让我产生错觉，就像著名的鲁宾花瓶一样：无论观察者以什么方式，总能看到两个场景中的一个，两个脸对脸的头像，或者夹在两个侧面像之间的花瓶。它们在眼前交替出现：头像、花瓶，头像、花瓶，坚强的、独立的年轻女人和一个婴儿；喜欢热巧克力和鲜奶油的无助女孩。

"当然。"我大声地说，有点儿喜不自禁。过了一会儿，服务员端来一个白色的马克杯，垫着托盘，顶着雪白的奶沫，高高的奶沫上点缀着巧克力刨花，真是一杯诱人的热饮。杨柳拿起勺子，用勺尖蘸了一点儿奶油，舔干净，细细品味，仿佛很多年没有尝过热巧克力的味道了。

怎么能够想象得出她这样的一个人流落街头？孤苦伶仃，无依无靠。我知道现在不适合提问，问题会把她赶走。所以，我只是凝视着她。她尝过奶油之后一发不可收拾，舀起满满一勺塞进嘴里，溶化的奶油从嘴角溢出来，婴儿贪婪地盯着她，不再沉迷在冰冷的凉水里，而是痴痴地望着从妈妈嘴里渗出来的白色奶沫。

她端起杯子，大口地喝，嘶嘶地吸着被烫疼的舌头。我用自己的勺子从冰槽里舀起一块冰放进她的热巧克力里。"你看，这样可以凉得快一点儿。"她迟疑了一下，再喝，这次没有烫到舌头。

她的左眼上方有一块隐蔽的瘀青，赭石色，好像正在愈合。她的指甲长且边缘不齐，她用指尖挑着翻看菜单的时候，我看见她的指甲缝里渍着一道粗粗的泥印，她每只耳朵上有四个耳洞，其中最上面的软骨里插着一颗黑色的耳钉。耳垂边悬挂着银色的天使翅膀、哥特式十字架和红宝石色的嘴唇。左耳垂的红嘴唇丢了。我想象着她们躺在富勒顿站台下面肮脏的人行道上，被行人踩踏；又或是躺在马路中间，被车流碾过。刘海儿挡住了她的眼睛，每次看我之前，她先像撩起头纱一样拨开它，然后再让它垂下来。她手上和脸上的皮肤干红皴裂，手上有挂血的裂口，嘴唇干裂。婴儿露比好像在出湿疹，乳白色的皮肤上留着红色的硬痂。我从包里掏出一瓶旅行装的乳液，放在桌子上推给她："我的手在冬天总是很干。天气太冷，这个有用。"她在自己的手上涂了一些，我接着说："给露比也抹一点儿吧，脸蛋上。"她撩开刘海儿点点头，马上涂到孩子脸上。露比在冰凉的乳液下抽搐了一下，她朦胧的蓝灰色眼睛好奇地注视着妈妈，眼神里有一丝埋怨。

"你多大了？"我问。但是我知道她早有准备的答案一定是个谎言。

"十八。"她说，没有看我。其他的问题她都犹豫再三，这么痛快的回答让我确信这不是真的。错觉让我看到一张完全不同的脸，她无辜的双眼让我再一次看到一个无助的孩子，像佐伊一样无助的女孩。

十八岁是一个孩子成年的合法年龄，他们独立了。父母失去了监管他们的权利；他们同时也失去了父母的经济支持。有太多太多十七岁不能做，到了十八岁就合情合理的事情，比如露宿街头。如果杨柳只有十七岁，或者十五六岁，那么必然会让人产生这样的一些疑问：她的父母在哪里？她为什么不和他们同住？她离家出走了吗？还是被父母遗弃？我扫了一眼她的瘀青，猜测她是不是受到虐待。如果她十七岁而且有家的话，将被遣送回家，否则将执行看护程序。

我撇开重重猜疑，接受女孩的话：她十八岁。

"有专门针对女人和孩子的收容所。"

"我不去收容所。"

"我经常帮助像你这样的女孩子，有时候，帮她们安顿下来。"

服务员过来点餐。我点了法式面包，杨柳说要一样的。那时，我意识到我有什么，她就想要什么。如果我点沙拉，她不会贸然点半磅面包；假如我吃晚餐，她不会要早餐。服务员收走菜单，走进一扇铝合金的转门。

"那里有非常完善的保护措施。他们提供安全的住宿、医疗护理、心理咨询，还有教育。有社区工作者为你提供定向帮助。比如，帮你写简历，帮露比找保育院。我可以找一些人。"我在出谋划策，她却紧盯着一个独坐的老人，看着他熟练地切开一个从便利店买来的三明治。

"我不需要任何帮助。"她愤怒地说，然后缄口不言。

"好的。"我让步，因为我清楚如果继续这个话题，她会抱起孩子，拎着箱子离开。"好的。"我更轻声地重复了一遍。妥协，我不再多管闲事，她会留下来。她沉默地狼吞虎咽，我沉默地观察着婴儿：萎靡不振，然后慢慢地在女孩腿上睡着了。我注意到女孩用叉子分开法式面包，然后蘸枫糖汁，之后才迫不及待地塞进嘴里。我细嚼慢咽地看着糖浆流到她的下巴上，看着她用军绿色的袖子蹭掉。

她最近一次饱餐是什么时候？

这仅是众多疑问中的一个。她到底多大？她从哪儿来？她怎么会无家可归？她一个人流浪多久了？露比的父亲在哪儿？她脸上的瘀青是怎么回事？她多久去一次图书馆？她经常逛文学走廊，还是在那天随便去看看有没有合胃口的书？我想提那个面带微笑的图书管理员，太明显的没话找话，我及时制止了自己。女孩肯定不知道我在图书馆见过她，我躲在隔壁的走廊里，偷看她朗读《清秀佳人》。

我们只吃不聊。没有说话的声音，却可以听见各种吃的声音：咀嚼的声音，吞咽的声音，更多的枫糖汁从塑料瓶里挤出来的声音，叉子掉地的声音。她弯腰捡起来，直接插进面包里。她像一个经受过酷刑被禁食的人一样。几天，几周，也许更长。

吃完以后，她把手放在箱子上，站起来。"你要走？"我问。声音里带着痛苦。我自己听出来了，她也听出来了。

"是的。"她说。露比微微眸了一下眼，然后回到睡梦里。

"但是，等一下，"我说，我又感受到在马路上的那种绝望：她，渐行渐远，而我，无能为力。我翻遍钱包只找到一张二十的纸币，不够支付这顿晚餐。我要等服务员拿来账单，用信用卡支付。"让我带你去药店，"我恳切地说，"我们买点东西，奶粉、尿片。"治疗脸颊红肿的氢化可的松，杨柳可以吃的谷物棒，还有护臀膏、牙膏、牙刷、浴液、梳子、维生素、纯净水、手套、雨伞。然后就连我自己都感觉这听起来太荒唐了，她怎么带着这些东西，这些所谓的必需品走街串巷呢？

她看见了我钱包里的二十美元。我毫不犹豫地拿出来递给她，"你要去药店买点用得到的东西，给你自己，给宝宝。"她琢磨了一下，接过我手里的钱，点点头。我认为她在说"好"和"谢谢"。

"等一下。"我下意识地抬起一只手放在她的外衣上拦住了她。尼龙外衣的手感很奇特，粗糙。她转过蓝色的眼睛冷酷地看着我，我慌忙把手收回，恳求道："请等一下，就一会儿。"我从包里掏出一张印有我名字和电话的名片，黑底白字，好认的漫画字体，生硬地塞进她的手里。"如果——"我刚要说，一个服务生单手托起满满一盘食物越过头顶，唱着"借光，女士们"，一闪而过。女孩避开他，避开我，慢慢地移动，消失，像圆筒花瓶里的毛茛玫瑰一样收缩、凋零。

我站在原地，一个人，站在斯特拉餐馆的中间，琢磨着"请等一下"。女孩已经无影无踪。红头发的服务员对我的失落无动于衷，走过来递给我账单。

回家的路很长，我对笼罩在四周的寒冷和薄雾浑然不知。路过林肯街的二手书店的时候，我买了一本《清秀佳人》。

我只花了两块钱，因为中间有几页掉了。但是无意间在泛黄的书页中找到了被遗忘的宝藏：一个带流苏的书签，一张穿白色中筒袜的小女孩和穿蓝色格子裤的祖父的老照片。书上有题词和日期：送给汤姆 1989。

我上楼的时候在走廊遇见邻居格雷汉姆，他正准备往垃圾道里扔一个空酒瓶。"这是可回收的。"我提醒他，我听出自己带着没完没了的语气，这会让克里斯发疯。

但是格雷汉姆却笑了。他的房门大开，一个金发碧眼的美女端着一杯新倒的夏布利酒坐在沙发上。我们互看了一眼，我挤出一个微笑，她却没有理睬。

"又被环保警察逮住了。"他说着捡回酒瓶。大厦的货梯口有可回收物的垃圾桶，对于不在意环保的人来说确实有点儿远。但是我会去。我想告诉他国家每年要花一百万处理玻璃瓶，但是我忍住了。

我迫切地需要找个人聊聊今晚在斯特拉的事，我知道克里斯不愿意听。詹妮弗也不会感兴趣，她太理智，她的左脑思维对这种疯狂的举动无法理解。我要找一个像我这样用右脑思维的人，靠感觉和情感支配的人，凭想象力和信任感行动的人，被幻想鼓舞的人。

格雷汉姆开着音响，我听见房间里的吉他声和美女喊他的名字的娇嗔声。他把空瓶子夹在胳膊下，告诉我必须回去了。"当然。"我说，看着他进屋、关门，然后呆呆地对着黄杨木门，听他们的尖叫。

回到家，我完全忘了电影，捧着《清秀佳人》缩在床上。克里斯出差回来的时候，我迅速把书塞进炭黑色的床裙里，藏到床下，那里只有猫和尘土，然后假装熟睡。

克里斯爬上床，吻我，深长、缓慢，但是他的唇边飘着卡西迪·克努森的影子。

杨 柳

　　我妈妈是世界上最漂亮的女人。黑丝般的长发、瘦脸高颧骨、弯弯的眉毛和我见过的最蓝的眼睛。不是对我说"我爱你就像松鼠爱坚果"，就是说"我爱你就像老鼠爱奶酪"。我们能花半天的时间编最傻的话出来：我爱你就像胖小子爱蛋糕。然后我们笑得停不下来。这就是我们的工作。

　　我们住在内布拉斯加州的乡下，奥加拉拉附近的一个偏僻的小村庄里。爸爸妈妈，莉莉和我。奥加拉拉市比奥马哈市出现得早，就像爸爸妈妈比约瑟夫和米利亚姆出现得早一样。这完全是另一个世界，另一个完整的我。

　　妈妈翻来覆去地给我讲她和爸爸结婚那天的事情。她说，当他们回答"我愿意"的时候，她已经怀上我了，她和爸爸都觉得没什么大不了，但是她的爸爸妈妈一点儿也不高兴，而且他们也不是特别喜欢爸爸。因此，妈妈十九岁的时候和爸爸开车到得梅因，在一个小教堂里举行了婚礼。我们住在一间紧凑的活动房里，莉莉在睡午觉，八岁的我和妈妈坐在房前的台阶上，一边涂苹果红色的指甲油，一边说起这些事。她说那是一个温馨的小教堂，就在马路边上。她穿着传统的白色抹胸长婚纱走向圣坛；她谈起她的面纱，她称之为鸟笼面纱，这让我想象出金丝雀聚集在她头顶的样子。她还提到婚礼主持人的名字叫爱牧师，虽然那时我只有八岁，但也很难相信这是他的真名。我清楚地记得那天妈妈说起他名字时的语气，当时我们对着令人厌烦的老街发呆，看着几个小男孩在草地上踢球，妈妈把"爱"字拉得老长，直到我们笑得喘不过气来。

她说爸爸帅极了，穿衬衫打领带，还从朋友那里借了一件短外套。我必须绞尽脑汁地想，因为我一辈子也没见过爸爸穿衬衫打领带的样子，而且他们也没有婚礼的照片，那时他们还没有照相机。不过有一张纸写着他们结婚了，这比照片对他们更有意义。妈妈给我看那张纸，上面写着"结婚证明"，最下面的落款是爱牧师。

他们结婚六个月以后，我出生了。妈妈给我描述过我出生的那一天。她说，在医院里，我是那么恬静地从她的身体里出来，不慌不忙的。爸爸紧紧地抱着我，好像我会散架似的。我出生之后没有见到外祖父母，他们当时没去，以后也没见过。外祖父母不想和我们有半点关系。爷爷奶奶也已经去世，我们时常去第五街的墓地看望他们，在刻有欧内斯特和伊芙琳·达洛维的墓碑上放些棕色的蒲公英。

妈妈听信外祖母的话，坚信自己就是奥黛丽·赫本，所以她叫霍莉，霍莉·戈莱特丽的霍莉[1]。她把长长的黑发盘成蜂窝状，拿着一个烟斗在屋子里活蹦乱跳，但是妈妈不吸烟。她随时可能穿着发旧的圆点直筒连衣裙，在家里转圈，念念有词地说着奥黛丽·赫本的台词，

---

1 杜鲁门·卡波特 (Truman Capote) 小说《蒂凡尼的早餐》的主人公。

好像那些词全是她自己的，而我呢，就坐在沙发里看着她。

对于爸爸想娶妈妈这件事，我一点儿也不觉得惊讶。我从来没见过像妈妈一样漂亮的人。

我不止一次地问过妈妈她是怎么认识爸爸的。这是她百讲不厌的故事。他们在镇子上的酒吧里相识，爸爸在那儿工作。当时有个白痴男人和妈妈套近乎，爸爸看不顺眼，他不喜欢那个人对妈妈说话的方式，不喜欢他在妈妈警告了他之后还抓妈妈的手。妈妈说她的骑士身穿闪亮的盔甲，妈妈还说嫁给爸爸是她这辈子最明智的决定，虽然，嫁给爸爸让她失去了父母。咳，她像魔术师似的攥起拳头，说道"像着了魔"。

爸爸是卡车司机，和我们聚少离多。他开长途车，他整天旅行，在全国各地运送货物或者叫作危险品的东西。他不在的时候，我们最大的愿望就是盼着他回来，尤其是妈妈。不过，他一回来，就给我们一一补偿。他如饥似渴地亲吻妈妈、抚摸妈妈，总是弄得妈妈脸色绯红。而妈妈也会烫头和涂浆果色的必列斯口红盛装打扮等爸爸回来。爸爸总有东西给我和莉莉，都是从佛蒙特州、佐治亚州或者随便他路过的什么地方挑回来的，比如钥匙链、明信片或者小自由女神像。爸爸回家的日子就像圣诞节的早上，又好像放暑假一样。他也给妈妈带东西回来，但是只有在我和莉莉上床睡觉以后才给她看，他们以为我睡着了，其实我都听见了，我听见他和妈妈在卧室里咯咯地笑。

我们没有那么多钱，所以住在奥加拉拉附近的活动房里。但是妈妈特别喜欢购物，当然，她没钱买想要的东西。于是，她带我和莉莉去高级的商场，在那里可以试穿，可以对着镜子欣赏自己。有一些事情要等到爸爸不在家的时候才能做，这是其中之一。妈妈说："永远不要告诉爸爸。"因为她不想让他难受。妈妈设想了很多"总有那么一天"。总有那么一天，她会有自己的美容院，再也不用在我和莉莉的浴室里剪头发；总有那么一天，我们会有大房子，再也不用住活动房；总有那么一天，她会带我们去芝加哥最有名的"华丽一英里"。妈妈说起这些，说起"华丽一英里"就像讲童话故事一样，我不知道是真还是假，但是妈妈坚信不疑。她提到一些商店的名字，好像是古驰和普拉达，还有她有能力的时候要在里面买的东西。她写了一张单子，列出了她在死之前想要看到的东西。埃菲尔铁塔、奥黛丽·赫本在瑞士某个小镇的墓地和"华丽一英里"。我们有的不多，虽然我只有八岁，但是我知道，我也从没有渴望更多。我在奥加拉城边的活动房里快乐地生活，就算妈妈不停地唠叨"总有那么一天"，我也没有希望任何改变。妈妈常说："我们有的不多，但是我们拥有彼此。"

　　然后，有那么一天，我们连这些都没有了。

克里斯

　　海蒂的性格追求完美，同时却是一个回收狂，喜欢回收金属罐、玻璃瓶、报纸、电池、用过的铝箔。她会把衣架还回洗衣店；看见我提着一个塑料袋回家，她会把我臭骂一顿，因为我忘了从家里拿一个可以重复使用的购物袋。即使在我的梦里，她的话也不绝于耳，像敲击金属一样的声音挥之不去：那是可回收的。在她停下来的间隙里，我把一个信封和碎纸片塞进了混合垃圾桶。我们喝瓶装的牛奶，可回收，但是不可救药地贵。

　　在我们家，擅自进入的蜘蛛不但不能被杀死，还要被安置在阳台上。如果天气恶劣，就送到地下储物室，让它们在那里的纸盒子和闲置的自行车上繁衍生息。用鞋子拍死它们或者用马桶冲走它们简直是灭绝人性。

　　这就是为什么我们家有两只猫。小猫崽是她在楼后面的垃圾车下面发现的，它们的妈妈成了野狗的美餐，肢体不全地躺在血泊之中。海蒂把它们带回来的时候，它们只有一两磅重，身上沾着粪便和垃圾，骨头在稀疏的软毛下清晰可见。她宣布："留下它们了。"在我们的婚姻生活中，大部分情况是这样，她不问，只是告诉我留下它们了。

我给它们起名"一"和"二",因为海蒂建议的奥德特和萨宾（对,两个女孩;我的确是这个女王家族中唯一的男"汤姆"）听起来太傻了。野猫不配有人的名字,我告诉她。尤其不能是高贵的法国名。"一"是一只三色猫,"二"是一只长毛黑猫,霓虹灯似的眼睛,透着邪恶,这小东西恨我。

周日早上,我从床上爬起来,她就站在客厅的中间,向我传递着她最可怜的"小猫孤儿"的眼神,我一点儿也不意外。她刚打完电话,还是没完没了地讲富勒顿车站的那个穷女孩。快十点钟了,但是窗外一片漆黑,让人怀疑是不是刚到五点钟,或者六点。我筋疲力尽地从旧金山回来,设想这一天的生活应该是坐在皮靠椅里看循环播放的职业篮球赛。但是,海蒂在这儿,很明显,天刚一亮她就起床了,而且显然是食用了过量的咖啡因。她穿着睡袍和拖鞋,一只手攥着电话。我早知道这个故事远比她说出来的更有内容。这不只是一个她看到的流浪女孩。芝加哥肯定有十万无家可归的人。海蒂注意到他们,别误会,她注意到他们每一个人,但是,她不会为了他们失眠。

"这就是为什么上帝建造了庇护所。"我说。外面又在下雨。电视上铺天盖地的全是记者从被水淹的马路和高速路上发回来的消息。他们说,危险,不能通行。就连主干道艾森豪威尔和肯尼迪的部分路段也关闭了。看起来我们进入了紧急状态。新闻摄像头聚焦在一个黄色的忠告路牌上:调头,禁止前行。一名记者穿着金黄色的雨衣站在卢普站（好像看电视上的雨比听抽打窗户和屋檐的雨更有切身感受）的瓢泼大雨中提醒人们即使只有几厘米深的急流也可能冲走汽车。"今天上午,如果不是必须出行,"记者露出一个关切的表情,好像真的在意我们的安全,"请待在家里。"

"她不去庇护所。"海蒂接了一句，心知肚明的样子。这下我明白了。她不只是看见了那个女孩，还有过交流。

到目前为止，我从她主动说的和无意间流露出的内容中得知，她在富勒顿车站遇见一个无家可归的女孩，带着一个婴儿乞讨。我从床上起来，走进客厅，结果发现她正挂断电话，我问她和谁聊天，她说："没人。"

可是，我能判断出来。我清楚是有人的，是海蒂在意的人。但是她不想让我知道。我想，这是一个老出差的男人经常遇到的事。他们的老婆和别人谈心，她们早上起来的第一件事是在丈夫不得不补觉的时候继续和情人私密地对话。我暗中观察我的老婆忽然愧疚和狂乱的眼神，这不是我熟悉的单纯的海蒂会有的。我问："是男人？"

昨晚，她在床上推开我以后，我一直在琢磨。他来了？在我之前？我十一点儿之后才到家，佐伊"擅离职守"，海蒂在床上。我记得佐伊小的时候，海蒂和她会用贴纸、图画、照片或者她们能找到的各种小饰品做一个欢迎我回家的横幅。可是，现在，有五六年了，什么也没有。只有猫在门前等我，它们烦躁的叫声不是热情的欢迎而是最后通牒："给我吃的，否则……"不锈钢小碗空着，海蒂是从来不会忘记装满食物的。

"海蒂，"我又叫了一声，完全没了耐心，"是男人吗？"

"不是，不是。"她毫不犹豫地马上回答。她笑了，有些紧张，我分不清楚是她在撒谎，还是我的问题揭开了她肮脏的小秘密。偷情还是……

"那是谁？"我一定要知道。"你在和谁通电话？"我再问。

她出奇地安静，挣扎着是否告诉我。我的怒火一触即发，然后她极不情愿地给我讲了一个女孩，带着婴儿的女孩。

"你刚才和她通话？"我问。我的心跳平缓了，血压降下来。

"她打过来的。"海蒂说。她的面色红润，要么是咖啡因过量，要么是局促不安。

我抵着下巴问："她有你的电话号码？"

罪恶感让她有些慌乱，不自在。她没有马上回答。过了一会儿，羞愧地说："我给了她一张名片。吃晚饭的时候，昨晚。"

我认为这越来越不可思议。我注视着面前这个惊慌的女人，我想知道我妻子做了什么。海蒂是个不切实际的人，没错。一个梦想家，一个乐天派，但总还保留一点儿现实感。

可惜这一次好像没有。

"晚饭？"我开始刨根问底。"她为什么打电话？"

我发现自己死死地瞪着海蒂痴呆的眼睛，希望她说出真相。

海蒂走到咖啡机旁，好像她有任务要喝更多的咖啡因。她手里的杯子是几年前的母亲节，我和佐伊为她订制的，黑色陶瓷上印有佐伊的照片，已经被洗碗机磨掉颜色。她接满一杯咖啡，加入榛子奶油时我在想：还有糖。对极了，这才是海蒂需要的。

"露比整夜哭闹，一夜没停，杨柳特别紧张。听起来她筋疲力尽。是疝气，我确定。你还记得佐伊小时候也得过疝气吗？彻夜不停地哭。我真的担心她，克里斯，担心她们两个。止不住地哭可能导致产后抑郁症和摇晃婴儿综合征。"

说实话，我不知道说什么，除了一件事："杨柳？她的名字？露比也是名字？"

海蒂答"是"。

"人的名字不会是杨柳的，海蒂。树的名字才叫杨柳。还有露比……"我让后半截话消失在门厅里，因为当时我只穿了一条方格的平角裤站在客厅中间，而海蒂像盯着转世恶魔一样地看着我。我绕开她，进厨房给自己接了一杯咖啡，也许这样可以提提神。也许喝完咖啡，我就清醒了，能够意识到这完全是个误会，我累得有点儿晕头转向，大脑迟钝。我站在花岗岩灶台前，慢悠悠地接咖啡、搅动、品尝，等待咖啡激活我的脑细胞。

但是当我从厨房出来的时候，海蒂正站在门口把一件橘黄色的长滑雪衫套在睡袍上。

"你要去哪儿？"我问，被她的外衣、睡袍和凌乱的头发惊呆了。她踢开拖鞋，穿上雨靴。

"我跟她说了我要去见她。"

"见她，去哪儿？"

"富勒顿车站附近。"

"为什么？"

"看看她是不是有事。"

"海蒂，"我用最冷静、最客观的语气说，"你穿着睡衣。"她低头看自己淡紫色的睡袍和鲜艳的纯棉花裤子。

"好吧。"她边说边跑回卧室，换掉花裤子，穿上牛仔裤。她没来得及脱掉睡袍。

我觉得这简直太荒谬了。我应该告诉她这是愚蠢至极的行为，或者更直观一点儿，给她做个散点图或者柱状图看看。我在一条轴上标出所有的异常现象：海蒂对无家可归者的过度关心，欠缺考虑地乱发名片，可怕的紫色睡袍和橘色滑雪衫，还有大雨；然后在另一条轴上标注这些情况的异常指数，比如，她的打扮远远低于名片的分值。

可是，如果我这么做了就是引火烧身。

所以，我坐在皮摇椅里，用余光看着她抓起手袋、从门口的柜子里拿出雨伞，开门出去，她高喊着："再见。"我无精打采地回答："再见。"

两只猫像往常一样跳到飘窗的窗台，目视她从大门出去走上马路。

我给自己煎了几个蛋，忘记回收装鸡蛋的盒子，又用微波炉热了几片软培根（趁海蒂不在的时候做这些就是大错特错），而且看着电视吃：赛前的娱乐体育节目马上结束，NBA 要开始了。在广告时段，我转到财经频道，因为我必须保持和华尔街新闻的紧密度。我大脑里有一个永远不睡觉的地方，那部分专注于金钱，金钱，金钱。

电闪雷鸣。整座大楼在震动。我想起正走在街上的海蒂，盼望着她赶紧忙完，快点回家。

又一声雷鸣，又一道闪电。

我祈祷老天在比赛前千万别发怒。

大概过了一个小时，泰勒和她妈妈送佐伊回家。佐伊进家的时候，我还是只穿着平角裤，黑色的胸毛一览无余，她们三个像落水狗一样堵在门口，目瞪口呆地看着我。我的头发像涂了蜡似的竖在头顶，朝向四面八方，身上带着老头儿一般的胶水味儿。

"佐伊。"我说着从摇椅里跳起来，差一点儿碰洒咖啡。

"爸爸。"佐伊的眼里全是羞愧。她的父亲，半裸着，和她最好的朋友同处一室。我裹了一条人造毛的毯子，希望能一笑置之。

"我不知道你什么时候回来。"我说，但是，显然这个借口不怎么样。无论如何，佐伊觉得不够好。

我确信，这是我第一次让女儿蒙羞，尽管以后有很多次。我看着佐伊拉起泰勒的手走过大厅，我听见佐伊慢慢地关上卧室门，想象着她会说的话：我爸爸就是这么一个邋遢人。"海蒂在家吗，克里斯？"

詹妮弗问,她大眼睛巡视四周就是不看我。

"没有。"我说。我不知道詹妮弗是否知道那个女孩,那个带孩子的女孩。也许知道。自从她们认识以来,詹妮弗几乎知道所有的事。我把毯子裹得紧一点儿,猜测海蒂是不是也和她谈论我。反正我相信,我要是成了混蛋,詹妮弗一定是第一个知道的人,知道和我打得火热的同事和我还要出差的事。

"知道她什么时候回来吗?"

"不知道。"

我看见詹妮弗手足无措地摆弄着书包带。如果她身上没有消毒水的味道,换件衣服,可能算是个漂亮女人。我半信半疑地以为在医院工作的女人,衣橱里只有配着彩色丝巾的工作服和洞洞鞋。医用的洞洞鞋看起来挺舒服,我让她继续穿着,然后换上牛仔裤,怎么样? 或者换上运动裤和瑜伽裤呢?

"我能做什么?"我问,礼貌但是弱智。詹妮弗,一个痛苦的离婚者,仅仅因为我是一个男人就会对我产生反感。低能啊,这样的愚蠢和大白天穿着内裤在家里消磨时光不相上下。

她摇摇头,说:"姑娘们的事,谢谢。"

然后,她叫泰勒回家。她们走了以后,佐伊来找我,她年幼的眼睛里充斥着厌恶,对我说:"真的,爸爸。平角裤? 现在十一点了。"说完,她回自己的卧室砰地关上门。

太棒了,我想,堪称完美。相比出去追无家可归的女孩的海蒂,我才是那个愚蠢至极的人。

海 蒂

　　我不知道她喝不喝咖啡，反正我替她点了一杯摩卡，额外加了奶油。在糟糕的日子里，摩卡是公认的最好的提神饮料。我还买了肉桂饼，怕她不喜欢肉桂或者烤饼，我又买了一个"非常浆果"咖啡蛋糕。然后在周日清晨寂静的街道上一路小跑，我架着胳膊，准备随时推开挡住我的人。

　　雨一直下。四月的天空既昏暗又沉闷。街道上遍布水坑，出租车呼啸而过的时候，水珠腾空飞舞。已经十点多了，车灯亮着，但是路灯被人为地关掉了，标志着已经从黑夜转到白天。我打着雨伞，头发没湿，但是下半身被汽车溅起的水花浸透了。雨像瀑布似的从天而降，我边走边唱：倾盆大雨，大雨倾盆，雨瓢泼。

　　她就在和我约定的地方——富勒顿站台上。她上下颠着可怜的露比走来走去，露比水淋淋的，撕心裂肺地号叫。旁观的人们绕开她们，宁愿用命去迎接即将进站的列车，也不愿意对杨柳伸出援助之手。一夜间，小姑娘杨柳长到了三十岁，脸上的表情像个中年妇女：扎眼的皱纹和眼袋，眼里充满血丝。她被路上的裂缝绊了一下，然后粗暴地把露比甩上肩膀，近乎绝情地拍着她的后背。"嘘……嘘。"她说着，既不温和也不平静。她真正想说的应该是"闭嘴！闭嘴！闭嘴！"

她们愤怒地较量着，这是佐伊小的时候我提醒自己不能做的事情。佐伊整夜哭吵得我不能睡觉的时候，我唯一能做的是不失控。我本身对产后抑郁症没什么体会，但是媒体总是挖掘那些耸人听闻的故事。无端闯入的想法导致女人情绪不稳定，乃至心智失常。我知道有些女人遗弃新生儿是因为害怕伤害他们，但是她们没有想要做点什么去避免伤害。我称赞杨柳没有把露比放在教堂或者收容所门口的台阶上，我夸她没有真的对露比说出"闭嘴"这样的话。我看到的是一个坚毅的女孩，她比我知道的多数成年女人更有魄力。她没有像我妈妈那样对着电话抱怨，也没有像我那样有克里斯从怀里抢走歇斯底里的佐伊。我已经受了一天的折磨，我不知道应该做什么，不知道怎么熬过做妈妈的第一年（现在面对一个十二岁女孩的困惑，我才明白新生儿带来的混乱也没那么糟）。

"我给你带了咖啡。"我从她背后闪出来，把她吓了一跳。咖啡好像真的是万能的，把她从露宿街头的生活中带走，给她瘦弱的身体带来营养。她摇摇欲坠，两条腿完全不堪重负的样子。不用她说我也知道，她一定是从半夜开始就在这里转来转去，想方设法地安慰露比。她的身体昏昏欲睡，但是眼睛炯炯有神。我们之间缺失默契，她急切地从我手里夺过袋子，跌坐在湿漉漉的地上狼吞虎咽地吃起来，瞬间吃光了肉桂饼和"非常浆果"咖啡蛋糕。

"她哭了一夜。"她抽空说。糕点渣儿从嘴角溢出来掉到水泥地上，她把它们拨回嘴里。她抱着露比走到一个橱窗里摆着风铃和陶瓷小鸟的风情小店门口，蜷缩在靛蓝色的遮雨棚下。小店开着，窗户里有个女人的身影在远远地打量我们。

"她最后一次吃东西是什么时候？"我问，杨柳狂躁地摇着头。

"我不知道。她不吃。总是把瓶子推出来，扯着嗓子哭。"

"她不要奶瓶？"我问。

她摇摇头。她掀开摩卡咖啡的杯盖，舔上面的奶油。

"杨柳。"我说，她不看我。她有一股腐臭味儿，衣服被雨水浸泡了好几天也许好几周，有了体臭。露比的尿片散发着恶臭。我看着这条街想：杨柳去哪儿洗漱？当地的餐馆和酒吧服务员会像赶野猫一样赶走她。我看见店面的橱窗上贴着"没有公共厕所"。我想起几个街区外的停车场，我不知道那里是不是有公厕，或者流动厕所，随便什么她能用的设施？"杨柳。"这次我挨着她坐在水泥地上。她近距离地观察我，小心翼翼的，然后挪开一点儿，我们之间拉开一米的距离。她攥着杯子，还在抠沾在湿纸袋上的糕点渣儿，生怕被我抢走。

"杨柳，"我叫了她一声，然后说，"你能让我抱抱露比吗？"我终于说出口了。天哪，我是多么渴望把那个婴儿搂在自己的怀里，感受她的重量啊！我回忆起佐伊小时候身上美妙的婴儿气味，牛奶和爽身粉混合的味道，酸了吧唧的不好闻，可是让人陶醉、渴望和留恋。我以为杨柳会坚决地说"不"，所以当她把情绪激动的孩子递给我的时候，我大吃一惊。不是一时冲动，不是，绝不是。她整晚抱着一个十一二斤重的孩子，一定先感觉汗流浃背，继而感觉雪窖冰天。现在把孩子送到我的手里，终于解脱了。她松懈下来，骨头沉进冰冷的水泥地里，身体瘫靠在玻璃门上。

露比在我的怀里变得安静。我其实什么也没做，不过是换了一个姿势，换了一双看她的眼睛，多了一个微笑。为了多一些空间，我收起雨伞，站起来。在靛蓝色遮雨棚的保护下，我温柔地哼着轻快的调子来回摇摆。我的思绪穿越到佐伊的小屋，淡紫色的缎子床单，我坐在喂奶椅里摇着怀里的小人儿，一连好几个小时，直到她熟睡。

露比的尿片得有十磅重。污物从她的连体衣里渗出来沾在我的衣服上。她衣服的本色应该是白的，上面用彩色的丝线绣着"小妹妹"。现在上面糊着厚厚的呕吐物，有一部分是奶白色的，还有一部分是鲜黄色。抱着她暖暖的，她的额头散发着热量，脸颊通红，她在发烧。

"露比有姐姐？"我问。我试着用手背判断她的温度。38摄氏度？38.8摄氏度？我不想引起杨柳的警觉，所以我尽量隐蔽，尽量闲谈着吸引她的注意力，然后我把嘴唇贴在婴儿的额头上。39摄氏度？

"啊？"杨柳脸色发白，一脸困惑，我指指连体衣上的五颜六色的字：紫色、橙红色、淡蓝色，等等。

路上过来一个骑自行车的人，车轮肆无忌惮地飞过一个个水坑。杨柳的眼睛追随着他的身影：红色运动衫、黑色运动短裤，戴着灰色头盔，背一个双肩背包。他小腿上的肌肉让我也怦然心跳。他的车轮卷出一个个水蘑菇。"我在二手店买过一辆。"她说，没有转头看我。我回答："当然。"当然，我想姐姐会在哪里呢？

我用一根手指摩挲露比的脸颊，感受她柔软的天使般的肌肤，注视着她纯净缥缈的眼睛。她抬起手抓住我的食指，攥起胖乎乎的小拳头，我看见一圈又一圈的婴儿肥，这是人一生中唯一一把"肥"当作可爱和美好的时段。她把一根指头塞进嘴里，贪婪地吮吸。

"我觉得她饿了。"我说。但是杨柳说："不是。我试过了，她不吃。"

"我试试。"我提议，然后补充道，"我知道你试过了。"谨慎地避免篡夺她身为母亲的地位。这世界上我最不想做的就是惹烦杨柳。我知道婴儿比青春期前的儿童更让人晕头转向，他们比外国政治和代数更变幻莫测。他们想要一个瓶子，他们拒绝一个瓶子，他们无缘无故地哭闹，他们今天对着豌豆泥大快朵颐，明天就不理不睬。"试过所有能想到的办法。"我说。

"所有的。"她耸耸肩，面无表情地回答。她递给我她仅有的那个瓶子，里面有不到 100 毫升的奶粉，应该是在半夜的时候冲的，现在已经凝固。我知道杨柳打算让我把这个瓶子，这样的奶粉，塞进露比张开的嘴里，但是我不能。我的犹豫让露比号啕大哭。

"杨柳。"我用压过露比疯狂的哭声的声音说。

她喝了一口咖啡，被烫到。"嗯？"

"我是不是可以把这瓶奶粉倒掉？冲一瓶新的？"

我想起来了，配方奶贵得离谱。每次佐伊有剩奶的时候我都连哄带骗地让她把瓶子嗫干净。佐伊出生之后，我坚持母乳喂养。开始的七个月，我只喂她母乳，其他的什么也没有。我计划坚持一年，但是世事多变。起初，医生和我都以为疼痛的原因是分娩造成的，我们谁也没当回事。

事实是非常不正常。

直到我再一次怀孕，怀上朱丽叶，当然，那时没办法知道她是个女孩。

我幻想中的朱丽叶来了还不到六周的时候，我开始出血。那时，她的心脏开始跳动供血，面部器官逐渐成形；她幼小的身体上长出胳膊和腿的萌芽。我没有流产，没有，如果真能那样的话，她的死会让事情变得更容易更简单。

是我选择了结束我的朱丽叶的生命。

杨柳看着我，表情复杂。慎重、怀疑，同时又无能为力。一群女大学生走过去。她们撑着大雨伞，穿着雨鞋，胳膊挽着胳膊挤在一起，说说笑笑地回忆着昨晚晕晕沉沉的醉酒。我低头看了一眼自己的打扮，注意到紫色的睡袍。

"所有的。"她又说了一遍。她的眼睛随着大学生走到街的拐角，她们咯咯的笑声在昏睡的城市里依然清晰可闻。

我把发抖的孩子还给杨柳，自己撑开雨伞跑向最近的药店，买了一瓶水和退烧药。

我回到我们小小的避难所，倒掉剩奶粉，看着它涌向旁边的下水道，然后涮了涮瓶子。杨柳递给我她梦寐以求的配方奶粉，我冲了一整瓶。她再一次把孩子交给我。我把瓶嘴塞进露比嗷嗷待哺的嘴里，满心期望这瓶奶能让这个狂躁的小家伙安静下来，可是小家伙带着厌恶的表情把它吐出来，好像我在里面加了砒霜似的。

然后开始号叫。

"嘘……嘘。"我一边上下颠着她一边恳求着——厌倦了，灰心了——这就是杨柳昨夜的经历。一整夜，一个人，饥寒交迫。我好奇地想：害怕吗？闪电在不远处划破天空，紧接着一个炸雷，响亮、暴躁，充满愤怒。杨柳颤抖着在天空中寻找这刺耳的响声的来源，紧张地瞪圆了眼睛。她害怕打雷，像个孩子。"没事的。"我听见自己大声对杨柳说，霎时我回到了佐伊上学前的卧室里，我搂着她，她的头依在我身上，我说："没事的，就是一个雷。它不会伤害你的，一点儿都不会。"我看见杨柳盯着我，我还是看不懂她蓝色的眼睛里写着什么。

我和杨柳、露比一样全身湿透。商店里的女人蛮横地敲着玻璃门轰我们走。我从她的嘴唇看出来她在说：不要在此滞留。

"怎么办？"我大声问自己，杨柳心平气和，像是回答我，更像是自言自语地说："明天又是新的一天，没有瑕疵的一天。"

"《清秀佳人》？"我问，她答："对。"

"你喜欢？"我问，她说："是。"

我拉着杨柳和她的皮箱慢慢地从靛蓝色雨棚的庇护下挪步走进雨里。"我买了一本《清秀佳人》，"我坦白，"昨晚回家的路上。我以前没看过，但一直想看。想和我的女儿佐伊一起看，但是她长得太快了。"仿佛我一眨眼，听我读纸板书的女娃娃突然长大了，不能和我——她的妈妈分享同一本书了，只是因为她担心学校的朋友会乱想，让他们知道太难为情了。也许只有佐伊这么想。

我的脑子里有个想法挥之不去：如果可以重来，我会有什么不同的做法？如果佐伊回到婴儿时期、回到蹒跚学步的时候，我会有什么不同？佐伊会有什么变化？对朱丽叶会有什么不一样吗？

当然，这些问题就像问为什么没有给我和克里斯更多的孩子一样毫无意义。

"你和妈妈一样看过《清秀佳人》吗？"我不知道她是不是会迎合这个涉及隐私的小问题。

犹豫了一下，她说："马修。"

"马修？"我重复着，担心她就此打住。

出乎意料，她继续讲下去。她透过挡在眼前的刘海儿看着一只知更鸟在地上觅食，这是春天的第一个信息。街道两旁的树木冒出新芽，番红花的嫩枝拱出湿乎乎的泥土。"马修是我……"她吞吞吐吐的，明显犹豫不决，"我哥哥。"我表面上点点头，内心激动不已。找到拼图中的一块，杨柳有一个哥哥叫马修。杨柳有一个哥哥，一个看《清秀佳人》的哥哥。果然如此。

"你哥哥看《清秀佳人》？"这应该是妈妈和女儿一起看的书，杨柳却和她的哥哥一起看，我竭力忽视这一点。我想和她聊聊她妈妈，问她为什么不和妈妈一起看。但是，我什么也没说。

"是。"

我注意到提起哥哥马修的时候，她哀婉地叹息一声，声音里透出一丝伤感和一股悲伤。

我对这个马修充满好奇，他会在哪儿呢？

露比令人毛骨悚然的尖叫声突然让我想起退烧药。我慎重地措辞："我觉得露比发烧了，我在商店买了泰诺，也许有用。"我把药盒递给杨柳看，以此证明确实是泰诺，我没有想要毒害她的孩子。

杨柳看着我，眼睛里全是焦虑，她的声音变得像个孩子一样，问道："她病了？"显露出她自己的纯真。

"我不知道。"

我看见婴儿在流口水，鼻腔堵满分泌物。杨柳同意给她吃药。我看了说明书。杨柳抱着孩子，我把草莓味的药挤进她的嘴里，看着露比安静下来，闭上嘴。我们等着药效发作，等着露比停止哭泣。我们等待、思考，思考、等待，等待、思考，思考、等待。

露比不哭以后我怎么办？和她们告别然后回家？把杨柳和露比留在这儿，留在雨里？

腹泻导致尿片过度饱和，她的外阴和臀部生出红色肿胀的尿布疹（和我想象的一样，藏在尿片下面）。仅凭这一点，就能让我尖叫出来。

"你们上次看医生是什么时候？"我问。

"我不知道。"杨柳回答。

"你不知道？"我吃惊地问。

"我不记得了。"她更正道。

"我们得带她去医院。"

"不。"

"我付钱。账单，医药费。"

"不。"

"然后去收容所。那里遮风避雨，能睡个好觉。"

"我不去收容所。"她再次重申。昨晚吃饭的时候她也是这样回答的，她的语气强调着这个信息。我不能责备她。我，本人，在调查收容所之前也深思熟虑了很久。收容所本身可能就是一个危险的地方，挤满绝望的男人和女人，由于环境所迫变成了凶残的捕食者。收容所有肺结核、肝炎、艾滋病等传染病。有时候收容所不允许携带个人物品入住。这意味着杨柳必须放弃她的皮箱和里面的珍爱之物。收容所有毒品、吸毒的人和贩毒的人；有虱子和跳蚤侵扰；有人在你睡熟的时候偷走你的鞋。在最冷的月份里，为了收容所里的一张床，他们要排几个小时的队。即使这样，也不一定获得一席之地。

"杨柳，"我有太多话想说。"L"线在我们的头顶呼啸而过，带走了我的声音。我停顿了一下，等着列车开走。"你不能永远住在外面。露比需要很多东西，你需要很多东西。"

她望着我，矢车菊一般的眼睛、浅褐色的皮肤，残余的眼妆更突出了她的眼袋。"你以为我想住在马路上？"她反问道，然后她对我说，"我没有其他地方可以去。"

克里斯

　　房门开了，她们两个像溺水的老鼠一样站在那里。海蒂抱着一个婴儿，女孩身上飘着一股比茴香还刺鼻的气味。我揉揉自己的眼睛，我必须确认这不是幻觉，确认我的海蒂永远不会带一个无家可归的女孩回我们家，回她女儿生活和呼吸的地方。这个女孩衣衫褴褛，就是一个流浪儿。她几乎和佐伊一样大。海蒂向我介绍她的名字和我有气无力地报出自己的名字的时候，她都没有看我。（当记者过来告诉我，我将出现在下一期的《坦率的镜头》节目上的时候，我不想显得太愚蠢。）

　　海蒂宣布"她今晚住在咱们家"。就这样，就像那些该死的猫来的时候一样，我目瞪口呆得既不会说可以，也不会说不可以，况且也没人征求我的意见了。海蒂带女孩走进我们的家，让她脱掉湿漉漉的靴子。她照做了，靴子里涌出一加仑的水流到地板上。她光着脚，没穿袜子。她的脚被泡白了，遍布水泡。我龇牙裂嘴的表情让海蒂和女孩同时顺着我的目光看向她的脚丫。我知道海蒂在想治疗的方法，而

---

1 1948 年开始在 ABC 电视网络开播的 "真实的电视节目"。

我只能期盼她没有传染病。

佐伊从房间出来，"这是……"她瞠目结舌。我以为我们的女儿不太习惯说脏话，所以准备替她说出来。你他妈的在想什么，海蒂？我刚要喊出来，海蒂已经请女孩进屋，并且介绍我们的女儿给她认识。佐伊沉默地看了一眼流浪女，然后转向我寻找答案。我能做的只有耸耸肩。

女孩被电视吸引，篮球赛：芝加哥公牛队对底特律活塞队。我听见自己问——没有其他更好的话题——"你喜欢篮球？"她直截了当地说"不"，然后目不转睛地看着电视，好像这辈子没见过电器似的。她说话的时候，我闻到细菌发酵似的口臭。我想知道她上次刷牙是什么时候，她的牙齿也许促进了那些"毛茸茸的东西"生长。难耐她身上的气味，我走到窗户边，推开一条缝隙。海蒂向我投来憎恶的眼神，作为回敬，我说："怎么了？这儿闷得难受。"真希望雨一直下，带走空气里的恶臭。

女孩像被逮住的猫一样紧张不安，她的眼睛在房间里搜寻着一张她可以躲在下面的床。

我判断不出哪一个更超乎寻常，是陌生的女孩来家里，还是海蒂抱孩子的样子。她像抱自己的孩子一样，用手掌托着婴儿的头，下意识地摇来摇去，深情地注视着婴儿。当电视插播广告、屋子里有几秒钟安静的时候，我听见她轻声地哼唱。

"我回自己房间了。"佐伊穿过大厅，使劲关上屋门。

"别理她，"海蒂对杨柳解释，"她有点儿……她十二岁。"

"她不喜欢我。"杨柳说。是的。我想，她不喜欢。

但是海蒂说："不会的。她有点儿……"她想找到一个合理的解释，可是无言以对。"她烦所有事。"她说，好像所有事并不包括这个新到我家的陌生人。

"你可以待在这儿。"海蒂带她走进我的办公室，那里有为客人准备的一张上等沙发床。可惜她不是客人。我站在门口看着海蒂把孩子递给女孩，自己整理沙发上我的资料，然后恶狠狠地堆在我的办公桌上。

"海蒂。"我叫她，但是她忙着腾空沙发，把靠垫一个个扔到地上，根本没空搭理我。

"你需要的是，"她对女孩说着，女孩站在旁边，紧搂着婴儿，提着滴水的箱子，和我一样浑身不自在，"一个好觉，一顿美餐。你喜欢鸡肉吗？"女孩迟疑地点点头，几乎看不出来，海蒂接着说："我们吃焗烤鸡肉意粉怎么样？还是鸡肉馅饼更好？口感好，还能舒缓心情。你喜欢鸡肉馅饼吗？"

我空白的脑子里闪过一个念头：我以为我们是素食主义者。海蒂把鸡肉藏在哪儿了？

女孩犹豫着。海蒂噼里啪啦地把一沓报表和我昂贵的财务计算器扔到地上。我忍无可忍，挤进屋里，一张一张地捡起来。女孩从地上捡起计算器，抚摸着上面的按键，然后紧张地递给我。我嘟囔地说了一声"谢谢"。接着，我又叫了一声"海蒂"。这次她推我走出去，留下我和女孩在房间里单独待了足足二十秒，到衣柜里翻出一套带条纹的床上用品。女孩注视着我，我从墙上拔下打印机的插头，拿起笔记本电脑和打印机就往屋外走，力不从心，打印机拖着电线碍事地绊着我的脚。在门口我大声叫海蒂，当她棕色的眼睛对着我的时候，我突然咆哮起来："我要和你谈谈，马上！"她把床上用品放在支开的床上，跟在我身后走出房间。她怒气冲冲的，好像我是个顽固的莽夫一样。

"你到底在想什么？"我在走廊里盯着她问，"带那个女孩回咱们家。"打印机太重了，我失去平衡，撞在墙上。海蒂视若无睹。

"她没地方可去，克里斯。"她站在我面前，穿着那条恶心的紫色睡袍，头顶贴着沾了雨水的头发。她双眼放光，我想起十二年前我下班回家的那个晚上：餐厅里烛光环绕，她一丝不挂地坐在中间，完美无瑕。她跷着二郎腿，端着一只红酒杯。那只酒杯是我们花了十美元为特别时刻专门手工制作的。桌子上有一瓶红酒，圣皮尔干红。海蒂的眼神竟然见鬼似的和现在如出一辙。

"她要待多久？"我问。

她耸耸肩："我不知道。"

"一天？一周？是哪个，海蒂？"我的声音越来越大，"是哪个？"

"婴儿在发烧。"

"那就去看医生。"我生硬地说。

海蒂摇头："她不想去。"

我蹒跚地走进厨房，把我的移动办公室设在餐桌上。我摊开双手，恼火地举在半空中。"谁在乎她想不想，海蒂？她就是一个小女孩。也许是离家出走。我们在收留一个离家出走的孩子。你知道这会带来什么麻烦吗？"我一边说，一边在厨房的抽屉里找出电话簿，在检索里翻找非紧急救援的电话号码。难道这不算紧急情况吗？一个陌生的女孩在我家里，对我而言和非法入侵差不多。

"她十八岁。"海蒂强调。

"你怎么知道她十八岁？"

"她说的。"她可笑地回答。

"她没有十八岁,"我对我的妻子保证,"你必须向当局报告!"我要求。

"我们不能那么做,克里斯。"从我手里抢走厚厚的电话簿,啪的一声合上,书页折在里面。"你怎么确认她没有受到虐待?没有被强奸?即使她是离家出走,也应该有足够的理由。"

"那就打电话给'儿童与家庭服务部',让他们解决。这不是你该操心的事。"

但是,这当然是她的事。凡是在绿色地球上被忽视的、被虐待的、被遗忘的、被抛弃的、被忘记的、挨饿的、挨打的、挨骂的人就是海蒂操心的人。

我对此毫无疑问,我永远也赢不了这场争论。

"你怎么知道她不会杀了我们?"我认为这是一个好问题。我仿佛在早间新闻上看到了关于我们的报道:林肯公园公寓全家被杀。

那个女孩,她站在我办公室的门口看着我们。她的眼睛是变化无常的蓝色,带着血丝,透着疲惫。她的头发挡在脸前,她的嘴上没有笑容。她的额头上有一块瘀青,似乎要证明海蒂的话是对的。"我也有同样的问题。"她嘟囔着。她的目光顺着淡褐色的墙壁上移,停在屋顶上,然后说:"我害怕的时候,信任你。"我的下巴快要落到地上了。我百分之一百地确信当我愚蠢地问一句"信任我?"时,彼得·丰特将带着相机从前门闯进来。

"上帝。"女孩说。海蒂看我的表情好像我是无神论的野蛮人。

海蒂愤怒地瞪着我,然后起身,飞快地走出去,大声地说:"我怎么没让你洗个热水澡呢，杨柳？你可以多泡一会儿，我带露比。换上干净衣服感觉好极了。我打赌你和佐伊一个尺码。我保证她乐意给你衣服穿。"

胡说八道，我知道佐伊连氧气都不愿意和这个女孩分享，更别提衣服了。佐伊开着卧室的环绕立体声，男孩乐队的演奏声回荡在整个房间。

我看着海蒂从杨柳的手里抱走婴儿，带杨柳走进浴室。

当浴室的门关上以后，我一头扎进橱柜，寻找消毒水。

杨 柳

　　这些日子，我对妈妈仅有的记忆也不见了。没有照片留下她乌黑的长发、黝黑的皮肤和漂亮的蓝眼睛。约瑟夫确认过了。他站在我的卧室里说我不能总是生活在过去。在我曾经的卧室里，床上的被子是用碎布拼的，窗户总是漏风，所以冬天从来没有暖和过，但是夏天总是很热。墙上金色的鲜花壁纸从接缝处掀起来，满屋的壁纸都这样悬在墙上。但是妈妈不时地在我的脑海里闪现：她在浴室里给达尔夫人剪头发时映在镜子上的影子，她看电视时的咯咯笑声。我看见她在被太阳晒得发烫的草地上支起一张破旧的塑料睡椅，躺在里面享受日光浴，而我就在旁边，把手指伸进脏兮兮的土里挖虫子玩。我们照着从图书馆借回来的朱莉娅·查尔德[1]的烹饪书做饭，妈妈站在厨房里，举着芥末酱，有半瓶芥末正顺着她的白衬衫流淌。我们笑作一团。

　　我眼看着约瑟夫当着我的面把妈妈的照片撕成两半，接着撕成

---

[1] 美国著名厨师、作家及电视节目主持人。她通过与人合著的烹饪书《掌握烹饪法国菜的艺术》及她的电视节目（其中最有名的是 1963 年首播的《法国厨师》），把法式烹饪介绍给美国大众。

千万块碎片，碎到我无论如何再也拼不起来。然后，他强迫我从地上捡起这些纸屑，监督我走下台阶，把它们扔进如山的垃圾堆里，再押我回房间。男孩们则在一旁观赏，好像是我撕的似的。"我不想听见你提一个字。你听见了吗？"约瑟夫命令我。他有两米多高，长着金黄色的络腮胡子，眼神像鹰一样严厉。后来他又补充道："乞求上帝宽恕。"

好像爱妈妈是罪过。

从那以后，我对妈妈的记忆开始变得支离破碎，我甚至不知道哪些是真的，哪些是假的。我翻来覆去地想，比如，她笑的声音，她用手指梳理我染过的头发的感觉。我躺在自己的床上，蒙着被子，绞尽脑汁地拼凑有关妈妈的小碎片，以此度过漫漫长夜。她的鼻子是什么形状？她有没有雀斑？她叫我时用什么语气？

"你父母是怎么死的？"露易丝·弗洛雷斯问。她脱下深蓝色的西服外套，认真地对折，像折贺卡一样折好，然后放在录音机和秒表旁边。她枯瘦如柴。

"我相信您知道，夫人。"我说。角落里有一个警官，还有一个在尽力隐藏自己、负责监视的哨兵。她说我可以不回答她的提问，一个都不用。她可以等安布尔·阿德勒夫人或者我的律师来了再说。但是我已经想象出阿德勒夫人进来时失望的眼神，所以我知道最好在她到来之前尽快坦白。

"你能跟我讲讲吗？"银发女人说。我知道在那一沓纸的某一页上一定写得清清楚楚，有关妈妈那辆破旧的日产蓝鸟，有关那一场翻车的意外。有人说是在刚刚离开奥加拉拉的I-80公路上，看见车子左摆右摆，突然转弯。车子失控，接着很可能是爸爸调转方向过了头，车子开始在马路上转圈。我猜想妈妈的老蓝鸟在州际公路上翻跟头的时候，爸爸和妈妈一定还在坚持没有放弃。

那时，莉莉和我在家。就我们两个，我们没有保姆。虽然我只有八岁，但是妈妈相信我能照顾好莉莉。我确实做得相当好，给她换尿片，哄她睡觉。我把苹果和胡萝卜切成很小的块儿，不能噎到她。永远锁上防盗锁，我从来不给任何人开门，即便是邻居格拉斯太太敲门也不开，因为她总是想方设法地偷我家的牛奶和鸡蛋。爸爸妈妈不在的时候，我和莉莉就躺在电视机前看她最爱看的《芝麻街》。她最喜欢庞大的老长毛象，总是被它逗得哈哈大笑。客厅地板上铺着粗糙的绿毛毯，我感觉有一点儿像大象的皮，我们并排躺在上面指着电视上的巨象咯咯地笑个不停。

妈妈好像从没把我们两个留在家那么长时间。不过，她说过几次，"成年人应该做他该做的"。那天早上，她和爸爸钻进蓝鸟车里，车子在碎石路上绝尘而去，她把头从车窗里探出来对我说的也是这句话。她黑色的长发在风中飘扬，我看不见她的脸，但是我听见了她的声音：照顾好莉莉，还有其他的类似"爱"和"你"一样的字眼，诸如**我爱你就像蜜蜂爱花蜜，我爱你就像花生酱爱果冻，我爱你就像小鱼爱流水。**

妈妈让我照顾好莉莉，这是她留给我最后的话。她的头卡在老蓝鸟破碎的车窗外，风吹乱了她的黑发，蒙住了她的脸，这是我见到她的最后一面。"照顾好莉莉"，这是我要做的事。

但是接下来，就这样突然，莉莉也走了。

海 蒂

我们先给露比洗。我放好温水，要让婴儿娇嫩的皮肤感觉足够暖和，又不是太热。为了尊重杨柳的隐私，我准备出去，可是她却转向我，有气无力地说："你能帮帮我吗？求你了。"我说当然可以，然后兴奋地托起婴儿水润光滑的身体，杨柳捧起水浇在婴儿身上。

手上的婴儿让我想起朱丽叶，我知道失去朱丽叶不仅仅是失去一个孩子，而是失去了我想要的所有孩子。我曾经有一段时间，一连好几个小时思念小朱丽叶，猜想她出生以后会长成什么样子。她的头发会像佐伊出生时一样又浅又稀，还是像克里斯出生时那样又深又密呢？会像克里斯妈妈告诉我的那样，生完孩子以后会胃痛好几个月吗？很长时间，我放纵自己想念小朱丽叶，让她的影子钻进我的思绪里。

现在，她来了，再次驻扎在我的心里，提醒我不会再有孩子了。朱丽叶，我几乎无条件地同意，她叫朱丽叶·伍德。如果她如约而至，现在应该十一岁了。十一年，她身后会跟着一支小队伍，每年都会按部就班地多一个小成员，索菲亚、亚历克西斯和婴儿佐克……

此时此刻，露比的尖叫声把我拉回现实。我看见杨柳的绿袖子浸在水里，逐渐变成黑色。之前，我提议她脱掉外衣，但是她拒绝了。香草浴液滴进她的手心，她用双手揉出泡沫，并不熟练地轻轻擦过婴儿的头皮、腋窝和臀部，她的手在发抖。露比的屁股上密布着红色的尿布疹，我知道这种疹子不仅长在这里，还会出现在胳膊和她幼小的身躯上的每一个褶皱里。她的屁股已经感染真菌，红疹结出白色的硬皮。于是，我在心里列出一份购物清单：湿疹膏、克霉唑软膏和无泪婴儿浴液等。香草浴液渗进露比眼角的时候，她尖叫了一声。

洗完澡以后，没有新的尿片可用，我只好用一块天然材质的蓝色浴巾裹住露比，然后用安全别针束紧。所以清单上还得加上尿片和擦巾。

我准备抱露比出去，让杨柳一个人洗澡，但是她阻止了我。我明白她不想让孩子离开，她不信任我，至少现在还不。她凭什么信任我，我想，对于她，我完全是一个陌生人。我不是在分娩室休息的时候，也阻止新生儿护士按照医生吩咐抱走佐伊吗？

我最想做的事情就是给露比一个新奶瓶，坐在客厅里陪她入睡。我在瓷砖地面上铺了第二块浴巾，把她放在上面。我停留了半秒或者一秒，也许更长一点时间，看着她从蓝色的大浴巾里挣脱出四肢，像个灵活的运动员一样一股脑地塞进自己的嘴里。她淘气地吮吸着自己迷人的脚指头。

等我出来之后，杨柳锁上浴室的门。我站在大厅里，一手扶墙，深长地呼出一口气，排空了刺穿我肺部的浊气。

我看见克里斯在厨房里，狂躁地敲击着键盘。打印机插在墙上，丑陋的黑色接线从屋子这头通到那头。

这又是一处安全隐患。

但是我不敢说。我们四目相对，他再一次表明不赞同我的决定。他不满地摇摇头，然后重新面对电脑屏幕上令人费解的电子表格和密密麻麻难以辨认的数字。佐伊的流行音乐淹没了整个公寓，墙壁在颤，走廊里的相框在抖。

我凝视着佐伊照片上那掉牙的微笑；几年后，冻红的鼻头，参差不齐的牙齿，因为长得过大，所以戴上了牙套。佐伊特别喜欢学校的照相日，那是唯一可以不穿校服的日子。她小的时候愿意听取我的建议，我们选棉布裙子和毛衣，在发带上插朵花或者罩上蓬松的薄纱。随着年龄的增长和青春期的到来，这个曾经的小女孩不再要荷叶边和蝴蝶结了，而是选择印着动物或图案的上衣、连帽衫和深色背心，她挑的每一件衣服都反映出她内心的逃避和无常。

我敲了敲佐伊的房门。

"什么事？"她带着情绪回答。我推门进去，看见她坐在床上，拿着心爱的黄色笔记本，没有打开，在生闷气。她开着加热器，但室内仍保持在23摄氏度。因为我们最近刚提了要求，不许她把自己的房间弄得像地狱的熔炉一样。她裹着毯子，带着护腕，这是最近刚刚流行的又一个让我无法理解的东西。佐伊的是黑色的，带着亮片，是朋友送的。"你的胳膊冷吗？"她第一天戴着它们进家门的时候，我曾这样弱智地问过。

她的眼神明确地表明：她妈妈是个白痴。

我自己都听出了我声音里的怯懦和担忧，我害怕遭到十二岁女儿的拒绝。"你有衣服可以让杨柳穿吗？等她洗完以后穿？"我问着，像一只胆小的猫在门口徘徊。

"你太逗了。"佐伊说。她摸索着找到手机，拇指在暗地里灵活地摆动。我想象得出，她一定是在给泰勒发短信说我的坏话。

"不许这么做。"我说着冲到床边，从我女儿的手里抢走手机。手机上是让我摸不到头脑的字母缩写。

佐伊大喊大叫："那是我的。"她扑向电话，想夺回去。但是我警告她："不行，是你爸爸和我在交话费。"我站在床前一动不动，拿着电话的手背在身后。无论如何我们是有协议的，她使用手机的前提是我们可以查阅她的短信并予以监督。

她的表情像是被掴了耳光的孩子。

"给我！"她用棕色的大眼睛瞪着我命令道，她那双大得离奇的眼睛总是透着忧郁。她伸出手等着。整个小臂上绘着蓝色的涂鸦。天哪，我是多想把电话给她啊！我不想逼疯她！我看见我孩子的身体里涌动着一触即发的愤怒，我知道她的心里燃烧着仇恨，对我的仇恨。

谁说做母亲容易……

我留恋和佐伊一起摇的日子。那时，开着窗，我坐在喂奶椅上。植绒的座椅特别深，两边还有古老的旋涡状的扶手，我必须向前探着身子才行。我一直摇着她，直到她睡着，然后再把她放进摇篮里，摇来摇去好几个小时，催眠曲飘走了，炙热的白色太阳沉入地平线。

我注视着佐伊窗外的天际线，朵朵白云让我浮想联翩。我们住在五层，视线正好越过旁边略矮的建筑。十四年前我和克里斯对这座公寓爱不释手就是因为这儿的风景。我们的南窗正对卢普区，东边紧邻密歇根湖。我们当时因为太怕被别人抢先，所有没有讨价还价，直接按照定价付了款。

"跟谁也不能提起杨柳,"我冷静地说,"绝对不行。"

"也就是说我要欺骗我最好的朋友?"她愤恨地问。

我想说"是的",但却闪烁其词地说道:"我们谁也不能告诉,佐伊,至少现在不行。"

"为什么不行?难道她是需要保护的证人?还是其他什么?"她问了一个只有十二岁的孩子才会问的问题。

我没接话,继续问:"你有她洗完澡能穿的衣服吗?"佐伊从床上蹿起来,气呼呼地走到衣柜边。从背后看,她的裤子肥肥大大,完全看不出屁股。"她不会一直在这儿的,"我说,"我们应该尽快带你去买些新衣服。"我想达成谅解,但这是一个蹩脚的尝试。

佐伊提起杨柳就满心懊恼,讽刺地说:"我知道。她就是你的一个客户。"

"不全是。"我说。

我理解为什么佐伊马上把杨柳和我的客户联系在一起。因为我习惯把工作中遇到的流浪汉和文盲的故事带回家。"她需要我们的帮助,佐伊。"我一直信心百倍地引导佐伊建立比克里斯更多的社会责任感。她小的时候,我们踏雪而行到妇女和儿童救济站送我们穿不了的冬衣;到儿童医院送玩具和书籍,那里的孩子患有白血病、淋巴癌或者其他的癌症,我不敢想一个孩子要受多大的罪。我总是提醒佐伊,有很多人非常不幸,我们当然非常有义务去帮助他们。

佐伊从衣柜里找出一条艳粉色的抽带裤、一件紫红和浅灰相间的条纹衬衫,扔进我怀里,嘟囔着说:"反正我不喜欢了。"我不知道是她忘了那些不幸的人,还是……"这些衣服丑死了。"她说。

"这只是暂时的。"我从佐伊房间出来的时候低声说。厨房里，克里斯从电脑前抬起眼睛，再一次摇摇头。

我把干净的衣服放在沙发床上，然后回卧室，在屋子里徘徊，直到杨柳从雾气腾腾的浴室出来。她裹着蓝色的大浴巾，湿乎乎的手抱着露比。她踮着脚尖走进克里斯的办公室，关上门。

门咔嗒一声，锁上了。

我先去浴室收拾堆在地上的衣物。我把它们装进一个空筐里，放上洗衣液、防静电布和领洁净。然后从厨房抽屉的零钱包里拿出25美分，准备下六楼去隐蔽在地下室的公共洗衣房。走之前我告诉克里斯很快回来。他看着我问："你希望我为她做点什么？"

"五分钟，"我说，"就回来。"我答非所问，在他还没来得及说"不"之前我就匆匆离开了。

洗衣房里空无一人。狭小的空间里挤着五台洗衣机和五台烘干机，地上铺着过时的木地板。每一台机器都要多吞掉几美分才能好好干活。我把露比绣着"小妹妹"的连体服摊在洗衣机上，在污迹上喷足领洁净，接着又喷在带着汗味和尿味的粉色毛毯上。我又从筐里捡出杨柳的衣服：军绿色的外衣，我拉上拉锁，系好扣子；牛仔裤，我担心把白色的连体服染成蓝色，所以分开放，准备单洗。然后，我在绒衣下面发现一件本应是白色的贴身内衣。

我僵住了。

洗衣房里灯光昏暗，我恍惚看见内衣上有血迹。我又仔细检查了一遍，确定是红色的，我极力说服自己那是番茄酱、烤肉酱、马拉斯金樱桃汁。我想闻到淡淡的番茄酱味儿、香料味儿或者酸味儿，但是除了体臭什么也没有。我重新细看了其他的衣服，磨损的牛仔裤、开线的绒衣，还有露比的连体服。每一件上面都带着特有的污渍，但是没有像内衣上面这么明显的深红色血迹。我笨手笨脚地摸到领洁净，对着血迹喷，突然，我想起来，没什么办法可以去除干了的血迹。在走楼梯回五层公寓的路上，我把内衣团成一个不起眼的布球扔进了垃圾道。

我想象着这件内衣连同它承载的秘密一起滚下五层楼，掉进货物进出口旁边的垃圾车里。

当然，克里斯永远不会知道。

杨 柳

妈妈以前常说她有个好姐妹，叫安娜贝斯，即使真有这样一个姐妹，她也没来认领我和莉莉。

"你是怎么开始和约瑟夫和米利亚姆生活的？"露易丝·弗洛雷斯问。我问过她的职业，她说是律师的助手。墙上的钟表显示现在是下午 2 点 37 分。我的头枕在审讯室冰冷的不锈钢桌面上，闭着眼睛。"克莱尔！"那个刻板的女人捅捅我，伸出一只手放在我的胳膊上，粗鲁地想要摇醒我。她不会得逞的，她拿我的"恶作剧"没有办法。我抽出胳膊，把它们藏在了桌子下面她够不到的地方。

"我饿了。"我说。我记不清上次吃饭是什么时候了，但是我记得在警察抓到我之前，我曾经在垃圾车里刨出半个凉热狗，夹着泡菜和开胃菜，涂着芥末。芥末又厚又黏，小面包上还留着口红印。当然，警察不是在那儿逮到我的。我在密歇根大道，趴在古驰店的橱窗上往里看的时候，恰巧被他们撞到。

"结束以后我们就吃饭。"她说。她的手像老年人，布满皱纹而且青筋暴露，金色婚戒嵌进皮肤里，胳膊和下巴上悬着赘肉。

我抬起头看着她，穿透长方形的眼镜直视她灰色的眼睛，我又说了一遍："我饿了。"然后重新趴在桌子上，闭上眼。

她犹豫了一会儿，然后吩咐墙角的男人去找点吃的来。她在桌子上放了几枚硬币。我等到那个男人出去以后说："我也渴了。"

我想好了，食物不来，我就不起来。她不停地提问，提问那些我希望忘掉的问题。"你是怎样结束和约瑟夫以及米利亚姆的生活的？""给我讲讲约瑟夫。他是教授，对吗？"

约瑟夫是教授，不过那是以前。就因为这个，当他和米利亚姆声称是我爸爸这边的表亲时，我的社工以为我们时来运转了。他们有两个儿子，马修和艾萨克，住在内布拉斯加州的埃尔克霍恩，就在内布拉斯加州最大的城市奥马哈市的边上，所以这两座城几乎是手拉手地连在一起。他们家很漂亮，比我们在奥加拉拉的活动房漂亮多了。两层，三个卧室，老式的大窗户，可以看见房子四周的小山。旁边有一个公园，还有一个棒球场。虽然没有亲眼所见，可是我听见隔壁的孩子谈起过。我从古老的大窗户向外张望，我看见他们骑着自行车沿着街道招呼别人一起去打球。

约瑟夫说过我不能和那些孩子一起玩，我根本不能玩。

我所有的时间都花在做家务、照看米利亚姆和思念爸爸妈妈上。有空的时候我就望着窗外那些小孩，尽我所能地编各种"我爱你就像……"：

我爱你就像肉桂爱焦糖。

我爱你就像小孩爱玩具。

约瑟夫和米利亚姆来的时候，莉莉已经走了。

爸爸妈妈去世以后，莉莉在家只待了三周。我们被送到教养院，里面全是像我们这样的孤儿。"孤儿"，我以前从来没有听到过这个词。那所房子里住着八个人，还有一群来了又走的成年人。除了一对夫妻和一直与我们同住的汤姆和安娜外，其他人都是过客：某个孩子的社工，他们显得与众不同；教师；一个总是让我的脑子一片混乱的男人，"告诉我你为什么难过，克莱尔。告诉我你爸爸妈妈死的时候你什么感觉"。

回过头来看，这地方真不错。跟约瑟夫和米利亚姆生活之后才感觉出来教养院简直像个宫殿。但是对于一个刚刚成为孤儿的八岁女孩来说，那里却是世界上最糟糕的地方。没有人愿意住在那里，尤其是我。有些孩子不怀好意，有些孩子整天哭闹。他们不是被人偷走的就是被送人的，还有直接被家人遗弃的。爸爸妈妈去世反倒像件好事，因为这表明有人真正地爱过我们，在他们的有生之年真正的需要我们。

莉莉被收养了，这是一个孤儿唯一和最终的结局。

孤儿？前一天我还是奥加拉拉的一个小女孩，今天我就成了一个孤儿。那个简单的词语里包含着太多的东西。人们看我的眼神都带着同情，他们盯着我身上廉价而瘦小的衣服。衣服是慈善机构送来的，有人捐赠了孩子穿剩下的衣服。他们明明知道我穿着不合身，可是还会说"嗬"，好像意思是"真合身"。

的确，这和我悲伤的眼神、暴躁的脾气以及喜欢躲在角落里生气和哭泣的样子倒是挺搭的。

保罗和莉莉·赛格尔（是的，没错，也是莉莉）收养了莉莉，我的莉莉，小莉莉。可爱的小莉莉，长着黑色的小卷发，和妈妈的一样黑，短粗的小手攥着我的手指，胖乎乎的小脸蛋上挂着毫无保留的微笑。妈妈去世之前，我答应要好好照顾莉莉。可我无意中听到了社工、保罗和莉莉的对话："太讽刺了，莉莉，命中注定。""但是，当然，"大莉莉说，她金发碧眼，带着绿松石，是个漂亮女人，但是她却像谈论一只狗似的说，"我们给她换个名字。总不能两个都叫莉莉。"社工附和道："当然。"

我大发雷霆，大喊大叫。妈妈给妹妹起名叫莉莉，他们没有权力改。我抱起莉莉从后门跑出去，渴望找个地方藏身。我钻进树林里，但是带着莉莉很容易就被他们抓了回去。教养院的负责人安娜从我的怀里抢走了莉莉，她说："这是唯一的出路。"汤姆训斥我："你不想惹恼她，对吗？"

莉莉在哭，我看见她伸出胳膊在找我，但是那个女人抱着她一直走啊走，越来越远，越来越远。这边，汤姆搂着我，我怎么挣扎都无济于事，最后我咬了他。他这才尖叫一声，放开了我。

我找遍了房子的每一个角落。"莉莉！莉莉！"我哭着喊她的名字，直到我不知道自己在喊什么。我闯进别人的卧室，误入有人正在使用的浴室。终于，我看见了。窗外，一辆银色的小货车开走了。

这是我倒数第三次看见妹妹。

他们给她换了一个名字叫露丝。

我后来逐渐意识到他们不是坏人。但是，当你只有八岁，又刚刚失去亲人的时候，却有人从你身边带走妹妹，那时的你会痛恨所有人。

"给我讲讲约瑟夫。"露易丝·弗洛雷斯说。

"我不想提约瑟夫。"我说。我趴在桌子上，把头侧向一旁，避开她的视线，问道："你们怎么找到我们的？"我撕掉手上的干皮，看着它们渗出血。

"我们怎么找到你们？"她重复了一遍。我用余光看见她撇了一下嘴。她不喜欢我，一点儿也不喜欢。"运气，"她说，我保证是运气来了，"不过既然你问起我们是怎么找到婴儿的，好吧，那是秘密。"

"秘密？"我问，抬起头看着她，她的眼里全是得意。你就是我的运气，不是吗？她的眼神对我传递着这个信息。

"对，克莱尔，秘密。一个私人举报电话——"我打断她，"谁？"

"一个人，"她继续说，"希望我们保密。"

"为什么呢？"我说出心中的疑惑，我不用费多少时间和脑筋就能猜出答案。我在心里锁定一个男人。他从来没喜欢过我，不容置疑。我听见他们就在那儿，就在隔壁那间屋子里为我争吵，他们以为我听不见。

"给我讲讲约瑟夫。"她又说了一遍。

"我已经说过了，我不想提约瑟夫。"

"那么米利亚姆呢？跟我讲讲米利亚姆。"

"米利亚姆是个妖怪。"我对着地板鼓动着腮帮子说。

老女人拉长脸问道："什么意思？妖怪？"

"小鬼。"我说。简单地说，米利亚姆就是小鬼。我不喜欢她，不容置疑。可是我的确有些同情她。她身材矮小，也许只有120厘米高，头发是灰褐色的。她的皮肤像粘着配料碎末一样疙疙瘩瘩的。她整日整夜地坐在卧室里，很少和我说话。她只和约瑟夫说话。

但是，她和约瑟夫、马修、艾萨克去接我的时候不是这个样子的，不是的。那天，约瑟夫要求她穿上漂亮的棉格裙子——短袖、V字领，还有一个大得好似拥抱着她的蝴蝶结；命令马修和艾萨克套上优雅的衬衫和笔挺的裤子。约瑟夫穿上条子衬衫，系好领带，模样英俊，眼神善良，以后我再也没见过。他盯着米利亚姆吃了药，涂上口红，他每次一碰她的侧腰，她就露出一个微笑。他肯定这么做了，因为我从来没有见过米利亚姆笑过。我印象深刻的还有一件事，那就是社工被说服了，认为和约瑟夫、米利亚姆一起生活是我的幸事。"有福气""好运气"这是她用的词。事实更像是诅咒。我的社工信誓旦旦地说约瑟夫和米利亚姆是经过筛选和看护培训的，而且他们自己有孩子。所以，他们现在是合法的养父母，对我来说，她断言，这是完美的结局。

没有人问我是不是愿意和他们一起生活。那时我已经九岁了，可是没有人在意我的想法。即将搬进收养我的家庭，我应该感到幸运，我再也不用住养育院了，永远不用。约瑟夫和米利亚姆是一个大家庭，这也是件好事。虽然我和他们的关系有这么多连结点，但是我怎么也不能把它们连在一起。社工说有文件和证据。她让我坐下，对着我的眼睛说："你要明白，克莱尔，你越来越大了。这有可能是你进入一个家庭唯一的机会。"

可是我有家庭啊，有妈妈、爸爸和莉莉。我不想再有一个。

莉莉一下子就被收养了，因为她只有两岁。不能生育的夫妻，比如保罗和莉莉·赛格尔，找的就是这样的孩子。尽可能是小宝宝，如果难度太大，蹒跚学步的也可以。小莉莉对爸爸妈妈几乎没有印象，过一段时间就会印象全无。她会相信保罗和莉莉就是她的父母。

但是，没人想要一个九岁的孩子，毫无疑问，也不会有人想要一个十岁或者十一岁的孩子。时光飞逝，正如我的社工安布尔·阿德勒所说的。

我收拾好他们允许我带进门的几件东西：一些衣服和书；妈妈的照片，后来约瑟夫把它们撕成了碎片。

"约瑟夫也是妖怪吗？"

我回忆着约瑟夫的样子，他有高大、阴险犀利的眼睛、鹰钩鼻子、金黄色的短发，士兵头，还有让我整晚睡不着觉的坚硬的胡子。我躺在自己的床上，恐惧地听着厌恶的脚步声从吱吱作响的地板上传到我的屋门外。

坚硬的胡子划过我的脸，他躺在我身旁。

"不是，"我直视银发女人的眼睛回答，"不是的，夫人。约瑟夫是魔鬼。"

海 蒂

我不能停止对它的猜想，对血迹的猜想。

我从洗衣房回家的路上遇见邻居格雷汉姆。他用他一贯欢快而愉悦的口吻说："每次见你，你都比以前更漂亮了。"我心不在焉，完全没听清他在说什么，竟然让他再重复一遍。

"什么？"我问，他笑了出来。

我突然意识到自己还穿着睡袍，头发一团糟，事实上我还没来得及洗澡。我顿时感到天旋地转，我上次吃饭是什么时候？我颤巍巍地伸出一只手扶住墙，看着格雷汉姆朝我走过来，一点儿也不顾及两人间应有的距离。他一如既往地无可挑剔：一件套头衫，拉锁半开着；深色的水洗牛仔裤；一双皮拖。

莫名其妙地，我就是信任格雷汉姆，虽然我知道自己看起来狼狈不堪，但是当他的眼睛落在我的身上，告诉我我很漂亮的时候，我信了。他上下打量着我，好像要证实我是否相信。他开玩笑似的抓住我的手，求我今晚和他出去，陪他出席在海滩咖啡馆的一个暖心的订婚派对。真让我难以想象，他居然没有女伴，没有那些迷人的、穿黑色短裙和三寸高跟鞋的金发碧眼的女人。

我的手不受控制地抖个不停，格雷汉姆看见以后问我发生了什么事。我冲动地想扑进他的怀里，把脸埋在他灰色的毛衫里，和他说说那个女孩、婴儿和血迹的事情。

他的眼里透出焦虑，双眉紧蹙，眉宇间挤出一道笔直的沟壑。他抓着我，仔细地端详，力图看出我隐藏的心声，我被迫望向别处。

他看出来事情有些不对，感觉到海蒂·伍德，那个有条有理的女人正在失控。

"没事，"我撒谎，"我很好。"

从体力上说，是真话，但是从精神上说，是个谎言。我赶不走驻留在大脑里的血迹、婴儿屁股上感染的酵母菌和克里斯眼神里的暗示——我帮助这个特别需要帮助的女孩是个错误，赶不走朱丽叶宝贝这么多年后重新回到我身边的画面。

格雷汉姆不是那么容易糊弄的人。他没有像其他人那样相信我的话，然后走开。他继续凝视着我，直到我强作欢颜地又说了一遍"我很好"，再等了一会儿，他才作罢。

"那就和我去。"他说。他拉着我的手，我感觉自己被拖着往前走。我笑出来。他总能逗我笑。

"我想去，"我说，"你知道我想去。"

"那就来吧。求你了。你知道我讨厌聊天。"他这样说，但是再没有比这话更不靠谱的了。

"我穿着睡袍，格雷汉姆。"

"我们路过翠贝卡店的时候去买件华丽的。"

"我已经很多年不华丽了。"

　　"那么，好看和实用的。"他让了一步。但是我却被他说的华丽的衣服和冒充他的女伴建议所吸引。我总爱胡思乱想，为什么他一直单身，他是不是像克里斯说的那样是同性恋。难道所有这些绚丽多彩的女人都是伪装，是某种东西的保护伞吗？

　　"你知道我不能。"我说，他一副垂头丧气的模样，和我告别后自己走了。

　　我在家门口停下来，重新回味了一下，在童话被现实取代之前总想多停留几秒钟：格雷汉姆、翠贝卡店华丽的时装、海滩咖啡馆的晚宴，我挽着格雷汉姆的臂膀，乔装打扮成他的女伴。

　　进门以后，我看见杨柳抱着婴儿坐在沙发床上。她穿着佐伊的衣服，湿浴巾已经挂回浴室。"我的衣服，"她说，有一点儿惊慌，"你对我的衣服做了什么？它们不是……"她声音颤抖着，眼神慌乱。她摇晃婴儿的姿势更像抽搐一般难受。

　　"我拿去洗了，"看见她肿胀的蓝眼睛里升起恐慌，我说，"有些污渍。"我低声简洁地回答，以免克里斯在厨房里听到。我注视着她，希望她主动解释一下血迹是怎么回事，这样我就不用直接问了。我不想让她带着她的孩子离开，但是，如果她留在这里对佐伊和我的家庭造成威胁的话，我必须让她走。如果依了克里斯，她现在已经一只脚踏出门外了。

　　我热切地看着她，渴望着她的解释。血迹，没有违法的事，我祈祷……

　　"鼻血，"她冒出一句，打断了我的思路。"我流鼻血，"她盯着地板，像人在紧张或者说谎时常做的那样。"我没有东西擦，只有衬衫。"然后我考虑了一下，应该是春天乍暖还寒的气流刺激了鼻腔，鼻子才出的血。

"流鼻血？"我问，她温顺地点点头。

"流鼻血，嗯，"我说，"说得通。"随后，我走出了她的房间。

杨 柳

马修告诉我，他爸爸在和米利亚姆结婚前本来想要进神学院做天主教牧师。可是他搞大了米利亚姆的肚子，他的牧师梦就这样破灭了。

"搞大肚子？"我问马修。我那时还小，大概十岁或十一岁。我不知道什么是性。虽然约瑟夫教过我，但是从来没有提过那就是他晚上到我的房间做的事情。我不知道他趴在我的身上，用湿乎乎的橡胶似的手掌捂住我的嘴，使劲压我又不让我叫出声的时候，是不是跟搞大肚子是一回事。

"是，"马修耸耸肩说。他比我大六岁，知道我不懂的事情，很多事。"知道吗，是怀孕。"

"噢。"我这样回答，但始终不明白搞大肚子和怀孕跟约瑟夫没有成为牧师有什么必然的联系。

马修转转眼睛"呃"了一声。

但这都是后话了，很久之后的事。

起初，马修和艾萨克和我没有任何接触。约瑟夫不允许。他禁止他们和我说话，禁止他们看我。就像我一样，他们也有很多事情不可以做。不许看电视，不许和邻居的小孩打球、骑自行车，不许听音乐，不许看书——除了《圣经》，这是必须的——如果他们从学校带回什么东西或者其他书，约瑟夫会粗暴地没收，并且说那是亵渎神灵。

妈妈和爸爸不是宗教徒。他们有几次说起上帝，但是后来我知道那是无效的。我们不去教堂。我们以前的活动房里只有一幅耶稣的画像，妈妈说是外祖父母的。它一直在厨房里，主要是为了挡住墙上的洞。那个洞是我和爸爸玩球的时候，我不小心砸出来的。据我所知，画像上的人曾经是美国的大人物，又或许是我祖父。反正我们从来没聊过。它一直在那里。

"你是说你的养父对你进行了性骚扰，"弗洛雷斯太太说，但是她的眼神却表明我在胡说八道，谎话连篇。"你从来没告诉你的社工？"

"没有，夫人。"

"为什么不？她回访过你，是不是？带了保罗和莉莉·赛格尔的信。"

我耸耸肩："是的，夫人。"

"那么你为什么不告诉她？"我抬头望向窗外，窗户太高了，装着护栏，我只能看见一小块蓝色的天空和几朵白云。我多么渴望知道外面是什么样子啊：停车场、汽车、大树……

社工还好，我不恨她。她开着一辆年久失修的破车，背一个装有上万份档案的破旧耐克包。她只有三四十岁，可是却像骨质疏松的老人一样驼着背。她开车带着放在后座上的档案到处跑，从教养院到寄养家庭，再回到教养院，不停地接待永远接待不完的孩子。她似乎有办公室，在某个地方，可是我觉得她从来不去。她非常友善，只不过分身无术，所以她来的时候，有一半的时间叫我克拉丽莎，还有一两次叫我克拉丽思。她语速快，动作更快。她想把所有的事情都快点做完。

在她的计划单上，我搬去和约瑟夫、米利亚姆同住的日子上只有一个核实的标记。

"你看，克莱尔，我看过你的卷宗。我知道你的社工到家里，约瑟夫和米利亚姆的家看你很多次，而且，我也知道你们从来没讨论过所谓的'性侵犯'这个话题。那么，那么多次见面，你们谈什么——"弗洛雷斯太太低头从脚边的公文包里掏出厚厚一沓绿色的档案，翻到夹着黄色便签纸的一页，"你情绪不稳定，乱发脾气，不守规矩，不做家务，不听话，反抗权威，学习成绩不好。"她坐直身子，仍然像只老鼠，眼睛跃过桌子逼近我，补充道："你的思想很奇怪。"

我在奥马哈市外的房子里住满一个月以后，约瑟夫第一次走进我的房间。起先，他只要求看我的局部，我没觉得有什么事，后来他又要摸我不想让他碰的地方。我告诉他我不想做这些，他亲切地对我说："快点吧，克莱尔。我现在是你爸爸了。让爸爸看看没问题。"然后，他看着我脱掉上衣。而这亲切在裸体面前消失得无影无踪。

我很久没有这么害怕了。上一次是在一年级的时候，艾薇·杜恩问我敢不敢在浴室的镜子前召唤血腥玛丽[1]。

第一个月，我几乎没有见过米利亚姆离开自己的房间。她无论白天还是晚上都穿着同一件发霉的、像硬壳一样的睡衣。直到整栋房子里装不下她的臭气了，她才洗澡。她对她的儿子和我说话几乎不超过两个字，却唯独对约瑟夫不一样。她乞求他的原谅。她跪在他的面前

---

1 一种西方的通灵游戏，很受少女的欢迎，但带来的后果却令人毛骨悚然。

抽泣，亲吻他的双脚。"求你了，约瑟夫，宽恕我吧。"他踢开她，走到一边，说她令人乏味，一文不值，就是一个乞丐。有一次他还愤怒地说要把米利亚姆从窗户扔出去喂野狗。

"你对此有什么要说的吗？"露易丝·弗洛雷斯问我对自己的不良行为有什么要解释的。

约瑟夫说过没人会相信我，这是他反驳我的话。如果我把他做的事说给别人听，也没人会相信那是真的。

而且，他只是做了一个好父亲应该做的事。

"没有。"我嘟囔着。

这个女人转了一下眼睛，合上档案，对我说："所谓的性侵犯，跟我说说。"

后来，当我做错事被约瑟夫罚抄圣经的时候，我才知道腓尼基人的王妃耶洗别就是因为杀害耶和华的先知从窗口被扔出去了。她被人践踏，被饿狗分食，只剩下头骨、双脚和手掌。我一个字一个字地抄，肌肉酸痛手发抖，最后几乎连铅笔都拿不住了。

马修和艾萨克上学，米利亚姆和我留在家里。即使有人敲门，我们也不会应答。我们悄无声息，这样就没有人知道我们在家。约瑟夫说如果我冒险开门，坏人就会进来伤害我，所以我不敢。屋子里一片漆黑，窗帘总是拉着，除非我在自己的房间里，趴在窗户上往外偷看的时候。我看见小区里骑着自行车、带着棒球和足球的男孩子从马修和艾萨克身边经过；我看见马修和艾萨克从梳着马尾辫、在便道上用粉笔画画的女孩身边走过；看见他们站在小区的尽头等黄色的大校车拉他们去学校。我听见有孩子叫他们的外号，因为他们不骑车、不打球、没有朋友，就算有男孩来敲门，他们也会像我一样保持绝对的安静，假装家里没人。久而久之，就再没有人来了，所以他们被当作小区里的怪物。在车站，别人不叫他们的名字，而是对他们推推搡搡，甚至朝他们的头上扔雪球。

约瑟夫一晚又一晚地走进我的卧室，倾听我对爸爸妈妈的思念和抽泣。我感觉孤苦伶仃、害怕得要命，而他则说会像一个好爸爸那样照顾我，我全信了。他汗淋淋地挨着我躺在拼布被子里的时候，他还说他所做的就是一个真正的爸爸该做的事。

他说我和他与米利亚姆生活是他父母的遗愿，是他的父母所期望的。他还说如果我不按照他说的做，他会让我的莉莉代替我。哦，对了，在我犹豫着不想脱衣服的时候，他又说，你不想莉莉发生什么事，对吗？

我无时无刻不在想念莉莉。我想她，想她在的地方，世界的某个角落。我也怀疑这是不是爸爸妈妈希望的：他们死了以后，莉莉和赛格尔夫妇生活。

但是我不相信这是真的。

那时，莉莉已经三岁了。她把保罗和大莉莉当作爸爸妈妈；她对埋在奥加拉拉第五街后面的墓地里、那棵半死不活的枫树下的人毫无印象。

我曾梦见爸爸妈妈在那里，在盒子里，我和安布尔·阿德勒夫人看着他们被埋入地下，然后安布尔·阿德勒夫人开着她的破车送我和莉莉去教养院。

我梦见爸爸妈妈的胳膊挣脱出松木盒子，挽在一起。

克里斯

我看见海蒂的炒锅里有鸡肉、胡萝卜、豌豆和香芹。汤锅里有黄油、洋葱和罐装鸡汤。感谢我的幸运之星，终于有真正的鸡肉，而不再是鸡肉碎了。她把所有东西倒进饼皮里，然后放进烤箱。她试图回避我，当我们眼神相遇的时候，她说："她需要我们的帮助。"这似乎成了她新的口头禅。

我把电脑和打印机移到地板上，腾出饭桌吃饭。我的动作特意有点儿虚张声势，我要让海蒂看出来这有多不方便。可是她对我的唉声叹气、打印机砸在木地板上咣当的响声和我被电线绊倒时的抱怨，一律置若罔闻。她一直没洗澡，还穿着紫色的睡袍，只是把头发胡乱地盘起来，戴上眼镜而已。

她从橱柜里取盘子的时候双手在颤抖。佐伊在自己的卧室里，还在听男孩乐队，很可能正在构思各种父母消失的剧情。却没有意识到摆脱我和海蒂的机会就在卧室墙的另一头——取决于海蒂。我不时地听见婴儿的呓语，药起作用了。

"你在发抖。"我说。

她皱皱眉头说："我一整天没吃东西了。"

我觉得不只是这个原因。

她的手机和佐伊被没收的手机并排放在灶台边上。她的电话响了，她拿起来看了一眼屏幕没有接听。

"谁？"我问。放下打印机，我直了直腰。

"没人，"她说，"电话局。"她去叫佐伊和那个女孩吃饭，我瞄了一眼电话，是詹妮弗，今天的第二个电话。两个未接电话，两个语音留言。

我们坐在桌边，像个欢乐的大家庭。海蒂抱着婴儿。女孩杨柳——我把她叫成了威尔玛，海蒂狠狠地踢了我的小腿一下——像一周没吃过饭似的狼吞虎咽。她总是找寻海蒂的目光，却一直不看我。她和我保持一米甚至更远的距离，好像我得了黑死病。我心里想这事和男人有关，不过也许只是针对我。我滑动椅子想要站起来取一杯牛奶，可能是动作太快了，她一下子跳了起来。

海蒂一直注视着婴儿。她睡着的时候，眼珠在透明的眼皮下转动，嘴角挂着微笑。我不知道如果我们真如海蒂唠叨的那样有个大家庭会是什么样子。海蒂渴望着有一个大家庭，至少六个孩子。我无论如何想象不出那种感受。孩子们，是，我想要几个孩子。但是，像海蒂说的五六个，我可没想清楚。当然，我的感受无足轻重，因为永远也不可能实现了。在我能为一屋子孩子操心之前，我们拿到了医生的诊断，彻底改变了我们的生活。

孩子一下子不是问题了，而问题是我妻子是活还是死。

其实，我也在琢磨如果不是只有佐伊一个孩子会怎样。家庭聚餐会这样紧张而冷漠吗？或者是一片混乱？要让他们安静不出声，就像现在我们唯一的孩子选择的状态一样？佐伊斜眼瞥着身旁的女孩，而我则在观察她、研究她：她脸上是什么表情？痛恨？嫉妒？五味杂陈？还是截然相反？

佐伊裹着灰毛毯坐在餐桌上，她总感觉冷。她用叉子挖出鸡肉饼的馅，盯着像决堤的洪水一样涌进盘子里的肉汤问道："这到底是什么？"

"鸡肉馅饼。"海蒂一边说一边放进嘴里一块，"试试，你肯定喜欢。"她说。我看着她边应付孩子边吃饭，那是娴熟的做母亲的技巧。她在餐桌上哄逗小佐伊的时光好像过去没多久。

佐伊说她痛恨豆子，我们看着她用叉子划开馅饼，把胡萝卜、豆子、鸡肉、香芹分开，又起面皮，咬了一小口，在嘴里嚼着。

"杨柳到底叫什么？"屋子里重新安静的时候我问。这时，电视依旧开着：白天篮球赛的集锦，篮板和传球的回放。就像晚餐时的情况一样，还是静音。我看着比分一闪而过。

"克里斯！"海蒂吼叫着，仿佛我问了什么不合适的问题。我止住话题。倒是海蒂，询问我每天的生活时咄咄逼人，可是现在，竟然让一个不知道基本状况，不知道姓名，也不知道是不是逃犯的陌生人坐在我家餐桌上吃饭。

"只是一个问题。我好奇而已。我从来没听说过这个名字。不管怎么说不是女孩的名字。"

也许名字的含义是树。

"这个名字有意境。像一棵杨柳树。"海蒂说，"优雅、轻盈。"

"我的地球科学课上有一个杨柳，"佐伊说。她加入到谈话中来让我们所有人大吃一惊。这和杨柳主动开口说话带给我们的震惊差不多。"杨柳·托勒，"她接着说，"男孩们叫她屁股。"尴尬的沉默。屋子里又是一片寂静。只有该死的黑猫在挠着裸露的砖墙，就像里面住着蟑螂似的。

"你有姓，对吗？杨柳？"我问出来，海蒂怒喝着："克里斯！"

"对，先生。"杨柳平静地说，在她强硬的伪装下，隐藏着一种淡淡的田园气息，我说不清楚。她有鼻音，也许是"先生"这个词里带出来的。我盯着她看，她不停地往嘴里送鸡肉馅饼，每一口都撑得满满的。最后，她把盘子也舔干净了。海蒂问都没问就又盛出一块。她先吃掉里面的馅，外面的皮留到最后才吃。她喜欢皮，那是海蒂从商店里买回来的。

她没有十八岁，我确定。但是我不知道她多大。我对自己说她是十八岁，因为只有这样，当警察站在门口的时候，我才可以申辩：可是，先生，她告诉我她十八岁了。洗完澡，换上佐伊淘汰的衣服，她身上的气味比几个小时前好多了。不过，看起来还像流浪汉：脏兮兮的眼线，是她洗完澡之后新补的；颜色浮夸的头发；一个耳洞，或者两个，红肿发炎；手指甲被啃秃了；她的眼神游离不定，总是逃避我的审视；瘀青在头发帘后时隐时现。

"想说说吗？"

"克里斯，求你了。"

女孩屏住呼吸，含糊不清地嘟囔着什么。我猜和宗教、信仰、上帝有关。我请她重复一遍，她呼出一口气说道："格里尔。"

"什么？"我问。一辆汽车的喇叭声从敞开的窗口传进来。

这次她提高了一点儿声音说："我叫杨柳·格里尔。"

吃完晚饭，收拾好餐桌之后，我从钱包里拿出一张小票，在背面写上她的名字。这样我就不会忘了。

早上我醒来的时候看见了阳光。接连几天的乌云和阴雨之后，阳光让我有点儿无所适从。明亮，太明亮了。

我全身僵硬，像个老人，好像没了胯骨。我翻个身，仰卧，右手打在床框的金属边上。我使劲地想为什么会睡在地上，为什么我的手会打在床框上，现在还隐隐作痛。我真想破口大骂。我认出了这是我和海蒂的卧室，我躺在没有那么柔软的仿羔羊皮地毯上，裹着佐伊洋红色的睡袋。

我回忆起来了，家里有外人，我执意不让佐伊单独睡，所以我睡在地板上。海蒂说我荒唐，其实就是想和佐伊换地方。我说不是的。我想要我的全部家当在我能看见的地方。全部，包括收养的猫。我们把它们锁在了女孩房间对面的卧室里，还拿了一把椅子堵住门口，防止她闯进去。

我又翻了一下身，侧卧，以一个全新的角度看见了我从来没有看见过的地方：床下。所有床下能找到的东西，这里全有，比如一只不久前刚和伴侣分手、现在沾满灰尘的袜子，佐伊十一岁时爱死了的毛绒兔子，耳环……

"怎么了？"我走进厨房的时候海蒂问。房间里飘荡着煎饼、鸡蛋和新煮的咖啡的香味。海蒂在烤箱前忙碌，一只手把婴儿搂在一侧，另一只手在做煎饼。这情景再自然不过了，海蒂和婴儿。好像我们走进了时光机，她怀里正抱着小佐伊。她胖乎乎的小手抓住了海蒂出门必戴的金项链，攥在掌心里使劲地拽。我看见海蒂爸爸的婚戒挂在上面，这是她爸爸去世时她要的唯一一件东西。她和她妈妈讨价还价，她妈妈留下其他所有充满回忆的物件，把戒指给她。她满世界地找到一根和戒指一个颜色的黄金项链，花了差不多一千美金。现在，婴儿拉扯着这条链子，悬在她拳头外的一圈就像嗓子上的小舌头。

"没事，"我骗她，从橱柜里拿出一个杯子接满咖啡，然后说，"早上好，杨柳。"她正一个人坐在餐桌旁吃煎饼和鸡蛋。蜂蜜从她的嘴里流出来，顺着佐伊的条纹衬衫滴在红木桌子上。

我迅速地走到墙角，拿起《芝加哥论坛报》，然后端着我的煎饼去简陋的木制阳台，侧着身子坐下。我不能忍受和海蒂还有那个女孩共处一室，满屋子的拘谨像浓浓的豆子汤一样搅不开。室外的温度超过10摄氏度，我把脚架在护栏上，看着自己的脚丫子。我想自己肯定是被阳光捉弄了。我翻开报纸，上面写着当天的最高温度13摄氏度。我情不自禁地浏览起失踪女孩的照片，还有离家出走的十几岁孩子的照片，以及小孩子杀死父母接受询问的报道。我搜索"杀人""残杀""虐待"等字眼。我发现自己正在思考莉兹·玻顿[1]的家人到底是怎么惹恼了她。

昨天晚上，海蒂让我出去买东西。晚饭后，我走到药店，走廊里空无一人，我不知所措地看着各式各样的尿片。就在我拿起一个装尿片的筐准备夹在胳膊下的一瞬间突然感觉自己太老了。

回到家，我看着海蒂把婴儿放在木地板上，把蓝色的浴巾——全是恶臭——从她身下撤出来，放在一边。婴儿踢腾着双脚，因为赤裸裸的凉而尖叫。海蒂用爽身粉香味的湿纸巾擦拭了她的屁股，然后再把脏纸和浴巾一起扔掉。

1　1893年美国的马萨诸塞州，32岁的莉兹·玻顿在家中拿起斧头杀害了自己的父亲和继母，手段残忍，在19世纪的美国引起轩然大波。如今事发的那间屋子成了博物馆，而莉兹杀人事件到现在还是研究的对象，还被拍成了电影。

海蒂把她拎起来。她屁股上密密麻麻的红疹让我窒息。海蒂给她一层一层地抹润肤乳的时候，女孩认真地观察着，好像从来没有人教过她怎样给婴儿换尿布，告诉她婴儿坐在脏物上对皮肤不好。海蒂从塑料封袋里拿出一件白色的连体踩脚裤给婴儿穿上，盖住了她腿上一块海胆大小的胎记。杨柳看在眼里，有些难过。

换好之后，海蒂把孩子递给杨柳。没有海蒂先前的娴熟，没有天性使然的母性流露，杨柳显得笨手笨脚。孩子在她怀里像是一袋子土豆，真让我怀疑这孩子到底是不是她亲生的。

但是我没有胆量问海蒂，因为我知道她会怎么说。她会说我愤世嫉俗、怀疑一切。"当然是她的孩子。"她会这么回答，就跟有第六感似的，就好像她早知道似的。

我们围坐在电视机前，一个小时，或者更长，没人说话，感觉好像过了一辈子，令人尴尬的、炼狱般的一辈子。我实在忍无可忍，关掉电视，宣布该睡觉了。墙上的钟表显示晚上 8 点 46 分。

大家都没有异议。

在我们睡觉之前，我把海蒂拉到一边说："一晚。极限。"然后我盯着海蒂，她耸耸肩说："再说吧。"

我从佐伊的卧室柜里搬出她洋红色的睡袋，在门口堵上椅子。听着佐伊一遍又一遍地唠叨着我有多固执，不允许她外出过夜；唠叨我有多不可理喻，她有多希望朋友永远不会发现这个她所认为的"三人同居"……

我十二岁的女儿什么时候开始知道"三人同居"这种事的？

杨 柳

约瑟夫是社区学院的神学教授。他讲解圣经，但主要是旧约。他说上帝让世界洪水泛滥，他投下烈火和地狱之火，烧死所有的人。我不知道地狱之火是什么，他向我展示大学课本上的图片，我看见烈火奔泻，吞没了所多玛和蛾摩拉[1]，把罗得的妻子变成了盐柱。

"这个，"他的脸坑坑洼洼，从来没有过笑容，橘红色的胡子浓密，令人恶心。他表情严肃、声音阴郁地对我说，"就是上帝的愤怒。你知道愤怒是什么吗？知道吗，克莱尔？"我说不知道，我们就一起查字典，一本又大又厚的字典，上面的解释是：非常气愤。

"这个，"约瑟夫再拿着烈火和地狱之火的图片对我说，"就是上帝疯狂时的所作所为。"

约瑟夫让我相信打雷是因为我的行为惹怒了上帝。这让我生活在对雷雨闪电的恐惧之中。

每当天空变黑——奥马哈仲夏的时候经常出现——可怕的乌云涌

---

1 所多玛和蛾摩拉是《旧约》里的一个传说：它们是两座不信宗教、道德沦丧的城市，上帝降下天火毁灭了这两座城市。

上来，要吞掉平静的蓝天的时候，我就知道上帝来找我了。大风打着旋；大树被吹弯了腰，有时候它们能触到自己的脚趾，有时候会断成两截；角落里的垃圾桶把垃圾喷向空中，我会按照约瑟夫示范的那样跪下祈祷，一遍又一遍地乞求上帝的宽恕。

我从来不清楚自己到底做错了什么。但是爆炸似的闪电和震耳欲聋的雷声却震住了我，一次、两次，也许更多次，我跪在自己的卧室里祈祷的时候心惊胆战。我目不转睛地看着窗外的地狱之火从天而降，直到风暴平息，直到它们转向艾奥瓦、伊利诺伊，去惩罚和我一样有罪的人为止。

约瑟夫给我讲过地狱，那是罪恶的人去的地方。那里惩罚和折磨永不停止，栖息着邪魔和龙以及可怕的魔鬼。永恒的惩罚、奔涌的火海、永生不灭的烈火！火，火，火，我陷入对火的极度恐惧之中。我努力想做一个好女孩。我尽力了。在约瑟夫教课、马修和艾萨克上学的时候，我把屋子收拾干净；我为约瑟夫和男孩们准备晚饭，用托盘给米利亚姆送饭。如果不是约瑟夫施加压力，她几乎不自己动手吃饭。

米利亚姆大部分时间像睡着了一样发呆，如同雕塑一般静止不动。有时起身，惊恐地扑到约瑟夫的脚下乞求他的原谅。曾经有一些日子，她焦躁不安地对着约瑟夫和男孩们嚷嚷，指责他们偷窥她的心。她厉声地说："停下来，停下窥探我的心。滚出去，滚出去，滚出去！"接着她用手掌拍打自己的头，好像在推他们，要把约瑟夫、艾萨克和马修从她的脑子里推出去。

那时，约瑟夫会锁上她的房门，自己保管钥匙，他不在家钥匙也不在家。我能听见米利亚姆整天在卧室里声嘶力竭地说约瑟夫如何偷窥她的心，如何把他的想法强加进她的脑子里。

我觉得米利亚姆疯了，她让我害怕。她和约瑟夫不一样，她的方式更让我害怕。

每当洗衣服、打扫房间、为约瑟夫和男孩们准备晚饭的时候，我就大声地哼唱，通常是妈妈以前常听的佩茜·克莱恩[1]的歌，我要盖过米利亚姆的尖叫声。但这必须是在约瑟夫不在的时候，因为他会以上帝的名义说那是不对的。他说那样亵渎神灵，悖理逆天。

但是，约瑟夫从来没有锁过我，至少在那之前没有过。他知道我不会逃跑，因为他无数次地跟我提起莉莉，总说如果我做错事，他就会惩罚莉莉，所以我不敢做错。

米利亚姆像雕塑一样的时候，我可以进她的房间，但她好像并不知道我进去了。她不是瞎子，但她不看我。帮她起床的时候，她也不会看我。我要时常换下她床上的脏床单洗干净。然后，我还要帮助她进入浴缸，徒手给她搓洗身体，因为约瑟夫说那是我应该做的。

我听从约瑟夫的要求，几乎从不违抗。

只有一次，约瑟夫爬上我的床，躺在我旁边的时候我拒绝了。他站在我的床前说："嘲笑父亲、不顺从母亲的人，眼睛会被山谷中的乌鸦啄瞎，尸体会被老鹰吃掉。

我想象着他说的话。我被乌鸦和老鹰撕碎，尸体被它们的尖嘴和利爪撕烂，因为上帝生我的气了。

---

1 美国"民谣歌手""乡村天后"，在二十世纪六十年代初非常有名。

有那么一瞬间，那里很痛。做完之后他告诉我，我已经是一个好姑娘了，但是那里仍然痛了很久。

我把那件事和我成为一个好姑娘的事想了很长时间，而且想得很用力。可是我总也不明白约瑟夫还要进入我的房间多少次，要多久，好女孩才不会变成坏女孩。

克里斯

吃完早饭我去洗澡。我先把瓷砖彻底冲刷了一遍，千万不能沾染一点儿那女孩脚上恶心的褥疮。半个小时之后，我提着公文包站在海蒂面前，她双手叉腰地问："至于吗？"我回答："至于。"然后我和佐伊说再见，准备去上班。

拉开房门，我顺手把海蒂拽出来。早餐的味道跟着飘出来。一个邻居走过去，可能是去街角的报亭。

"我等你的电话，"我说，"每个整点。如果你晚一分钟，我就报警。"

"你变得不可理喻，克里斯。"她说。

"每小时，海蒂，"我说，"就这么简单，"然后我一板一眼地问道，"你到底对别人了解多少？"

我吻了一下她的脸，转身离开。

列车上，我无意间听见一段对话，他们大概二十几岁，在聊昨晚的醉酒经历，他们说头疼怎么也好不了，担心回家以后会呕吐。

到了办公室之后，我好好地享受了一下独处的滋味，然后从钱包里拿出小票，盯着背面的名字：杨柳·格里尔。我在真皮老板椅里伸展了一下筋骨，此刻在卢普北区四十三层的摩天大厦里，我突然想起我的募股说明书——一直悬在我头顶，让我周日一大早赶到办公室的原因——居然被抛到九霄云外了。我先考虑了一下说明书的内容，上面要求详细罗列出待售公司的内部结构、财务报表、业务描述等。然后，我把它们暂时撇到一边。

我打开电脑，输入"杨柳·格里尔"。

按下回车键。

计算机搜索的时候，我对着墙壁发呆，我真应该在路上买一杯咖啡。我的办公室没有窗户，比起大多数在灰色的建筑物间奔波的分析师来，我还是挺幸运的，毕竟我有自己的办公室。我在抽屉里翻出两枚闪亮的硬币，50美分，我准备解开杨柳·格里尔的谜团以后马上去光顾一下自动售卖机。电话响了，我迅速接听。海蒂在电话的另一头嘲弄地说："11点报到电话。"我扫了一眼电脑屏幕角上的时间10点59分。我听见婴儿号啕大哭的声音。

"她为什么哭？"我问。

"又烧起来了。"海蒂说。

"你给她吃药了吗？"

"吃了，但还没起作用。"

"试试冰敷，"我建议，"或者温水浴。"我记得对佐伊很管用，但我真正想说的是"自作自受，早告诉过你了"。

"我去试试。"海蒂说完挂上电话，我还没来得及提醒她："一个小时，一个小时以后再给我打电话。"

我重新看着电脑。

我首先查图片资料，希望杨柳的脸出现在我的面前，可我看到的却是很多同名的红发名人。在各个媒体的页面上，任何一个头发、眼睛和褐色肤色，外表低俗的人都有可能是我们的杨柳。俄克拉何马州格里尔县有一个杨柳镇。南卡罗来纳州的格里尔销售各种各样的房子。我从网络电话簿上查到全美有六个人叫杨柳·格里尔。住在辛辛那提杨柳山道的斯蒂芬·格里尔也在其中，这没什么奇怪的。六个人中只有四个是有资料的。我从打印机上扯下一张纸，抄下相关信息。康涅狄格州老赛布鲁克的杨柳·格里尔四十岁至四十四岁，太大了。亚拉巴马州比利斯利的杨柳·格里尔超过六十五岁。她应该有九十岁了。不管怎么说，我先记下来。也许亚拉巴马州比利斯利的格里尔夫人是我们杨柳的祖母，或者曾祖母。其他的没有年龄参考。

我草草记下找到的信息，突然想到是不是只有年满十八岁才会被收录在案？更重要的，我们自己的信息呢？

我迅速地打出伊利诺伊州芝加哥佐伊·伍德，一片空白。

该死。

我咬着手指，思考。如果在白页查号簿上找不到佐伊，我还能在哪个网址上查到呢？我熟悉的社交网站寥寥无几，但我还是马上试了试Facebook、Myspace。如果让我十二岁的女儿帮忙，调查可能会更深入一些，因为我的手机卡壳的时候，总是她帮我解决。我想拨通她的手机，偷偷给她打电话时，才突然想起她的手机被没收了，和海蒂的手机并排躺在灶台上。真糟糕。

我开始搜索杨柳·格里尔这个名字的各种变形。比如杨柳·格、杨柳·格丽尔等，我甚至查了杨柳的各种相似发音。

结果，我在Twitter上找到一个杨·格里尔，注册地址是用户名@LostwithoutU。我对Twitter一无所知，页面上的文字消沉压抑，充斥着关于自杀的各种形式的描述。但是头像上的杨·格里尔却不是住在我家的那个。这个女孩更大一些，十八九岁的样子。她在展示手腕上的撕裂伤，带着一个令人揪心的微笑。最后的更新是两周前。我不知道她那样做了没有，不知道她是否已经下定决心结束自己的生命。

我好奇。

"来了，陌生人。"

我立即把屏幕最小化，好像做坏事被当场抓住了一样。这是在一步步地犯罪吗？别去想犯罪，我对自己说，这是调查。

然而，我的表情却完全是一张罪行告白。

卡西迪·克努森站在门口。她换掉了铅笔裙和三寸高的高跟鞋，取而代之的是一套不太正式，而在我看来却更显魅力的衣服。她身着紧身牛仔裤，宽松的黑色毛衫从一边的肩膀上滑落，露出红色内衣的蕾丝花边。她拽着毛衫，好像要把它拉长，但是一松手，衣服又缩回去。她放弃了，抬起一只脚别在另一只上，靠着门框。"我以为这个周末你在家办公。"她说。

"是的，"我回应，顺手拿起小票——背面写着杨柳·格里尔——揉成一团。"募股说明书，"我两只手来回颠着纸球接着说，"家里有点儿乱。"

"佐伊？"她问。谁不会理所当然地认为是十二岁的孩子把家里搅成一锅粥的呢？

"其实，"我承认，"是海蒂。"卡西迪满含同情地道歉，好像是我在暗示我们的婚姻有问题似的。而她的脸上还挂着过分关切的表情。

"听你这么说，我真难过，克里斯，"她自己走进来，坐在我对面没有扶手的办公椅上，"想聊点儿什么吗？"她一边说着，一边非常女人地双腿交叉，向我靠过来。带着忧郁气息的男人，思绪跑向另一个方向；主动投怀送抱的女人，希望你对她知无不言。

"海蒂一贯那样，"一说出口我就意识到不应该谈论负面的婚姻生活，"也不是什么坏事。"我羞愧地补充道。卡西迪说："海蒂是个好女人。"

"最好的。"我说，并用力从脑子里赶走对卡西迪·克努森穿绸缎内衣和捏褶的性感睡裙的幻想。

我注视着用图钉钉在墙上公告板上的结婚照。我和海蒂结婚的时候二十五岁，她二十三岁。海蒂上一次来我办公室的时候，抚摸着照片说过真漂亮。我耸耸肩回答："相框坏了。我在抢最后一分钟的时候把它碰到地上。"卡西迪理解地点点头，她知道，我的整个事业都取决于最后一分钟的冲刺。

照片在预言着什么。我想，保护我们的玻璃外框碎了，我们被撞出了无数隐秘的小洞，某一天会被撕开。那些小洞全有自己的名字：房屋抵押的贷款、未成年的孩子、贫乏的交流、养老金、癌症。我看着卡西迪精心保养过的手指摆弄着我桌上的台灯，银行家常用的那种古董绿的老式台灯；我看着她拨动灯链，看着她用修长的手指绕住它，然后往下拉，然而我想起一个词：出轨？

不。从来没有。我和海蒂都没有。

柔和的黄色灯光洒满房间，和天花板上晃眼的白炽灯形成鲜明的对比。

我和海蒂仅仅交往了几个月就结婚了。和她在一起，我知道这是我需要的：就像空气。我也知道这是我想要的：这正是我当年最迫切的圣诞愿望。我习惯了要风得风要雨得雨。我带着满嘴的金属矫正器度过了未成年的发育期。我曾经牢骚满腹地抱怨它们勾住口香糖，粘在我的嘴里。"以后你会感激我的。"妈妈总是这么说，她一辈子被参差不齐的牙齿折磨得够呛，她恨极了。是的，我确实要感激她。矫正多年以后，我有了一个能吸引多数人目光的微笑。这样的微笑在联谊会、访谈和陪客户吃晚餐的时候，当然也包括和女士约会的时候发挥了奇妙的作用。海蒂常说是我的微笑在那晚的慈善酒会上首先引起了她的注意。那是十二月，我记忆犹新，她穿着一袭红衣。为了激励我的团队，我付了两百美元去参加那个该死的活动。为了面子上好看，我们公司包了两张桌子，十六到二十个座位，每个位置两百美元，但是我们几乎没人知道到底要支持什么项目。

　　直到后来和海蒂跳舞的时候我才知道，并且更多地了解了芝加哥的文盲问题。

　　我习惯了要风得风要雨得雨。但那是在和海蒂结婚之前。

　　"那么，是什么问题呢，伍德先生？"卡西迪问。她靠回到椅子里，用修剪整齐的指甲捋着头发说，"你想说吗？"

　　我说："不。不说更好。"我想起海蒂上一次对我做出的让步，她在出门寻找流浪女之前，听取我的建议换上了一条牛仔裤，再往前是一小块花生酱和奶油的对抗。不过全是些鸡毛蒜皮的事。

　　凡是大事，我必输。回回如此。

　　"这就是人生？"卡西迪用法语问，我用法语回答："这就是人生。"

　　这就是生活。

　　然后，我注视着卡西迪蓝灰色的眼睛，回忆起她第一次走进会议室的情景。她穿一件红色的外衣，只有卡西迪·克努森才会穿的紧身九分裤，黑鞋，当然，还是两三寸高的跟儿。我手里的浓缩咖啡洒在犬牙花纹衬衫上，我的老板突然唐突和无力地介绍她是"城里的新姑娘"，然后盯着她的屁股，随着她走到我旁边的空位子上坐下。她掏出一沓前天晚上吃晚饭时送的纸巾，以只有卡西迪·克努森才会用的方式，帮我吸干了衬衫上的咖啡。

"她像一条美女蛇，是不是？"海蒂曾经这样问过。去年夏天公司野餐的时候，她们在植物园第一次见面，海蒂看着她慢慢地走远，她的屁股像绳球一样左摇右晃，好像随时会摆脱身体似的。

"什么是美女蛇？"佐伊问。海蒂让她看一个穿着无带连衣裙的女人，然后简单地说："她。"

我拿起桌子上的硬币，说我要去自助机上买点东西。"想要什么吗？"我问，希望我回来的时候，办公室空无一人。她说："不用，谢谢，我就走了。"我走在空旷的走廊里，去简陋的办公厨房找自助机。我买了想要的高浓度咖啡，一边喝一边往回走。

我构思着"寻找杨柳·格里尔"的下一步计划，从走廊的瓷砖迈上办公室金属黄的地毯时，恰巧看见卡西迪双手伏地跪在地毯上，正在捡掉在地上的笔，大概有十来支的样子。她宽松的黑色毛衫几乎拖到地板上，露出我先前看不见的红色内衣：低胸、尚蒂伊花边，有底托和风雅的弧线。

她的手里拿着我的电话。我瞟了一眼墙上的表，十二点已过，我的心沉了下去。

"海蒂，"她说，把电话递给我。她在笑。但是这个微笑既不漂亮也不礼貌，"找你的。希望你别介意。我替你接了。"

海 蒂

"接你电话的那个女人在做什么！"我对着电话咆哮。克里斯迟疑地说了声"你好"，他的语气谨慎，但是莫名其妙地轻快。我走出客厅，看见杨柳坐在沙发上，肩头垫了一块碗巾，婴儿趴在上面打嗝儿，杨柳像我教她的那样有规律地、一下一下地轻轻拍打她的后背。在我看来，婴儿的脸被生硬地按在毛巾上，我怀疑她是否还能呼吸，她的身体倾斜着，看起来很没有安全感，也很不舒服。

"嘿，海蒂，"克里斯反常地说，他在尝试让我冷静，心平气和，"都还好吗？"

我猜想那个女人一定坐在他乏味的、像盒子一样的办公室里听我们谈话。我似乎看见克里斯看了一眼表，并朝卡西迪·克努森做了一个废话连篇的手势说明我在发飙——为什么她接你的电话？为什么不告诉我你去办公室和她一起加班？今天还有谁在？汤姆，还是亨利？——一发不可收拾。我感到血液涌上脖子，脸被憋成了深红色。我的耳朵火烧火燎的，开始头疼。我用两个手指捏住我的鼻腔，使劲地压。

我挂断电话，气哼哼地把它放回底座上。我在厨房里站了一会儿，大口大口地喘气，找出了所有不喜欢卡西迪·克努森的理由。她令人透不过气来，她聪明、狡猾、矫揉造作，好像她应该出现在某本时装杂志上，而不是整日盯着克里斯无聊的报表……

我最不喜欢她的理由是什么呢？相当简单，真的。我丈夫和她在一起的时间比和我长。他们一起飞往全国各地的繁华都市；在我和克里斯梦寐以求的高端昂贵的酒店过夜；在我们庆祝特殊日子如生日、纪念日等才去的高档餐厅吃饭；天天像过平常日子一样，可是绝非平常。

她接电话时刺耳的声音在我的脑子里回荡，过分活泼的语调："嘿，海蒂，克里斯刚出去，他马上回来。让我告诉他给你回电话吗？"她问我，我说不，我要等。我就这样等着，盯着微波炉上的表，听着卡西迪·克努森一直在摆弄克里斯桌子上的东西。我听见咣的一声，猜出她碰倒了笔筒，铅笔和圆珠笔纷纷落到地上。四分钟之后，我丈夫回来接起了我的电话。

"哎呀。"她咯咯地笑着，像没皮没脸的中学生。

我主观臆断卡西迪·克努森当过啦啦队队长，是那些穿着紧身超短涤纶裙和半截衫的女孩中的一员。她故意在一个可能不太规矩的男科学老师面前把铅笔掉到地上，然后坐在椅子上、四肢伸展着去捡，接着再声称受到了冒犯。

我调整自己准备去面对杨柳和露比的空当里，听见卧室门吱的一声开了，佐伊从她的房间溜达进客厅。没有声音，接着是佐伊有点儿尖酸和拘谨的声音。

"你怕过吗？"她问。我躲在厨房里，琢磨她是什么意思。

"什么？"杨柳问，我想象着她从昨天下午开始一直穿着佐伊的衣服，现在上面沾着糖浆和睡觉时压出的褶。她坐在沙发边上，露比像醉汉一样打了一个嗝儿，两个女孩都笑了。

什么都没有，只是一点儿点气体就打破了僵局。

"我的意思是说在外面。"我猜佐伊一定用手指着飘窗，指向屋外城市中的骚乱：出租车在马路上穿梭，伴随着汽笛声和喇叭声；一个流浪汉在街角吹着萨克斯。

"有，我想有。"杨柳回答，她有些羞涩地承认，"我不喜欢打雷。"我再一次被这个女孩的真诚所打动，她坐在我的客厅里，抱着一个婴儿，坚硬的外壳保护着一个柔弱的身体，里面藏着所有珍贵和易碎的东西，她就是个孩子。一个对着鲜奶油和煎饼狼吞虎咽的女孩，一个被不关痛痒的雷鸣吓到的女孩。

我面对着这个活力四射的城市，当它终于在夜晚沉睡的时候，当太阳照在郊区的时候，当卢普区灯光闪烁的时候，它真的很美。但是离开这儿，在邻区、城区向北两三公里以外的地方，晚上却是一片漆黑。零星的路灯像黑布上的补丁。僵尸活动的时间到了，他们在公园里、在克拉克和富勒顿沿街停业的黑屋子里游荡。住在高档社区并没有让我们远离罪犯。早间新闻屡次提醒湖景区和林肯公园的犯罪率激增，比如前夜的入室抢劫案，比如越来越多的暴力犯罪。你随时可以听到女人在回家的路上遇袭，或者在公寓楼里购物袋被抢的案例。晚上的邻区异常黑暗，寂静在耳朵里回响，一定是个让人胆战心惊的地方。

我走进客厅，两个女孩的眼神都有些局促不安。佐伊跳起来说："你要干什么？"好像我没有权力待在自己家里似的。她觉得被我发现主动和杨柳聊天，并且表现出对她的好奇，无论是什么都很尴尬。

"我有东西给你们看，"我说，"你们两个。"然后我走了。

一个小时后，药效上来，露比的烧退了。发烧的时候，露比喜怒无常、急躁不安，杨柳和我都没有办法让她安静下来。无论喂食、摇摆还是安抚奶嘴，都不能让她把张开的大嘴闭上。于是，我们按照克里斯说的把她放进温水里，这才有点儿作用，然后我们给她的屁股抹上润肤剂，再换上新尿片和新衣服。克里斯只买了一条可以配白色连体服的蓝裤子，所以我把卧室橱柜里那个装宝宝衣服的箱子——写着错误的标签"海蒂的书"——拉到客厅，和两个女孩一起从带荷叶边的背心连裤外衣、动物印花的紧身连衫裤、带蓬蓬裙的连体衣、纯棉的睡衣和特意为婴儿的小胖脚制作的绸缎芭蕾舞鞋中挑选。

"嘘，"我掀开靛蓝色的箱子盖时对佐伊说，"别告诉你爸爸。"我的余光看见杨柳伸手抚摸这些衣服，但又马上把手缩回去，好像怕碰碎什么或者弄脏衣服似的。我突然有了一双千里眼，看见家长的巴掌让杨柳胆怯地把手从她想要的东西上移开。她退缩了，她低垂着双眼，内心备受煎熬。"没事的。"我说。我翻出最贵的一件放在她手上，她就像从来没有摸过一样，手指顺着灯芯绒的纹理滑动，然后小心翼翼地提起来贴在脸上，蹭了蹭。这不过是一条前胸带花的栗色背带裤而已。

"这些是什么？"佐伊从箱子里拎出一件天鹅绒和塔夫绸的连衣裙，2T 码，她张大了嘴巴，偷偷瞄了一眼价签上该死的数字。"94 美元？"她贪婪地盯着那件没人穿过的 90 多厘米长、有一个巨大的蝴蝶结的深蓝色衣服问。箱子里的某个地方，还有一条和它配套的昂贵的连裤袜。

"十年前的，"我说，"或者更早。"回忆起那段时光，午休时我在卢普区的精品店里闲逛，这儿买一件连体服，那儿买一条紧身裤。如果克里斯问起信用卡账单上惊人的亏空，我就说是同事怀孕或者老同学要生孩子了。

"这些是……我的？"佐伊摸着一条配法兰绒灯笼裤的夏裙问。她放在自己身上比了比，我想，怎么解释呢？我可以说"是"，然后不再提。但是，有价签在上面，表明从来没有人穿过。

"我的爱好，"我说，"就像攒瓶子盖和运动卡。"两个女孩看着我，仿佛我刚从火星飞船里爬出来似的。"难以抗拒。"我说，"它们太可爱了。"我举起一双毛茸茸的婴儿袜证明给她们看。

"但是……"佐伊开始了，她继承了克里斯的理性，"我从来没穿过它们，"她说，"是给谁的？"她非要知道不可。我看看佐伊和杨柳，她们的眼里全是疑问。我思考着。我无法直视佐伊棕色的大眼睛，玩世不恭和强人所难同时出现在她的眼睛里。我承认是给朱丽叶的，虽然医生告诉我再也不能要孩子了，但是我一直渴望有更多的孩子，幻想着佐伊和朱丽叶和谐共处，她们在客厅的地板上一起玩拼装游戏或者小人儿玩具，我的肚子圆鼓鼓地装着另一个宝宝。我拒绝承认一个孩子给我的坏脾气和冷淡，家——我一直设想有一大堆孩子的地方——冷清，即便佐伊在，克里斯在。我的家，只有我们三个，太少了，不够好。这有一个洞，一个只能容下朱丽叶的洞，盛载着梦想、期待和一箱她有朝一日能穿在身上的衣服。

在我的内心深处，我坚信她会来的，总有那么一天。只不过那一天还没到。

但是我终止了佐伊的理性，说道："我们看看有什么能给露比穿的，怎么样？"我们三个带着新的目的开始重新翻箱子，虽然视觉还有氛围不可思议。看见这些衣服，让我联想起我子宫里的大洞。

我们最终选定栗色的背带裤，一件白色带贝壳花边的连体服。我看着杨柳给婴儿脱衣服，然后费力地把连体服套在露比任人摆布的头上。露比嗷的一声叫出来，在地板上挣扎，双腿乱踢地反抗。杨柳的双手不知所措地移动着。她看看连体服，看看套脖子的衣服，似乎对露比的圆脑袋来说太小了，然后试着往下套，她却忘了露出鼻子以便衣服顺利地通过嘴部，以不影响婴儿的呼吸。

"我来吧，"我对杨柳说。我没想到竟然脱口而出。我感觉到佐伊的目光，但是我没看向她。我换到杨柳的位置，松开连体服的抽带，套在露比的头上，让它一下子滑落，接着系上胯部的扣子，然后扶她坐起来，系好后背的扣子。"行了。"我说。露比的手指拨弄着我脖子上的项链，她的眼神像点亮的圣诞树一样神采奕奕。"你喜欢？"我问，她明亮的大眼睛和流着口水、没有牙的大笑脸就是肯定的答复。我把我爸爸的婚戒放进她的手心，她短粗的小手指开始合拢，使劲。"这是我爸爸的。"我说着开始不停手地工作，把栗色背带裤套在连体服外面，给她乱踢腾的脚丫穿上白色的花边袜。露比欢快地尖叫，我把脸贴在她的脸上，"咯叽，咯叽，咯叽。"咕哝着那种婴儿喜欢的快速而没有意义的声音。我完全忘了佐伊和杨柳还在旁边，看着我在露比裸露的肌肤上噗噗地吹：在她的胳膊下，在她的脖子里；我忽略了我十二岁女儿脸上惊骇的表情，只顾着和婴儿唠唠叨叨地说话，那种技能，像骑自行车一样，永远不会忘。

"咯叽，咯叽，咯叽。"我说着，佐伊突然抬起腿，冷不丁地以青春期女孩特有的高频率假声说："天哪！说够了没有。"然后跑回她的房间，砰地关上了门。

杨 柳

"米利亚姆的健康状况怎么样？她有精神分裂症吗？"

我摇头："我不知道。"

煤渣砖砌起的墙面上唯一的一扇窗却高高在上，还装着护栏。透过它看见天空正在变换色彩：红色和橘色转瞬间替代了蓝色。墙角的哨兵打了一个哈欠，一个大大的、深长的、夸张的哈欠。露易丝·弗洛雷斯犀利地瞪着他问："我们让你烦了？"他马上站好：抬头，挺胸，展肩，收腹……

"不是的，夫人。"他回答。瘦骨嶙峋的女人一直盯着他，就连我都感到脸红。

米利亚姆有什么问题，我不知道，但是不管是什么，我相信这绝对是约瑟夫造成的。

"你说米利亚姆有时候吃药？"弗洛雷斯夫人问。我点头，对。"什么药？"

"小白片，"我说，"有时候也吃其他的。"我说药片让米利亚姆看起来好很多，她自己也感觉好得多，而且可以下床待一会儿，但是如果吃多了，她还是得躺在床上。

米利亚姆总感觉累。吃不吃药都累。

"约瑟夫带她看过医生吗？"

"没有，夫人，米利亚姆不去。"

"她不出门？"

"不出，夫人。从来不出。"

"她为什么不持续吃药？"

"约瑟夫说如果上帝想让她好，他会治愈她的。"

"但是，有时候约瑟夫给她吃药？"

"是的，夫人，安布尔·阿德勒夫人来的时候。"

"那个社工？"

"是的，夫人。"

"如果约瑟夫不带她看医生，他的药是从哪来的？"

"药箱里。在浴室。"

"好吧，克莱尔，药是怎么进到药箱里的？如果没有医生？这种药需要处方、药方。"

我说我不知道。约瑟夫让我去取，小塑料袋——她打断我："小塑料袋？"我回答是的，然后她在笔记本上，挨着"犹太教狂热信徒"匆匆写着什么，我倒着看那几个字有半个小时了，可还是不明白是什么意思。他倒出几片药，强迫米利亚姆吃。有时候，他掰开她的嘴，我把药片塞进去，然后我们一直等到她吞下去为止——米利亚姆不喜欢药片。

不过，每年有一两次，约瑟夫会让她自己吃药，然后她从房间里走出来洗澡。我们打开所有的窗户，我的工作是在安布尔·阿德勒夫人开着她的破车、提着超大的耐克包到来之前，把米利亚姆可怕的气味赶出屋子。约瑟夫会拿出他的工具箱，对房子修修补补，或者在房子周围层出不穷的污迹上刷刷漆。只有当安布尔·阿德勒夫人要来拜访的时候，他才会换掉坏掉的门把手，给吱吱作响的合页上油。

约瑟夫总给我新衣服，和他扔在我房间的白色大号垃圾袋里装的衣服完全不同，它们又小又旧，好像是清洁日跟在别人车后面捡回来的。他曾经给我买过一双上等皮鞋，可太大了，他说无论如何要穿上它给阿德勒夫人看。

社工带来了保罗和莉莉·赛格尔的信。她说可以把我的新地址给赛格尔夫妇，但是约瑟夫把妈妈的照片撕成碎片以后，我感激地拒绝了她。只要她来的时候把信带给我就好了。莉莉·赛格尔夸赞我的宝贝妹妹露丝（莉莉），每次提到莉莉，她都这样写，以免我不知道她在说谁。她说露丝（莉莉）每天都在成长，从照片上可以看出来，露丝（莉莉）长得和我们的妈妈越来越像，我们的妈妈是一个美丽、风趣、魅力十足的女人（仿佛多加赞美就可以忘记她去世的事实）。她说露丝（莉莉）正在接受启蒙教育，学习 ABC，学习从 1 数到 10，她唱歌像黄林莺一样好听，因为大莉莉说他们在科罗拉多的家的周围全是黄林莺。她还附了几张照片，照片上，可爱的 A 字形房子背依群山，静卧在森林之中，一只类似可卡的小狗跟在我的莉莉的腿边。是她，我的小莉莉，小卷花的黑发，和妈妈的一样黑，现在长长了，用发卡拢在后面。她穿着一条明黄色的太阳裙，荷叶边，大蝴蝶结，有她的头那么大。她在笑。保罗·赛格尔穿着衬衫，系着条纹领带站在阳台上低头看着小莉莉。我想大莉莉在拍照，因为到处找不到她的身影。就连那只狗都是兴高采烈的。信上说露丝（莉莉）在学芭蕾舞，她特别喜欢在保罗和莉莉面前表演脚尖旋转和脚尖站立，她对自己的樱桃色紧身舞衣和芭蕾舞裙爱不释手。到秋天的时候，露丝（莉莉）就要到镇上的蒙特梭利学校上幼儿园了。

"蒙特梭利学校是什么？"我问安布尔·阿德勒夫人。她看着我笑着说："好事。"还拍了拍我的手。

我问为什么保罗和莉莉·赛格尔没有自己的孩子，为什么他们需要我的莉莉。她说有时候事情就是这样的。他们中有一个不能有孩子，就是不行。我想起约瑟夫说过，如果上帝想让她好，会治愈她的，然后我想如果上帝想让保罗和莉莉有孩子，也会给他们的。他们自己的孩子，不是我的莉莉。莉莉是我的。

我翻来覆去地想莉莉现在住的 A 形房子，想参天的大树、群山，还有狗。我想知道我到底有多么想去那里，去森林里的房子，去看看我的莉莉。我想知道我还有希望吗？

大莉莉说如果我愿意的话，可以给露丝（莉莉）回信，她会念给她听。所以我写了。我告诉她我们屋外有郁金香（根本没有），我在学校学了什么（没有学校）。我们在家里唯一能看的就是《圣经》；唯一能写的就是约瑟夫罚我一字一句抄写的《申命记》或者《利未记》[1]。约瑟夫给社工看的学校成绩单——证明我成绩不好——全是假的，他复印了马修或者艾萨克的成绩单，然后改成了我的名字，所以我数学和科学不及格，所以老师的评语说我藐视权威和行为不端。

"你不喜欢学校吗？"

我说："非常喜欢。"

1《申命记》和《利未记》都是《旧约全书》中的内容。

"你最喜欢什么科目？"她想知道。我知道的科目不多，所以我说是数学。"但是，克莱尔，这写着你的数学不及格。"我耸耸肩，回答数学太难了。然后，她会提醒我，她总是提醒我，说我与约瑟夫和米利亚姆生活是我的运气，其他的收养家庭都没有这么通情达理。"你要努力。"她会这样说，然后建议约瑟夫和米利亚姆给我请一个家教。

我在信里告诉我的小莉莉，我住在一个大城市，奥马哈市。我描述了那里的建筑，虽然我从来没见过，但我能感觉到。奥马哈和奥加拉拉大不一样。我从气味、声音和窗边的孩子身上能够感受得出来。我讲了人、建筑、博物馆，还有动物园。我告诉莉莉我有兄弟（我对他们知之甚少），我在学校有朋友（我一个朋友也没有），我的老师多么有趣（一个老师也没有）。

大莉莉回信了，她告诉我露丝（莉莉）的四岁生日礼物是一辆新的自行车，薄荷绿加粉色，有辅助轮和流苏。小莉莉戴着头盔坐在自行车上，保罗·赛格尔在后面推，小可卡在后面跑。她说假期快到了，他们会去加利福尼亚看海。她说这应该是露丝（莉莉）第一次看见大海，为此他们会挑一件新的泳衣和罩袍。而且她想知道我是不是见过大海。社工再来的时候带来了莉莉的画，有大海，有鱼，有沙滩上的水泡，也许还有贝壳。亮丽的黄太阳光芒万丈铺遍整张纸。背面是大莉莉优雅的笔迹：露丝（莉莉），4岁。

他们不是坏人。

最后我想明白了。

但是思想上理解和心里面接受完全是两码事。

海 蒂

早上，佐伊不情愿地给杨柳找出另一套衣服。这次是黑色的打底裤，她穿着太短了——对杨柳来说就更短了——一件运动衫，正面油彩飞溅，这是去年艺术课的罩衫。

"佐伊，拜托，"我说，"这太乱了。"

"好，"她抢回去，从衣架上扯下一件校衫扔给杨柳，"给。"

两个女孩一起吃早餐，然后，佐伊去梳妆打扮。露比在我的腿上睡得很香。凌晨的时候，她被烧醒了，从凌晨5点开始闹腾，现在终于安静下来。婴儿不高兴的时候需要摇晃，可是，我们没有摇椅。我把她搂在胸前，前后晃，左右晃，上下来回晃，她终于不闹了。我后背的肌肉快要烧起来了，但是我不介意。露比累了，慢慢闭上眼睛的时候，我感到了满足和得意。

就在这时，我感觉是抱着我的孩子坐在皮椅里。露比的小手握着我的大拇指不放，我陶醉地看着她熟睡时闪动的眼皮。她裸露着小脚丫，左脚的花边袜被她踢到了地上，柔软的头皮上有纤细的发丝和白皙的皮肤。

我沉浸在里面，完全忘记了时间，忘了送佐伊去学校，忘了去上班。

我反应过来的时候，佐伊正在门口踱步，单肩挎着双肩书包。她穿着外衣，拉锁半敞着，手腕上挂着一把雨伞。"可以走了吗？"她问。我低头看了一眼自己的行头：睡袍、羊皮拖鞋。

"妈妈，"佐伊急了，她刚发现我还穿着睡衣。我没有要动的意思，我怕惊醒露比。我张开嘴，"嘘"了一下，提醒佐伊说话的声音别吵到露比。

佐伊怒气冲冲，皱着眉头看了一眼墙上的表，接着瞪着我，像热锅上的蚂蚁。她垂头丧气地站在门口，缩着肩膀，驼着背。双肩书包从她的肩头滑落，悬在胳膊肘上，她气呼呼地把它甩到后面。

我低声说："我今天不上班，你只能自己去学校了。"我以为她会高兴地跳起来，然后自己走。她和我们磨了很多年，希望自己能像最好的朋友泰勒那样自己去上学。

可是，她不但没高兴，反而张大嘴巴，鄙弃地对我说："不去上班了是什么意思？你一直都上班的。"的确如此。我打电话请病假的次数——即使是佐伊小时候得流感在家养病——都不多。我总是求克里斯留在家里，如果他也不行的话，他的父母会从郊区过来，最无奈的时候还有格雷汉姆。

露比在我的腿上熟睡，她的分量压着我不能动弹。

我的手指被舒适地攥在她柔软的手心里，勾着我。

"我攒了很多假。"我忙着解释，然后提醒她装午饭的纸袋子在厨房的灶台上。她最近特别在意自己的体重。我不知道自己十二岁时是否也在意体重，好像没有，再想想可能要到十六七岁的时候吧。她抄起饭袋，纸袋子在她手里哗啦哗啦地响。露比在我的腿上打了一个挺，微微睁开眼睛，伸了一个大懒腰，接着睡过去了。

"愉快。"佐伊离开之前我低声说。她敷衍地回答："能怎样。"然后走出去，留下门大开着，我只好让杨柳去关。

我希望佐伊能记住不要泄露杨柳的秘密，不要对她的同学、老师讲我们的客人。收留离家出走的人超过48小时就是犯罪，A级轻罪最严重的也要坐一年牢，或是接受多年的缓刑监管和高昂的罚款。

知道和相信是两回事。我不信自己会被抓，也不信警察知道我的所作所为都是为了帮助这个女孩之后还一定要惩罚我。但是我想知道某人把杨柳的头打出瘀青的时候警察在哪里，某个好色之徒趴在她身上的时候警察又在哪里。露比出生的时候，她是一个人吗？深夜，某条漆黑的胡同里，她蜷缩在生锈的逃生梯和滴水的空调机下面，挨着老鼠泛滥的垃圾桶，背靠在涂鸦覆盖的砖墙上嘶喊，但城市的喧嚣淹没了她。

我的脑子里总浮现杨柳在伸手不见五指的胡同里生下露比的画面。我坐在皮椅里，露比在我的腿上睡得香甜，杨柳坐在窗边默默地看着来来往往的行人。我倒回四个月前，三月、二月、一月、十二月。露比应该出生在十二月。我想象着：泥泞的脏雪；噬骨的寒冷，生产时涌出的鲜血落地成冰。

她妈妈在哪儿？

她妈妈为什么没有护着她远离这可怕的命运？

我发现自己开始观察杨柳，她的头发垂在前面，挡住昏昏欲睡的眼睛，她的皮肤在春寒中渐渐滋润。她不算高，大概比我矮15厘米，所以我可以俯视她。她紧贴头皮的发根是黄褐色的，没有沾染红色的染膏。

我不假思索地伸手去摸她发炎的耳洞，她的耳垂红肿干裂。她迅速地避开，脸色发白，好像我掴了她耳光似的。

"对不起，"我惊呼，抽回自己的手，"对不起，我不是……"我张口结舌，定定神以后又试探性地说："我们应该处理一下。也许上一点儿消炎药膏就可以了。"我知道，露比一直不退烧，加上这个，我们应该尽快去看医生。

过了一会儿，杨柳忐忑不安地问我借《清秀佳人》，我当然说可以，她拿着书回到克里斯的工作室去看。我看见她把旧书贴在胸口上，我不知道这本书对她有什么特殊的意义，书中的文字像《圣经》一样刻在她的脑子里。我可以问她，我可以问杨柳书的事，但是我想她会像穿山甲一样地蜷成一个球，躲进她的保护壳里。

我从皮椅里站起来，拿着我的电脑坐在餐桌旁，接了一杯咖啡。然后把露比裹在毯子里，放在我的腿上。我打开搜索引擎，输入几个字：虐待儿童。

我这才知道美国每年有超过一千名儿童死于虐待或者是看护人的失责。每年由教师、地方政府、朋友、邻居，或者经常接到匿名举报电话的儿童服务中心报告的虐待儿童事件超过三百万例。虐童可能造成的身体伤害包括：瘀血、骨折，需要接受手术缝合的伤口，骨髓、大脑、脖颈受损，二三级的烧伤。即便是最年轻的受害者也可能产生抑郁、胆怯、反社会、饮食失调或自杀等后遗症，甚至从此开始从事色情活动，而且会……我的眼睛看着屏幕，我的大脑在勾勒杨柳的样子，在想象胎儿露比在她的子宫里的成长过程。受过虐待的人更容易依赖酒精和药物，更容易出现不法行为，在学校表现要比同龄没有受虐待的儿童差。

谁是孩子的父亲？我思考着，接了第二杯咖啡，加上奶精。

情人？男朋友？品行不端的老师利用工作的便利条件和权威引诱学生，或者只是和蔼一笑、一个亲切的举动就让学生自投罗网了？抑或是她自己的父亲？邻居？兄弟？

我突然想起马修，她的哥哥马修，那个和她一起看《清秀佳人》的人。

马修是孩子的父亲吗？

杨柳的脚步声把我拉了回来，我迅速地扣上电脑，这样她就不会看见分散在屏幕上的字了：殴打、调戏、性侵犯。我站起来，呼吸急促，双手放在屁股上，摆出一副轻松完工的样子。她问我能不能看电视，我说可以，只要她不把声音开大就没问题。我看着她坐进皮椅，打开电视，调到《芝麻街》。那是佐伊长到四五岁时就不再看的儿童节目。我觉得这个节目稀奇古怪的，我真不知道它到底在讲什么。

换个角度说，我对杨柳的关心开始莫名其妙地削减了，并发现自己的注意力开始集中在露比身上。上网调查虐童事件演变成对买摇椅的渴望，我不再想杨柳额头上的瘀青，更多地在考虑婴儿需要摇晃，我要抱着露比坐在飘窗前看雨滴垂落，一看就是好几个小时……

克里斯

一晚变成两晚。

接着就是两晚增加到三晚。

这事稀里糊涂地就成真了。我下班回家，准备告诉海蒂她该离开了。我已经筹划好了，给女孩50美元，不，是100美元。这足够她用一阵子了。

我给她标出城里庇护所的位置，这样海蒂就知道我尽力了。

我会亲自送她。看着她走进庇护所，确定他们接收婴儿。

我在脑子里想好了要和海蒂说的话。回家的路上，我在笔记本上标好顺序，在晃晃悠悠的列车上写出的字就像蜘蛛爬的一样。从富勒顿车站往外走的时候，我又润色了一遍。我们要表现得很大度。我得说，给够她了，给她配齐了所有的必需品。

我会凝视着海蒂失魂的棕色眼睛，让她理解这是必须的。我要圆滑加细致，我要用佐伊当理由。

佐伊会以为你比关心她更关心杨柳。

然后她自己就明白了。如果我用佐伊当挡箭牌，海蒂会明白的。

但是就像人们说的那样，即使最如意的安排设计，结局也往往出其不意。

在原本宁静的夜晚，当头顶的惊雷响起的时候，我离家不到一个街区，密集的冷雨倾盆而下。云层像煤渣墙一样在城市的上空翻滚。我感觉到温度急剧下降，从白天的12.7摄氏度降到了夜间的1摄氏度，我跑了起来。

如果我在这样一个雨季把女孩送走，是不是太残忍了？我猜，我迈进自己的家门，抖掉衣服和头发上的水珠时海蒂肯定会这么说。

我进家，看见女孩坐在沙发上，可恶的黑猫趴在她的腿上。海蒂和佐伊坐在餐桌旁，也许在讨论什么，也许只是小事，也许是老生常谈。

回顾一下以往的历史，在潮湿的四月，明天晚上继续下雨的概率是多少？

海蒂已经连续两天没有上班了。两天啊！是我，几天前命令她不许让那个女孩在我家里独处。我的目光在私人用品、首饰盒和各种电器间徘徊，落在每一个她可能要偷走的东西上。海蒂盯着墙上30寸的电视，想象这个女孩手里端着电视走进富勒顿站，问："有必要吗，克里斯？"她说我太悲观了。

我说："别那么天真。"

但是，她竟然把这个当作了不去上班的借口，而不是如我所愿地把女孩赶到街上去。她说不能把杨柳一个人留下，因为担心她偷东西，比如电视或者她爸爸的婚戒。

婴儿在地板上熟睡。电视上气象专家们正在分析将在夜间通过全城的暴风雨，他们说，这一系列暴风雨将引起龙卷风，造成大面积的破坏。如果你住在迪克森和埃尔德纳，请找地方躲避。暴风雨正从伊利诺伊州中心和艾奥瓦州奔我们而来，电视屏幕上气象专家在多普勒天气雷达上用红色和橘色的闪光标志做着提醒。

海蒂问："又下雨了？"我把湿透的衣服挂在门口的衣架上，脱掉鞋子，她的声音越过哗哗的雨声传过来。我说是。

"刚下，"我说，"降温了。"轰轰隆隆的雷声震荡着整座楼房和屋子里的每一个人。

"有麻烦了。"海蒂说的是暴风雨，但是她的目光却落在屋里的杨柳身上。杨柳抚摸着猫，茫然地望着黑漆漆的窗户。闪电照亮了天空，她蹿起来，缩进沙发的靠垫里，好像要躲起来。

我分别亲了海蒂和佐伊的脸颊，然后去找给我留的晚饭。灶台上有一个纸巾盖着的盘子，我把它放进微波炉里加热。透过纸巾，我看见了带骨的猪排。

也许这个女孩根本没有那么坏。

冷空气从漏风的窗缝里灌进来，在屋子里蔓延。外面，狂风大作，树木摇摆。海蒂站起来，走到房间的另一头，打开煤气壁炉。

那时，我用余光看到杨柳抱着脚，满脸惶恐，黑猫跳到地上。她的眼睛死死地盯着壁炉。炉火在人造灰烬中发出橘黄色的光芒。火焰，在网状的屏风后面疯狂地舞动，两只猫被哄骗，被诱惑，靠近温暖的壁炉。它们在外面肆意舒张着身体，对杨柳的悲痛浑然不知。

"火。"她说，她的声音缥缈虚弱。她用手指着白墙上黑色的壁炉和它黑色的散热孔。壁炉周围是一个隐蔽的嵌入式框架，摆着海蒂的小玩意儿：圣诞水晶球和花瓶，还有她收集的老式广口瓶。"火。"她又说了一遍。这让我联想起穴居人第一次发现火的样子。她目光呆滞，像石像，脸色煞白。

海蒂下意识地关上壁炉。

火焰消失了。圆木形的煤气炉恢复了黑色手喷漆的原始状态。

"杨柳。"她说，她的声音像杨柳说到"火"的时候那样颤抖着。但是海蒂的声音里有女孩没有的镇定。有隐情。我们都不出声。猫盯着渐渐冷却的壁炉。

"没事的，杨柳，"海蒂说，"是壁炉。安全，非常安全。"她转向我，希望我解释一下到底是怎么回事。我耸耸肩。杨柳倒在沙发里，摇晃着脑袋把火焰赶出去。

我吃完晚饭，找了一个借口回卧室打电话。工作电话，我这么说是不想被打扰。

但是，根本不是工作电话。

虽然一次次走进死胡同，但我一直没有放弃调查杨柳·格里尔。我的搜索范围已经不仅仅局限在 Google 里。我抓紧一切空闲时间在电脑上查找那个女孩。

我登录到"美国失踪和被剥削儿童中心"和安珀警报[1]。我甚至注册了电子邮箱接收安珀警报的信息，我现在随时收到通知说有一些关系疏远的夫妻正准备偷走他 / 她的孩子。但是，迄今为止，还是一无所获。

---

1 美国的一个大众紧急报警系统，专门为被绑架或被拐少年儿童设立的。当绑架儿童案发生后，该系统通过电视、广播、手机、电子邮件和路边电子告示牌等现代讯息传播方法，告知整个社区绑架案的详细信息，发动民众协助提供破案线索，使民众成为破案的眼睛和耳朵，目的是早日找回孩子。

在 Twitter 上发现 @LostWithoutU 和 W·格里尔有关之后，我第一次花了那么长的时间去阅读。我读着女孩阴冷的文字，感受着她自残的恐惧，看到了她传到网上的胳膊皮开肉绽的照片。她声称这些照片是锋利的剃须刀片割的。下面有其他街头恶棍各种不同的回复和他们自残的照片。经常有人充满挑衅地回复 @LostWithoutU 的自杀宣言：做吧，我打赌你绝对不敢。

她还有更多的刺青照片：肩膀和腿上杂七杂八的神秘符号，横贯手掌的蝴蝶翅膀黑黄相间。她放了一张被难看的红头发遮住的大脸照，戴着一副十字架耳环，酷似我们杨柳戴的耳环。还放了一对天使的翅膀。

是巧合吗？我仔细地盯着那对耳环看了很长时间：也许不是。

难道我们的杨柳·格里尔和她是同一个女孩，只是没有放自己的照片？也许。我浏览其他的头像：一只狗，一只猫，玛丽莲·梦露，并没有规定说头像必须是本人的照片。一时兴起，我建了一个 Twitter 的账号 @MoneyMan3。我上传了一张在网上找到的照片，某位长着蓝色眼睛、浓密金发以及赤裸着上身炫耀六块腹肌的男模。

男人也可以做梦。

我给 @LostWithoutU 发了推文。

"疼吗？"我问，我指的是深陷在皮肤里的那些平行的红色线条。

然后我打了一个电话。

我有一个做私家侦探的大学朋友，马丁·米勒，主要追查夫妻间的欺骗行为。他总能讲出最好听的故事，那些关于上流社会的女人在低级酒店出没的段子。他的网站负责寻找失去的爱人、大学情侣以及离家出走的幼童。也许他能帮忙。

我在电话里向马丁描述了我们的小状况。他发誓一定会万分谨慎。

我要办的最后一件事是告诉海蒂我雇了一个私人侦探。因为也许这些信息会落入坏人之手。如果他上报当局……不会的，我想。我又上网查了一遍，上面写着"绝对保密"，而且，我认识这家伙。

那么，又该怎么解释我听到的上流社会的女人和低级酒店的故事呢？不会的，我想。我使劲摒弃这种猜疑。我听见过他在洛根广场的浅水酒吧里拿这事说笑，大概是五年前，或许更早。那时我们都醉了。

对的，我认识这家伙。

那天晚上我躺在地上的洋红色睡袋里的时候，我想起那个女孩，想起她看见火时的表情。可是，一个十几岁的孩子为什么那么怕闪电和火呢？

佐伊从八岁开始就不再害怕那些东西了。

我差一点儿就开始同情她了，差一点儿。

但还是那句话，为别人操心真不是我的事。那是海蒂的事。

海 蒂

杨柳渐渐习惯了在我家的生活，像岩石随着时间的推移被风化成越来越小的鹅卵石。她没有透露自己的情况，几乎什么都没有，而且她一个人留在家里也成了司空见惯的事。我不再提问，也不再想方设法地获取信息，那些有关她、她的家庭、她的过去的信息，因为我知道不会得到完整的答案。

她有一个哥哥，一个叫马修的哥哥。这是我知道的全部。

在和她共处的短暂时间里，我们每个人都以自己的方式接纳她，只是克里斯的方式很纠结，他既同情又紧张。尽管他每天不厌其烦地问我她还要住几天，但是直到现在还一直容忍着。

"一晚？"克里斯问，"两晚？"我告诉他我不知道。他摇着头对我说："海蒂。这真的超出我们的能力范围了。"我提醒他说，她在的这些日子里，没有做任何伤害我们的事情。我们的生活一如既往，我们睡觉的时候，也没人把电器偷走。

"她并不危险。"我告诉他。但是他不信。

然而，带血迹的内衣总是浮现在我的脑海里，它顺着垃圾道滚走，现在应该在道尔顿的某个垃圾填埋坑里了。我怀疑那衣服是不是真的是她的，像她说的那样，是春天寒冷的空气导致的，或者也许……我不让自己再想其他的可能性。我总在特别奇怪的时间里看见那些血迹：洗澡的时候；做晚饭的时候；当我摆脱一天的忙碌，享受片刻安宁的时候，我的思绪就不受控制地想到那血迹。

我发现自己总想露比，所有不考虑血迹的时间都在想她。拥她入怀，听她哭泣，这些都让我想起我曾经渴望的一群孩子的景象，我计划要的那些孩子。我一夜又一夜地梦见婴儿，活着的，死了的，天使一般的婴儿忽闪着他们天使般的翅膀。我梦见朱丽叶；梦见胚胎和胎儿，奶瓶和童鞋；梦见一整夜都在生孩子；梦见血，内衣上的血，血从我的大腿间渗出来，红色的，黏稠的，凝结在我的内裤上。特别白的内裤，就像那件内衣。

我被吓醒了，一身汗，克里斯和佐伊一动不动。

佐伊对杨柳的态度，和她对待生活中大部分的事情一样带着敌意。有几天，她的眼珠跟着女孩在房间里转，眼神里全是憎恶。她抱怨借给女孩衣服穿，埋怨不能看好玩的电视剧。杨柳去厕所的时候，她拒绝抱露比，哪怕只是一小会儿。露比哭的时候，她拒绝递奶瓶。露比没完没了地恸哭时，她翻着白眼离开。

我开始做三道主菜，我欣慰地看见有人吃得盆干碗净。我做的是沙拉、汤、千层面和焗烤鸡肉意粉，看着杨柳对每一道菜狼吞虎咽，我心满意足。但是马上，佐伊就会对着饭菜冷漠地问出一些问题，例如，"这是什么东西？"或者"我以为我们只吃素。"只有快到青春期的孩子才会用尖锐的假声大发牢骚。佐伊像兔子似的挑沙拉里的莴笋叶，庆幸的是对面的杨柳吃得津津有味，决不浪费好吃的食物。

下午，佐伊还在学校，我从单位回家。杨柳用又重又笨的动作在摇晃露比。我盯着她们两个看了一会儿，从她的臂弯里托起孩子说："来，让我来吧。"为了稳妥起见，我又补充道："你可以歇一会儿。"这样就不会伤害她了。我不知道我把婴儿抱走的时候她是怎么想的。我其实也不是特在意她怎么想。我把嘴唇贴在婴儿的额头上轻轻地说："好了，可爱的姑娘。"我温柔地摇晃她，想方设法地让她笑一笑。

我坐在新买的摇椅里。座椅是我在网上订的，额外多加了100美元通过联邦快递送来的。克里斯看见快递员了，但是他不知道我付了加急费。我靠在椅背的腰托上，和露比一起晃，哼着我妈妈给我唱过的佩茜·克莱恩的摇篮曲。虽然杨柳假装若无其事，但是好像也被吸引了。

我用余光观察杨柳，不安地猜测她是否想要回孩子自己照顾？什么时候？她什么时候会厌倦电视上的提线木偶，转而想带着《清秀佳人》和婴儿回工作室？我的手像遇到撞车时的安全带一样自然而然地搂紧露比。

杨柳已经和我相处了48个小时。到目前为止，我只知道她的名字，倘若像克里斯说的那样，那是她的真名的话。

对，还有，她有一个哥哥马修。

她对自己的事只字未提，我也不问。我明白任何询问都会把她吓跑的，她走，就会带走她的孩子。由于对她知之甚少，所以我自己编排出种种让她和她的孩子走进我生活的理由，比如，传言春季龙卷风要横扫中西部地区，她被迫离家逃难；也许她在躲避要掏出她的心带回城堡的猎人。每次她要讲点什么的时候总是刚说出一个字，甚至是从嘴唇间挤出来一两个音节就突然停住，然后说忘了。

她很严肃，不笑。眼睛里的重负和谦恭的举止像个老女人。她安静，一声不响地坐在沙发上，直愣愣地对着电视机。她几乎都是看卡通片，主要是《芝麻街》。她总是若有所思地盯着屏幕，除非克里斯、佐伊或者是我打断她的遐想。

她吃饭很快，很投入，就像生命中有一大半时间被剥夺了吃家常饭的权利似的。每天晚上，我们各自回房间的时候，我会在走廊里等着她走进房间，等着听她锁门的声音。这道锁让她安心，可以确保她睡觉的时候没有人能溜进她的房间，在黑暗中肆意摸索。

偶尔，在半夜，我听见她的动静。我听见她在睡梦中意识不清地嘟囔着简单的句子：跟我来。一遍又遍的"跟我来"。她的声音越来越高，最后简直就是声嘶力竭。

跟我来，跟我来。

我想知道她在和谁说，他们要去哪里。

吃完饭以后，她会端着自己的餐具到水池边洗干净再擦干净。我和她说过："别客气，放在那儿吧。我会把它们放进洗碗机的。"但她还是那样做，好像她觉得必须那样做。有时候她翻来覆去地检查盘子和叉子上有没有沾着食物，仿佛一个小疏忽就会招致惩罚。我脑子里出现一幅画面：杨柳因为盘子里有剩饭，正趴在餐椅上接受规定数目的鞭刑，有一些抽在头上，留下那块瘀青。

婴儿和我在摇椅里摇荡，杨柳悄无声息地坐在沙发上。露比在我的怀里扭动，她叼着安抚奶嘴哭不出来，其实她最想嗷嗷地尖叫。我看出她被糊住的眼睛里的狂躁又发作起来了。

我拿了一块湿毛巾敷在她的头上，继续哼唱摇篮曲，希望能安抚她。

杨柳就在那个时候转向我——几乎耳语的声音却惊到了我——以她一贯的怯懦和顺从的声音问："你怎么没多要几个孩子？你这么喜欢孩子。"我感觉房间里的空气稀薄，让我无法呼吸。

我可以编个谎话，也可以避而不答。从来没人问过我这样的问题，佐伊也没有。我回忆起十一年前，"结束"刚开始的时候，大约是那个时间。佐伊还不到一岁，是个可爱的小东西，可是她一旦哭起来，邻居们都会跑来出主意让她安静下来，这样大家才能睡觉。她只有五六个月大的时候，我发现我又有了一个孩子，那就是朱丽叶。克里斯和我没想怀孕，但是我们也没有采取措施。当知道怀孕的时候我欣喜若狂，确信那是我梦想的大家庭的开始。

克里斯怎么想，我不是特别清楚。"太快了，"我在浴室门口，拿着确认怀孕的试纸告诉他时他这样说，"我们才刚有了一个孩子。"

但是接着他笑了，而且给了我一个拥抱。在那飞驰而过的短短几周里，我们商量给孩子起什么名字，要不要和佐伊同住……首先引起我注意的是血，它从水一样的颜色变成了深红色。后来是疼痛。我看见内裤上的血的时候知道自己流产了，但是医生却自信地说孩子没问题。

切片检查确诊为宫颈癌 1B 阶段。

医生建议实施根治性子宫切除术，这首先意味着要放弃朱丽叶的"家"。"简单的手术。"医生安慰克里斯和我。我在网上查过了，他们会扩开我的宫颈，然后刮净我的子宫，我想象着朱丽叶像南瓜糊一样被一把勺子舀出来。

"不，"我说，"坚决不行。"但是不知道为什么克里斯说服我必须做流产。"如果在妊娠的后期，"他模仿着医生的口吻说，"如果病症没有发展那么快。"其实，他应该说"我不能一个人抚养佐伊，要是你有个三长两短的话"。我想象着克里斯和佐伊孤独地做伴，而我死了，躺在坟墓里。如果病症没有那么活跃，我们可以等到分娩后再接受治疗。但情况不是这样的，事实是，孩子或者我，我选了自己，一个让我一生都耿耿于怀的决定。

我每次提到"宝宝"，克里斯和医生就会纠正我。他们把她叫作"胎儿"。"没办法知道，她是不是女孩。生殖器在怀孕的第三个月才开始发育。"医生把我的朱丽叶像医学废弃物一样抛弃之前对我说。

然而，我知道。

医生在办公室递给我一本小册子，我看着，生气着。我怪自己忙于工作和佐伊，忽略了定期的子宫颈抹片检查，嫌麻烦而放弃了产后六周的复查。小册子上写着，子宫颈抹片检查可以发现早期的宫颈癌，而我错过了。我心有不甘，我不具备任何一个风险因素：我不抽烟，我没有免疫功能低下，据我所知，我更没有感染人乳头瘤病毒。

我是特例，极少数，百万分之一。

这不应该发生在我身上。

医生切掉了我的子宫。可是切完之后，活见鬼了，他又决定切掉我的输卵管和卵巢。宫颈，阴道的一部分，还有淋巴结也一并摘除。

我花了六周的时间恢复。那是身体上的恢复，而心理的创伤永远恢复不了。

我没有想到会有突然而至的潮热。猝不及防的热浪冲刷着我的身体。红斑痤疮侵袭着我的皮肤。我的心脏剧烈地跳动，我跌坐在椅子里，大口喘气，就像我见过的比我年长的女人常出现的情况那样。夜里的盗汗让我在不为宝宝彻夜难眠的时候辗转反侧。我因为失眠而变得闷闷不乐，而且狂躁易怒。即使潮热过去很多年之后，它的余威犹存。

我到了更年期？我还不到三十岁呀。

我发现我的新陈代谢越来越迟缓，可是盈盈细腰却在一寸一寸地疯长。克里斯说不要太在意，但是我必须在意。我在意自己的裤子从4号变成8号，我在意看到像卡西迪·克努森那样的女人——年轻、苗条、丰满——我嫉妒。嫉妒加羡慕。她们富裕多产，能生育。

而我贫瘠，干旱，荒芜，不能生育。

人一直在变老，但是对我这个年龄的女人而言太快了。

"这样想，"克里斯努力宽慰我，"你再也不用烦月经了。"他带着厌恶的语气说出"月经"这个词。可是，我渴望它啊。我想去药店买卫生巾，我想经历每个月的涌动，对内在生命的感受和预见。

生命匆匆流逝。

"癌症，"我小声说，挤出这个可恶的词，"宫颈癌。他们必须摘除我的子宫。"我不知道杨柳能听明白哪一句。

她坐在沙发上，盯着电视。伯特和尔尼带着他们心爱的橡皮鸭走出来，尔尼开始唱歌。

她的声音柔和，像粉色淡淡的晕影，轻柔，细腻。"但是你想要更多的孩子？"她问。

"是的，"我说，完全沉入心底的洞里，那个朱丽叶曾经住过的地方。"非常想。"

克里斯说我们可以收养更多的孩子。"全世界所有的孤儿,"他说,"每一个。"但是生出了自己的血肉之后,我不想要那样的孩子,我想要自己的。收养不是生育,我无法想象抚养一个不是自己亲生的孩子。我有一种被嘲弄和欺骗的感觉,我从心里拒绝。

"你是个好妈妈。"杨柳说。然后她的眼睛移向窗外的闪电,轰隆隆的雷声滚滚而来,像蔓延的癌细胞。她更像自言自语似的对我说:"我妈妈也是个好妈妈。"

"和我说说你妈妈吧。"我低声说。

然后她开始了。边说边犹豫。

她告诉我她有乌黑的头发。

她告诉我她有碧蓝的眼睛。

她告诉我她的名字叫霍莉。

她告诉我她帮人做头发。在浴室里,剪头,烫发,盘头。她告诉我她喜欢做饭,可是并不擅长,不是烧煳了就是欠火候,鸡肉咬起来里面总是粉红色的。她喜欢听音乐,乡村音乐——桃莉·巴顿、洛雷塔·林恩、佩茜·克莱恩。

她讲这些的时候并没有看着我,而是看着电视上的提线木偶、大鸟、艾摩和甜怪饼。她盯着他们鲜艳的衣服和古怪的动作。

"你妈妈在哪里?"我问。她没理会。

我和她讲起我的爸爸,我讲的时候一只手下意识地摸着挂在金项链上的他的婚戒。当我提到佩茜·克莱恩的时候,她的声音在我的脑海里回响。佩茜·克莱恩的死给我妈妈十几岁的心灵留下了深刻的印象。她的歌《疯狂》和《午夜慢步》是我童年的一部分,我眼前出现了爸爸和妈妈在客厅里棕色的地毯上,手挽手,脸贴脸,翩翩起舞的画面。

"那枚戒指，"杨柳指着问，"是他的？"我回答："是的，是他的。"

然后我莫名其妙地对她讲起我和克里斯为了找到一条配它的项链而付出的种种辛苦。很难般配，我不能接受差不多，爸爸也不会同意。克里斯订制了一条项链，这条项链花了他一千美元。

"这么多钱可以买电视了，新电脑也行。"他说，"度假也够了。"

但是我说不行，我必须有一条项链。

爸爸去世后我一直失眠。那天，我站在珠宝街的沃巴什店里，疲惫的眼里尽是泪水。我对克里斯说："这枚戒指，是爸爸留下的全部，其余的都不在了。"

我没告诉杨柳我爸爸去世后我有多么消沉。他离世时平静安详。他死于肺癌扩散，在他知道的时候，小细胞肺癌已经转移到了脑部、肝脏和骨头。我没告诉她，我爸爸拒绝治疗，不戒烟。红色万宝路，每天半盒。我没告诉她，我爸爸下葬的时候，妈妈给他带了一箱红色万宝路和一个柠檬绿色的打火机，让他死后用。

但是我给她描述了安葬爸爸那天的情形。那是一个秋意正浓的日子，我们把爸爸埋在了教堂旁边的墓地里，一棵前夜刚刚变成橘色的枫糖树下。我告诉她抬棺材的人是怎么抬着棺材走出教堂，翻过一个松软的小山走到墓地的。昨天夜里下过雨，地面湿滑。我给她讲了我怎样搀扶着妈妈跟在棺材后面，我不能让她滑倒，更主要的是我已经埋葬了一个亲人，不能再失去另一个，我不能放手。我告诉她，我们看着爸爸被放低再放低，接着我们把淡紫色的玫瑰放在棺材上。妈妈结婚那天也捧着那种淡紫色的玫瑰。

这时候，杨柳才用倦怠的矢车菊似的的眼睛注视着我，然后说——用人们说痛恨侵略者或者纳粹的口吻，好像他们真的惹全人类仇视，而不仅仅像人们说讨厌烧焦的爆米花的味道或者嫌弃胖女人的肚子那样——"我恨玫瑰。"我极力克制自己，提醒自己：各有所爱。我刚才的自白看起来适得其反。

然后，经过长时间的沉默，我以为我们的谈话到此结束的时候，她说："我妈妈死了。"

她说"死"字的时候犹犹豫豫，似乎不能确定她是不是死了，仿佛只是有人像说"小事一桩"或者"小菜一碟"那样随口告诉我她妈妈死了。没有前言后语，无法证实。或者这个词对她有什么特殊含义。

"怎么死的？"我问。可是她没回答。她缩成一团，藏在自己穿山甲似的外壳里。她的眼睛依然注视着电视，但是变得呆滞和茫然，仿佛在强忍着不哭。我又问了一句："杨柳？"她完全无动于衷，好像没有听见我的声音，没有意识到我停留在她身上的目光。我凝视着她杂乱的头发和涂着润唇膏的嘴唇，焦急地等待问题的答案。

没有答案。

后来，在她厌倦了我的注视之后，也许不是，她从我的怀里抱起婴儿，走了。

克里斯

　　我正一步两级地走在通往 L 线站台的楼梯上。这时，手机响了，是亨利。我停下脚步，靠边，倚在护栏上。街道上挤满了下班回家的汽车和行人。天还没有全黑下来，这是我为数不多按时下班的日子。一辆公交车堵在马路上；有个乡下人或者是外地人试图挤过去，差点儿害死六个走路的人。刹车声尖锐，喇叭声刺耳，有人喊着"混蛋"，朝司机竖起中指。

　　我用手背挡住斜阳，对着电话说："我不想听这个。"城市骚乱，我听不清亨利的话，但我听见了他的笑声，高亢，烦人，像钉子划过黑板。

　　"你好吗，伍德？"亨利说。我放佛看见他在马桶上打电话的样子。他的裤子堆在膝盖上，腿上摊着一本杂志《花花公子》。"和你漂亮的老婆吻别吧。我们明早就出发。"

　　"什么情况？"我问。他答道："路演，从纽约到丹佛。"

　　"该死。"我说。这真不是什么意外之喜。好几个星期了，我们一直忙着准备这场秀。但是，海蒂肯定会火冒三丈的。

　　坐上回家的列车，一路没人打扰。我在富勒顿站下车，走下楼梯。马路上有一个流浪汉靠在报摊旁边的铁栅栏上，他的眼睛闭着，好像在打盹。旁边放着一个黑色的垃圾袋，鼓鼓囊囊地装着他的全部家当。10摄氏度刺骨冷的天气里，他睡着，抖着……

我脑海里蹦出的第一个念头是：他的腿，缩在浅蓝色病号服里的大长腿，挡住了我的路。像其他路过的人一样，我夸张地迈开大步走过去。就在那时我看见他被冻得发红的脸颊和耳朵以及伸在外面护住垃圾袋的手。我的脑子里响起海蒂的话，于是，我从裤兜里掏出钱包，翻了翻，在他旁边放下10美元，并希望在他睁开眼睛的时候，钱没有被大风刮走。

我企盼没人注意到我的善举。

我进家的时候，电视开着，播放的是《芝麻街》。海蒂正在教杨柳训练婴儿俯卧的技巧。婴儿趴在电视机前面，像离开水的鱼一样扑腾。海蒂希望毛茸茸的大怪兽分散婴儿的注意力，让她尽可能长时间忘记她最痛恨的肚皮朝下的姿势。

佐伊站在厨房里，盯着灶台上自己的手机。我蹑手蹑脚的，不过还是吓了佐伊一跳。她像是做坏事被逮到似的慢慢地后退，一步一步的，企图在海蒂发现她接近手机之前离开。

海蒂问候我：“我想你也快回来了。”她的眼睛几乎没有离开婴儿，沉浸在充满尖叫声的儿语和各种丰富的表情里，但对我而言，什么也不是。

快七点了。

“我能和你谈谈吗，海蒂？”我一边把夹克挂在门口的挂钩上一边问。她把婴儿从地板上抱起来递给女孩，瞥了我一眼。女孩笨拙地接过去，有那么一瞬间我甚至担心婴儿掉下来。那个傻乎乎的长毛象出现在电视上，女孩目瞪口呆地盯着屏幕。我记得佐伊差不多从两岁开始就不看《芝麻街》了。

海蒂跟我走进卧室，她的脚步像风一样飘过硬木地板，而我正好相反，重重地踩在地板上，好像要以此证明什么似的。猫慌不择路地躲到床下，我这才没踩到它们的尾巴。我脱掉正装衬衫，换上一件白色和茶色相间的绒衣。我告诉她现在有路演，我要去纽约待上一两天，之后再去丹佛几天。明早就走。

我准备迎接一顿叱责——摇摇手指，转转眼睛——对卡西迪·克努森的冷嘲热讽，对是否有那个"荡妇"陪同的审问……但是，什么也没有。

她沉默了一下，然后只是耸了耸肩，说："好的。"她端起装脏衣服的筐下楼，为我出差准备干净的衣服。

我应该被关心，我觉得。但不是像十岁的孩子那样受训，让我感觉真是老天开眼了。

我收拾行李。海蒂拿起几枚硬币，和我说了一声就去干洗店了。我热了一下给我留的比萨准备吃晚饭。佐伊在自己的房间写地球科学作业，反正她是这么说的。但是我看见她躺在床上，腿上放着黄色的笔记本。她在那个隐秘的地方评价爸爸的愚蠢和妈妈的疯狂，也许还写了 Austin 和杨柳。我怎么知道呢？也许，只是也许，她是一个不为人知的诗人，正在写下满篇的打油诗和颂歌。

我和杨柳共处一室，除了死气沉沉什么也没有。

我盯着她的手掌寻找刺青的证据：一只长着黑黄相间翅膀的

蝴蝶。我想，如果她把它洗掉，会留下疤痕吗？漂白皮肤？残余的痕迹？

她的手上什么也没有，一无所获。可是她有那些耳环，和 Twitter 头像上一模一样的耳环。这怎么解释？

我瞟了一眼杨柳，确定没有引起她的注意，然后偷偷地查看 @LostWithoutU 有没有回复我。没有那么好的运气。但是我却有了八个跟随者，我得记下来。

我想，杨柳没有电脑怎么回复？难道她有机会使用电脑？我想起她拎进我家的那只又脏又破的箱了，现在放在我工作室的墙角，皮面布满划痕和裂纹，箱体已经变形。难道里面有电脑和智能手机，可以连接 Wi-Fi 进行回复？我从来没见过她使用，也没听见过铃声。

这个女孩基本不会使用遥控器，这让我很难相信她有智能手机或者电脑。但是我不确定。我和海蒂都设置了密码，她不可能在半夜的时候用我们的。

女孩无知无觉地盯着电视。我调到新闻频道，看今天开幕的棒球赛综述节目。我猜她对棒球根本没兴趣，盯着屏幕只是为了避免和我说话。她坐在沙发一端离我最远的地方。我坐在餐桌前，我们距离至少三米远。她喝了一口水，我观察了她拿杯子的方式，水晃悠悠地在杯口荡出涟漪。

"你从哪来？"我问。我讨厌这种沉默。况且，我意识到自己是这所房子里唯一一个试图识别这个女孩的人。而且每次和杨柳相处不到两分钟，海蒂就用她警醒的眼神和规矩打断我的询问。也许这是我唯一的机会。

她看着我。不是焦虑不安的眼神，而是完全相反：温顺，怯懦。

但是她什么也没说。

"你不想告诉我吗？"我问。

她犹豫不决。然后她摇头。那么轻微的动作，我眨一下眼就有可能错过。

"不，先生。"她小声说。我喜欢她称呼我先生。

"为什么？"我问。我等着她的回答，并且准备好了去破解一句方言，可是白等一场。她的发音是标准的美国中西部口音，和我一样纯正的美国式英语。

她的声音太轻了，我必须探出头去才能听见飘在婴儿咿咿呀呀声里的回答。她小心翼翼地说："你会送我回家。"

我谨慎地问："你有不回家的理由吗？"

电视上的开幕式结束了，开始播报当天的头条新闻。亚士兰南部发生了一起残忍的入室抢劫杀人案，一下子吸引了女孩的注意力。当装尸袋从房间里抬出来的时候，我抓起遥控器换台，最后停在购物频道。

"杨柳，"我说，希望我对她的准确称呼能为自己获得加分，"你有不回家的理由吗，杨柳？"

"是的，先生。"她承认。她摩挲着抱枕边，没有看我。

"为什么？"

"就是……"她吞吞吐吐，"就是……那个……"

我以为她会一直这样，但是她接着说道："我不喜欢，就这样。"

如果真是这个理由，那也太不充分了。

"为什么不喜欢？"我追问。她没有回答，我又问了一遍："杨柳？"我失去耐心了，这次声音里有点儿带刺。

海蒂马上就回来了。

女孩竖起一道无形的墙。她应付不了急躁，她需要事先做好准备。就像花籽一样，想要让它快速发芽，必须先在水里泡一晚。除非我们刺破她的外壳，否则她是不会敞开心扉的。

我放低声音，施展魅力，微笑着再一次尝试。"有人伤害你吗？"我尽可能地让自己语气温柔些。我对自己的同情心没有把握，但是我尽力了。

她抬起眼睛望着我。蓝色的眼睛承载了太多不属于她这个年龄的负担，眼底充血，眼皮松懈，眼袋下垂，皮下瘀血导致了黑眼圈。我坐在椅子的边缘等着，迫不及待地等待她的回答。她开口，告诉我："还好。"我说："你可以告诉我。"

就在这时，我听见海蒂的钥匙开门的声音，我在心里盼望着她重新回到楼下的洗衣房。而杨柳听见钥匙转动的声音却跳起来，她竟然被没有恶意的钥匙轻微的响动吓得要死。我看见恐惧在她的眼里蔓延，水杯从她的手里滑落，掉到地毯上，玻璃杯没碎，但是水洒了一地，到处都是。她忙不迭地跪下收拾。她用裙子边吸水，她的眼睛在我和海蒂间穿梭，好像担心会因为这个小错而受到惩罚。

她喘着气，低声唠叨着宽恕和罪恶一类让人费解的话。

钥匙，开锁，她被监禁过？

我在心里记下这条。

我不是一个容易和人产生共鸣的人，但是对这个手忙脚乱趴在地上乞求上帝怜悯的女孩，却突然感到一点点心疼。

"亲爱的，不要，"海蒂从橱柜里拿出一条毛巾匆匆忙忙地跑到杨柳旁边说，"不用担心。"

我低头从地板上捡起玻璃杯。

我看见女孩眼里的惶恐，我知道我不能继续了。

我们睡了。海蒂、佐伊、我和猫，被锁在一间卧室里。早上，我醒了以后提醒海蒂我不在的每一天都要这样做——她和佐伊睡在一起，锁好门。

我五点的时候离开家，拉着箱子，带着公文包钻进出租车，直奔奥黑尔国际机场。

我走的时候，女孩和她的孩子都睡着，她们的屋门也应该锁着，而且，我的办公椅应该卡在门把手下面作为第二道防护，防止在她睡觉的时候我们破门而入。

太阳慢慢地升起来将天空染成金色。出租车司机在听脱口秀，车厢里充斥着松香型空气清新剂的味道，我们沿着I-90公路行驶。我把公文包放在旁边的座位上打开，从里面掏出笔记本和笔开始工作。运气好的日子到机场只要三十分钟，我看了一眼公路上聚集的车辆，估计今天的运气不会好了。

这时，在上下颠簸的公文包里，我看见一张纸条，紫色的便签纸上用潦草的字迹写着昨晚我没有得到的答案。

纸条呼吸着从车窗飞进来的氧气。

我没见过的笔迹。

简单的一个字：是。

杨 柳

露易丝·弗洛雷斯想更多地了解马修和艾萨克，我的义兄，你们是这样称呼他们的吧。"兄弟"表明某种家庭的联系，但我们之间没有，和约瑟夫没有，和米利亚姆以及艾萨克也没有。

但是和马修有，因为马修和他们不一样。

坐在这个狭小的空间里，我把桌子对面的露易丝·弗洛雷斯想象成马修，身材高大，和他父亲一样；巧克力棕色的头发，像我妈妈；深棕色的眼睛，我猜很久以前，在米利亚姆的眼睛变成像鼠灰色之前也是这个样子。艾萨克却是彻头彻尾的约瑟夫，一个胡萝卜头，胳膊上、腿上、下巴上全是橘黄色的汗毛。

"他们的什么事？"我问。她说："你和他们一起生活过吗？他们也参与了对你所谓的性骚扰吗，和约瑟夫一样？还是，他们也是受害者？他们和他们患有紧张型精神病的母亲关系如何？"

"紧张型精神病？"我问。

"是的。恍惚，迟钝。"她说根据我的描述推断，米利亚姆患有紧张型精神分裂症。"如果，"她说，"你说得是实话的话。"这似乎暗示我总是骗人。

妖怪，我想。我想象着米利亚姆在自己卧室的墙角一动不动，坐在柳木椅子上发呆，在她隔壁的房间里，她丈夫在为所欲为。

大概在第一年的时候，我的卧室紧挨着马修和艾萨克的卧室，那是我们仅有的联系。我们不在一起吃饭。在家里遇到的时候，我们也是左顾右盼或者低头相互避让。约瑟夫和米利亚姆带我回来之后，马修和艾萨克被安排在一个房间里，我不知道他们是不是喜欢这样，因为在那所房子里没有人多说话。他们两个大部分时间在学校，回家以后也是待在他们的房间里写作业或者读《圣经》。约瑟夫不允许他们和我有任何交流，当他们的眼神飘向我的时候，他不厌其烦地提醒他们：坏朋友会毁掉良好的品行。

鉴于此，艾萨克从未变过。如果非说有变化的话，就是随着时间的推移，他越来越像约瑟夫，像一只随时准备听从父亲的命令跳下悬崖的旅鼠。但是马修和他不一样。

我记得我们第一次真正聊天的那个晚上。那时，我十岁，在那所房子里住了快一年的时间，约瑟夫进过我的房间二十多次。我总是躺在床上，熬到午夜也睡不着。我想爸爸妈妈和所有能够背出来的"我爱你就像……"。然后，走廊里就响起脚步声，我屏住呼吸，等着约瑟夫进来，在我旁边放下他湿冷的身体。约瑟夫的脚步声在走廊里回荡的时候我就开始发抖，他的脚步声引起我一系列的反应：我的心脏似乎要跳出来，手心出汗，全身出汗，视线模糊，耳鸣……

接着，门开了，却是一个和我熟悉的身影大不一样的黑影站在那里。声音也变了，虽然柔软温和了许多，但我还是同样地害怕。"你知道蟑螂没有头也能活一个星期吗？"他问。然后我从他压低的声音判断出来是马修。

"能吗？"我小声地问，在床上用胳膊肘支着撑起身体。屋子几乎是全黑的，只有一点儿路灯的亮光照进来，亮了灭了，灭了又亮了。一个又一个的晚上都是这样的。

"嗯，"他说，"有时候能活一个月。它们会被渴死。"

"哦。"

我们鸦雀无声。他站了一分钟，或许更长，关上门，回自己房间去了。

第二天，我在床垫下面发现了一本书，夹在拼布床单和裙挡之间：《儿童入门：昆虫和蜘蛛》。我知道是他的。等到约瑟夫去上班、马修和艾萨克走去车站的身影消失在马路上，能够听见等车的孩子喊着他们的名字羞辱他们的时候，我就坐在床边，津津有味地看书。

在奥加拉拉的时候，妈妈送我上学。我在学校学会了识字，妈妈每晚睡觉前都让我给她朗读，无论是她的时尚杂志，还是朱莉娅·查尔德的烹饪书或者邮件，一切可以读的东西都读过。我是个好读者。我总是第一天就把马修的书看完，然后在他和艾萨克、约瑟夫回家之前把书偷偷地藏在他的床下。我竭尽所能地学习，包括地蜈蚣、螳螂、蝉和豆娘。通过读书我知道了马蝇只有三十到六十天的生命；蜂王躲在泥土里过冬；周期蝉每隔十三或十七年才出现一次……

几天后，一本新书到了，书名是《海葵》。我在书中读到虽然它们看起来那么像花儿，但是它们不是，它们是海洋的捕食者。它们不会像其他动植物那样变老，它们能一直活着。"永恒"，书上是这样写的。我知道了海葵是怎样给猎物注射毒素，毒素又是怎样麻痹猎物，最终那些鱼虾和浮游生物又是怎样被海葵张开吃肉的大嘴吞下的。

我一点儿也不喜欢海葵，它那么美丽，那么逍遥，实际却是刺客，有着优雅的外表和天使般面孔的杀人狂。看起来一点儿也不美丽。这是诡计、陷阱还是错觉呢？

又过了几天是《岩石和矿物》。一本接一本。马修几乎每周都从学校的图书馆借书，然后塞到我的床垫子下面，比如《夏洛特的网》《安妮日记》和《巴塞尔·易·弗兰克韦勒夫人的乱糟糟的文件摘录》。我一看书就忘了收拾房间，忘了给米利亚姆洗澡，忘了做晚餐要吃的吞拿鱼沙拉三明治……

马修半夜起床上厕所或者去厨房喝水的时候会路过我的卧室，他偶尔会在门口停留。我逐渐能够分辨出马修和约瑟夫的脚步声了。马修在走廊里的脚步轻盈，他靠近我的房间时犹豫不决，好像不知道该不该停下来。相反，约瑟夫的脚步坚决果断，直接闯进白色的房门而没有丝毫的顾虑和任何迟疑。

马修谨慎地推开房门，不让它发出一点儿声音；约瑟夫则横冲直撞，不在乎吵醒其他人。马修最多待几分钟，说一些我没兴趣、可能他也不感兴趣的杂七杂八的信息。我慢慢理解了，他要说的不是信息本身，而是一种交流：一个盟约，一个纽带。

我不再孤单。

一天晚上："你知道鳄鱼不会吐舌头吗？"另一天晚上："你知道没有词可以和'橘子'押韵吗？"我承认没有，因为我不知道，可是我整晚都在想什么词能和橘子押韵，等他下一次来的时候我就可以告诉他。酸橘子，坏橘子，红橘子。

不，什么都没有。

"你知道金星是最热的行星吗？它的表面温度可以达到450摄氏

度。超过 800 华氏度。"我只有干瞪眼的份儿，因为我真的不懂什么是摄氏度，什么是华氏度。我坐在奥加拉拉的教室里学习行星和气候什么的已经是太久远的事了。

有一个晚上，马修进来跟我讲："你知道我父母抚养你每天可以收到 20 美元吗？"

"什么？"我问。我从来没听说过。"谁给的？"我怀疑是爸爸妈妈留下的一点儿积蓄，或者是社工在支付我的生活费。

在有零星光亮的黑暗中，马修摇摇头，说："内布拉斯加州的一个好人，是那儿的人。"他站在门口，穿着每晚睡觉时穿的格子裤和胸前泛着黄斑的白背心。不过睡衣配他瘦高的身材实在太短，至少短了五厘米。

"莉莉也有？"我问，我想知道是不是保罗和莉莉·赛格尔照顾莉莉每天也能挣 20 美元？

但是马修说没有。"如果你被收养就没有了。赛格尔夫妇为了莉莉要付钱，大概一万美元的样子。"

"啊？"我质疑。一万美元是一大笔钱。赛格尔夫妇就像在商场里买件衬衫似的买走了我的莉莉。我不知道自己到底什么心情，或许该高兴，他们为了拥有我的莉莉不惜花了那么多钱；或许该难过，我的莉莉就像超市里的一件货物，跟衣服、花生酱、杀虫剂没什么两样。

我不知道是不是有一天我能有比一万美元更多的钱，那时候是不是可以把我的莉莉买回来。或者有一天，赛格尔夫妇把莉莉还给我，就像衬衫不合适一样。也许，有一天莉莉会再被出售，我想出了自己买她回来的办法。

但是真正让我伤心的是约瑟夫和米利亚姆收留我是收费的。他们没有像赛格尔夫妇买莉莉那样买下我。

"你怎么知道的？"我问。

他耸耸肩，不屑地说："我就是知道。"然后他关上门，走了。

"你为什么没有尝试逃跑？"弗洛雷斯夫人问。这时，墙角的那个看守倾身靠过来，我知道他也在想同一个问题。我扫了他一眼，他穿着一件好像应该穿在他爸爸身上的海军服。他还是个小男孩，不算一个男人。他棕色的眼睛也落在我身上。

"是啊，"那对棕色的眼睛说，"你为什么不跑？"

"我害怕，"我说，"既害怕留下又害怕逃跑。我如果违背了约瑟夫，上帝会惩罚我的。这是他告诉我的。这是他让我笃信不疑的事。"

我知道我没有办法离开。当然不是从一开始就知道的。不是因为我无处可去，而是因为如果我走了，约瑟夫会伤害莉莉——他和我说过无数次——如果，莉莉侥幸逃脱了他的伤害，上帝会派电闪雷鸣和秃鹰跟着我，我一次也躲不过，他会把我变成盐柱，淹没在洪水里。"那时我还是个孩子，"我提醒她。在同约瑟夫和米利亚姆生活之前，我一直相信圣诞老人、牙仙[1]和复活节兔子。直到那次我又掉了一颗犬齿，我把它放在枕头下面，整晚都像在奥加拉拉时一样等着收获牙仙送来的亮晶晶的金币。

但是她没来。

---

[1] 牙仙：哄儿童的故事中的仙女，如果晚上将新拔下的牙齿放在枕头下面，该仙女就会拿走牙齿，同时放下一枚金币。

我假装安慰自己她还没有找到在奥马哈的房子里的我，她正在奥加拉拉到处飞着寻找我。

我从那时开始经常回忆，回忆在峡谷路活动房里的家。我想知道是不是另一个家庭搬进了那所房子，住在我的家里，是不是有个小女孩睡在我的床上。我的床上有艳粉色的被子和缀着花边的靛蓝色帷幔，妈妈在清仓的时候买回来自己做的，虽然和其他的一点儿也不协调。我想知道那个小女孩是不是抱着我最喜欢的紫色小猫布偶，裹在我的艳粉色被子里，和她的妈妈大声朗读我最喜欢的图画书，等早上醒来的时候，在我蓬松的枕头下面熟练地取出我的亮晶晶的金币来……

有一天晚上，马修路过我房间的时候我给他讲了这些。我告诉他牙仙怎么也找不到我，我还存着那颗擦亮的犬牙。我不知道应该怎么做才能把它交给牙仙，让她在仙境里建造闪闪发光的白城堡。

"仙境？"他嘟囔着。然后我告诉他牙仙是怎样用收集到的数不清的牙齿为自己和神仙朋友建造闪闪发光的城堡和村庄的。他们把那里叫作仙境。

他默默地盯着我，好像不知道说什么好。

接着，他有点儿结巴地说："没有牙仙，克莱尔，"停顿了很长时间之后他又说，"扔了吧。"

就像爸爸妈妈去世的那天一样，又有一小部分的我死了。

我担惊受怕，从来不敢提圣诞老人和复活节兔子。圣诞节到了，又过去了，没有礼物。我知道原因，不是因为那一年我淘气了。

几天之后，马修在我的床垫下又放了一本童话书。里面有《金发女孩》《三只小猪》和《侏儒怪》。

其中，我最喜欢的是《穿花衣的吹笛手》，故事讲了一个长相滑稽的人，他靠吹奏魔笛骗走城里的孩子，孩子们再也没出现。我想象着约瑟夫，打扮成中世纪小丑的模样从童话书里走出来，他穿着色彩斑斓的外套和紧身裤，吹着笛子，走到奥加拉拉的大街小巷里引诱孩子们离开自己的家，那是像我一样的孩子们。

跟约瑟夫和米利亚姆一起生活，我不知道自己最害怕的到底是什么。是约瑟夫的鹰眼和鹰钩鼻？是他给我讲的伺机报复的上帝？还是如果我做错事情，他会惩罚莉莉的手段？他说他会把莉莉关起来，活剥她的皮。他会把她头朝下地吊起来，用刀片切断她脖子上的静脉和动脉，让她一直流血，然后死去。他慢慢地抬起手，从容地卡住我的喉咙，让我真正地明白他的意思。他用了"肌肉"和"细胞"这两个词，我听不懂，但是确实被震住了。

多么的可笑啊，只要想到约瑟夫的上帝和如果我表现不好他会对莉莉的所作所为，我就觉得待在屋子里会更安全。那些骑自行车的男孩，拿着粉笔的女孩，他们和我一样的年龄，但是他们不知道约瑟夫和米利亚姆的家里发生了什么。在他们眼里，我们就是小区里的怪人，这是妈妈以前在路上或者窗口叫沃特斯老夫人的词。她总是一路走一路和她死去的丈夫聊天，就像打电话一样。我猜窗外那些骑着车和拿着粉笔的孩子的爸爸妈妈一定提醒过他们不要同艾萨克和马修玩，因为他们太怪异。不要和约瑟夫说话，因为他是一个"怪人"。然后，当该说的说了，该做的做了之后，那些爸爸妈妈会告诉警察，他们觉得我们家有点儿奇怪，他们一直感觉不太对，但又说不清楚是什么。

但终究他们什么也没做。

海 蒂

　　克里斯刚走，我就从床上起来，轻手轻脚地怕吵醒佐伊。她睡在我旁边，像个新生儿一样脸朝上，胳膊平铺在床上，像只海星，脸上映着金黄的晨曦。我注视着熟睡中的她，暂时忘记了她的顶嘴和叛逆，她的嘴角挂着微笑，怡然自得的样子。忽然，她长出一口气，翻了一个身，我想知道她梦到了什么。她蹭到我刚才躺的地方，象牙色的床单上还留着我的体温。我把床尾的薄被拉过来盖在她的身上，关紧百叶窗，免得喷薄欲出的阳光刺到她的眼睛。

　　我拉开房门走出去，竟然不知不觉地走到了工作室的门口。我伸手握住光滑的镀镍把手，贴在门上听里面的动静，什么声音也没有。我的心咚咚地跳，手心直冒汗。

　　我有一个无法抗拒的需要，像人类对食物、房屋和衣服的需求一样。

　　我需要把那个孩子抱在怀里。

　　我毫无道理地用汗津津的手握住光滑的镀镍门把，只是出于本能和不自主的行为。

　　我知道我不应该做，但还是做了。我轻轻地转动门把，惊讶地发现门没锁。

这预示着什么。

女孩和婴儿并排躺在拉开的沙发床上，盖着一条绿色的绒毯。杨柳背对着婴儿，头钻在枕头下面，也许是为了躲避婴儿半夜的哭喊声和哼哼声，也许是早上克里斯去纽约前的洗澡声吵到了她。她呼吸沉稳，显然是在熟睡中。我踮着脚尖走进房间，轰开跟进来的猫，它慌张地钻到沙发底下藏起来。房间里挂着窗帘，与外面的世界隔绝开来，一束晨光从窗帘缝里挤进来，洒下粉红和金黄的光芒。

酣睡的杨柳注意不到我蹑手蹑脚地走进铺着地毯的房间，而我眼里也没有杨柳，没有沙发床。

只有在摇篮里等人来的可爱婴儿。

当我适应了房间里昏暗的光线之后，我发现婴儿的眼睛大大地睁着。她好奇地盯着白色的天花板，看见我的时候，她笑了。她开始兴奋地踢腿，扑腾着张开双臂。我把手插进她的后背，一只手托起她的头。杨柳哼了一声，没有睁眼。

我把婴儿搂在怀里，亲了一下她的额头，抱着她走出去。

我抱着她坐在摇椅里。"好了。"当我把她放在腿上时痛快地说出来，然后有节奏地摇摆。我数她的手指、脚指头，抚摸她如丝般嫩滑的小脸，享受着房间里的静谧。墙上的木钟嘀嗒嘀嗒地响，这是这里唯一的声音，亚光白的钟面和罗马数字在初升的阳光下隐约可见。阳光钻出了密歇根湖，建筑物朝东的一面金碧辉煌。天空中飘着云，棉絮一样的云。一群飞鸟冲上高空，我猜是麻雀。一只哀鸠落在木凉台上，隔着飘窗注视着婴儿和我。它的小眼睛炯炯有神，小脑袋左顾右盼，咕咕地问着只有自己明白的问题。街道上一片寂静，偶尔走过一个上早班或是晨练的人。公交车飞驰而过，没有在空无一人的车站停靠，出租车更是一往直前。

我光脚踮在木地板上，让摇椅一前一后地晃，前一下，后一下。婴儿的脸在我的法兰绒睡衣上蹭来蹭去，像饥饿的小猪崽寻找妈妈的乳头一样找寻可以含在嘴里的食物。

在我能喂奶的时候我坚持让佐伊吃母乳。克里斯和我没有正式地讨论过这个问题，因为这是由我做主的事情。克里斯也没有打算争论，因为母乳喂养意味着他不用半夜起来喂奶，半夜也不会被饿哭的婴儿吵醒，可以睡整宿觉，而我得一连好几个小时坐在佐伊房间的喂奶椅上。

母乳喂养有很多好处，除去省钱之外，最重要的是增强婴儿的免疫力，但是我每次喂奶的时候，克里斯看我的眼神总是不太自在。况且我也觉得这样方便，半夜起来，只需要把佐伊抱在胸前就能让她吃到心满意足。这再方便不过了，不需要准备奶瓶，不需要清洗，什么都不需要。此时，我在新生儿身上感到一种亲昵，一种不可或缺的东西，这是我很多很多年没有从佐伊身上体会到的感觉了。她曾经需要我，就像她需要我摇晃着她入睡、需要我给她换尿片一样，但是母乳喂养不一样，这是只有我能给她的，只有我。

我计划喂到她一岁的时候终止。

但是我生病了，我把自己的健康放在了首位，计划改变了。我当机立断地停止了母乳喂养，强迫佐伊食用她不喜欢的配方奶粉。我身体中的一部分似乎感到她，我的孩子，因为这个突然的改变而厌恶我，她怨恨我没有征求她的意见就把一个硅胶奶嘴塞进了她的嘴里。她会尖叫，拒绝接受这个外来的东西，拒绝喝外来的奶水。最终，她及时地接受了改变，当然也是经过了反复试验。我们尝试了六种不同的奶瓶和奶嘴，六个不同牌子的配方奶粉，她才不拒绝，不反胃地适应下来。

但是杨柳——我从婴儿在我的上衣褶里乱蹭的动作上已经完全明白——我从来没有见过她喂奶。

为什么婴儿在我的法兰绒睡衣上寻找乳头？她没有办法通过透明的塑料纽扣抵达我的胸部，急躁在她幼小的身躯里膨胀。

我没有时间仔细考虑，也没来得及想象合乎情理的环境，比如是因为我丰满的胸部，或者是因为喂的奶不够。因为她来了，杨柳站在我面前。她的长发糊在脸上，我只能看到她的眼睛。她愤怒和怀疑的眼神像天上的流星一样砸在我身上。面对这样的眼神，我突然开始怀疑这个女孩到底有多善良，多值得信任。

我再一次想起沾血的内衣。

她说："你抱走了孩子，你从我的房间抱走了露比。"

我平静地回答："对，是我。"然后脑子里迅速地编织其他的理由，"她哭了，"我撒了谎。这是最容易的一件事，张嘴就来，天生就会。"我不想你被她吵醒。反正我也起来了。正准备做咖啡。我听见她哭。"

"她饿了，"杨柳温和地对我说，她注视着我，而我注视着在我的胸前乱抓的婴儿。

"对，"我说，"我刚要去给她冲一瓶奶粉，"但是杨柳以一种我从来没有听到过的执着说："我去。"她转头看了一眼咖啡机，昨天的还剩在那里，已经冷却凝结。

"你还没做咖啡。"她说。我对自己说她正好搭把手，做她该做的。她从我腿上笨拙地抱走婴儿的时候，我又对自己说她并没有话中带刺。我一下子感觉被人拿走了什么，拿走了属于我的东西。

也许，杨柳并不是她曾经让我相信的那样天真无邪。

她带着婴儿在厨房里调奶。婴儿被她生硬地搂在一侧，愤怒地挣扎，眼睛里闪着泪花。婴儿看见我，从杨柳怀里伸出胳膊找我——我确信无疑——我还坐在摇椅里，不能动弹，也不能做咖啡，因为我脑子里一片空白，我只盼着婴儿重回我的怀抱。我血压升高，汗水顺着胳膊留下来，沾在睡衣上。我突然感觉不能呼吸，不能为肺部输送足够的氧气了。

婴儿看着我，她的眼睛一动不动，其他的东西都在晃。她的脚丫踢打杨柳，她的小手疯狂地撕扯杨柳棕黑色的头发。她满脸通红，开始对杨柳的迟缓大喊大叫。杨柳好像没有意识到自己的陋习，做起事来总是笨手笨脚的。她碰倒了奶瓶，奶瓶掉到地上，白色的奶粉撒出来，卡在地板缝里。我可以帮忙。我可以，但是我发现自己浑身僵硬，像雕像一样，我的身体被粘在摇椅里，而我的眼睛还拴在婴儿身上。

走廊里有一扇门开了，佐伊走出来，半梦半醒，带着怒火。这个孩子曾经贴在我的胸前，她需要我，只需要我。现在，她不想和我有任何关联。

"没人睡觉吗？"她走过来的时候愤怒地问，既没看杨柳也没看我。

我费力地挤出一句"早上好。"说得有气无力。佐伊东倒西歪地晃过来，赤褐色的头发乱蓬蓬的，全然一副玩世不恭的样子。

她什么也没说地坐进沙发里，打开电视，MTV，青春期前的孩子等同于咖啡因。

"你也早上好，"我嘟囔着，嘲讽地对自己说。我的眼睛盯着婴儿，充满渴望和对下一个机会的期盼。

杨 柳

弗洛雷斯夫人想要更多地了解马修。不知道为何，说起马修，我的脸上就能露出微笑。我什么也没说，但是弗洛雷斯夫人看见了那个微笑，对我说："你喜欢马修，是吗？"那个微笑瞬间消失。是的。

"马修是我的朋友。"我说。

我给她讲了马修半夜路过我的房间，在床垫下给我送书，所以我才没有变成像米利亚姆那样的傻子。

但这是以前。

马修比我大六岁。我搬进奥马哈那所房子的时候他十五岁，我九岁。不久，他就毕业了。我十二三岁，也许十四岁的时候，他就不住在家里了。有一天，约瑟夫去上班的时候，他收拾行李决定离开，但是没走远。

他没有像他的朋友那样去上大学——马修没钱上大学——他在不远的加油站找了一份工作。有一段时间，他回来的时候，不像在学校时那样给我带书，而是带巧克力棒、薯片和约瑟夫认为是魔鬼制造的其他食物。

我不知道马修晚上睡在哪里。他说得不多。有时候他说住在一个宽敞高大的砖房里，有空调和大电视，可是我知道他在撒谎。有时候他又说乘游艇游览密苏里河。他就是不想让我把他往坏处想，就这样。不过，当真是住在哪里都比住在这里强，比和约瑟夫、米利亚姆和艾萨克同住都要好，艾萨克的眼里有了和约瑟夫晚上进入我房间时同样的欲火。

马修照样会在艾萨克上学、约瑟夫上班、米利亚姆待在自己房间里与世隔绝的日子回来。他告诉我他当兵了，告诉我他在路口加油站挣得比我想象的多得多。

但是我从他的眼里看出疲惫，闻出他好几天没洗澡，很久没换衣服。我给他洗衬衫和裤子，或者在柜子里给他搜刮食物的时候，他就在我的床上睡着了。他总是在那所房子里找钱，这儿1美元，那儿几枚硬币的，然后把它们装进口袋里。我慢慢相信马修是靠那些钱活着，靠从约瑟夫那里偷的钱过日子。有一次，他在一件约瑟夫不穿的旧外套里翻出20美元，我看见他的眼神好像发了财一样。

马修想带我出去。我知道他想。只不过他不知道该怎么做。他发誓说，总有那么一天，等他有了足够的钱。就像妈妈那样，马修开始说很多的"总有那么一天"。总有那么一天，他会有足够多的钱。总有那么一天，他会带我远远地，远远地离开这里。

我想既然约瑟夫和米利亚姆抚养我可以赚钱，那么我希望马修替代他们。

但这只是我孩子气的想法，现实中的我知道这种事根本不可能发生。

我感觉到马修的变化。他现在说的事情比蟑螂和金星大。他说要带我离开这所房子，离开约瑟夫。难道我们像无家可归的人一样露宿街头吗？

马修坚持给我带书，带他从图书馆借的书。我觉得图书馆棒极了，它可以让没钱的人免费阅读所有的书，多得数不清的书。马修不止一次地给我讲起整整四层楼的书，我计算着要多久才能把它们都看完。马修每次带回一本或两本书，让我可以看到他下次来。打扫完房间，洗完衣服、倒掉垃圾之后，我就躺在床上看书，一页一页地读，不论什么书。

有时候，马修和我一起坐在床上看书。他在我的房间里显得特别高大，好像一个正常人挤在洋娃娃家似的。我感觉到马修已经不是站在我门口讲金星和虫子的小男孩了。他强壮了，不再像扫帚把，他是一个男人了。他嗓音低沉，眼神复杂难懂，不是我记忆中和艾萨克放学回家的路上紧张的、时刻提防被打的样子了。

我也感到了自己的变化。和马修在一起的感觉不一样，莫名其妙地紧张，就像他第一次走进我的房间，我不知道他要干什么时一样紧张。马修用独一无二的方式看我，用和爸爸妈妈一样的语气和我说话。我们在一起一本接一本地看我喜欢《清秀佳人》，我无数次地要求马修去四层楼高的图书馆给我借回来。当我碰到不认识的字的时候，马修会教我，他从来没有嫌我笨。

我在书里学到了很多东西。我看自然科学，明白了不稳定的气流导致了雷雨，读到有些地方几乎每天雷雨交加，懂得了事实上闪电对人和植物是有益的，不是叫人害怕的。

我开始怀疑约瑟夫搞错了，关于火和硫黄，诸如此类的东西。我开始思考，当雷雨横扫大地的时候，奥马哈小屋子里的我被震得灵魂出窍的时候，也许并不是上帝怒了奔我而来。

那不过就是一场暴风雨。

但是我不敢告诉约瑟夫。

有一天，马修来的时候，胳膊和手上都是烫伤，他的皮肤被烧掉了，烫红了，燎出水泡。他的小手臂上裹着纱布，用一只手托着，我能看出来他很疼。他进屋的时候仍一脸镇静，以为我没看见。我看见他的时候目瞪口呆，跑进厨房取来一个冰袋。

他说是他住的地方失火了。我问他住在哪里，他说收容所。我想起妈妈给那些"无家可归"的人收拾旧衣服，但是我对那个词并没有太多的理解。一想到马修穿着别人的旧衣服，睡在别人的旧床单上，我就难过。

我知道马修说住在收容所不是撒谎，因为他说的时候直视着我，但是他讲在密苏里河坐船的时候转向别处，盯着壁纸和壁纸后面的老画。

他随身带着一个包，里面有他全部的家当。他说再也不回那地方了，再也不去其他的收容所了。他受够了。

起先，他没有明确告诉我到底是怎么受伤的，只是讲了收容所里的情况。里面拥挤不堪，没有足够的床位，他有时睡在地上。他把东西藏在床下，如果第二天早上还在就是运气。他说一排排的双层床全都一样，铺着破床垫和大小不合适的床单，有的脏，有的破，也有全新的。"捐赠品，"马修说，"因为在世界其他的地方，它们不够好。"我从他的眼睛里看出那就是他的感受：在世界其他的地方，它们不够好。当时我想告诉他不是这样的。

他说那里的人吸毒，醉酒，管理人员却并不在意。他说有时为了一条十净的床单或者是一顿饱饭，他会干一些自己不想做的事情。

"比如什么？"我问。

"你还是不知道的好。"他说。

他接着给我讲那里的事情，那间收容所，他受伤的地方。他不会因为我问了或者不问就不说。我也不清楚自己到底想不想知道。

他说那是一场火灾。也许是电线老损，但更像纵火。我问"纵火"是什么意思，他说是有人对收容所的空间太小不满意，所以拿着火柴点了一个地方，死了两个人，一个男人和他十岁的儿子。逃生通道挤满了床铺和私人物品，所以只有一条路可以走。

我看着他的伤口，手上的皮肤红红的，高高隆起。我想象着马修说的房子在大火中坍塌，墙面被烧焦，变成黑色，里面的东西全都化成灰烬。这幅画面让我联想到约瑟夫讲过的罪人该去的地方，地狱。一个永远不会停止惩罚和折磨的地方，邪魔和龙以及魔王所在的地方。无休无止的惩罚，火焰之湖，炙焰火窑，不灭的火。火，火，火……

我从那时开始下定决心永远不踏进收容所一步。即使我并不知道收容所真正的样子。

"马修离开收容所之后住在哪里？"弗洛雷斯夫人问，她的问题打断了我的回忆。我在想马修和他眼睛里越来越复杂的东西。我喜欢他的眼睛，棕色，颜色越来越深，眼神也越来越温暖，就像妈妈浇在热棉花糖上的糖浆。

马修的眼神在我的印象里就是这样：温暖甜蜜，像软糖，醇厚美味。

"克莱尔,"她说,"你在听我说吗?"

在我回答之前,她的电话响了,她把手伸进包里,从最里面掏出手机。她看了一眼屏幕,眉头拧成了葡萄干。

她腾地一下站起来,把椅子推离桌子,我吓了一跳。"就到这儿吧,"她说,"我们一会儿再聊马修。"然后对墙角的男孩说"看着她,我马上回来。"她一边说一边走出了这个阴冷的房间,高跟鞋噔噔地落在水泥地上。

她离开之后,另一个警卫关上栅栏门去追她,角落里的男孩小声对我说:"如果是我,我也会杀了他们的。"

海 蒂

早上，有人敲门。

佐伊在自己的房间准备去上学，正换衣服、梳头什么的。杨柳在浴室洗漱。我在主卧里换衣服，刚穿上花呢裤子和吊带，羊毛衫还扔在床上。听见敲门声的时候，我正在匆匆忙忙地吹干头发。

我背着婴儿朝门口走，路过浴室的时候发现门没有关严。我透过门缝看见浴室镜子里的杨柳，她正在镜子前端详自己。和我一样湿的头发，水珠低落在佐伊的衬衫上。一只眼画了黑色的眼线。她贴近镜子，准备画另一只，但是，她犹豫了。她扯下佐伊的复古水洗衬衫，使劲往下扯，直到露出胸部娇嫩的肌肤。我屏住呼吸，希望婴儿也别出声。她的手指抚摸着乳白色皮肤上的一个伤口。我看见她的乳晕改变了颜色。我情不自禁地靠过去想看得更仔细些，也许是牙印，门牙和尖牙留下的印记，咬得太使劲会留下痕迹的。用力过大会对皮肤造成永久的伤害。

又一下敲门声，我惊慌失措地离开，生怕杨柳看见我张口结舌地对着她的伤疤。不能让她看见。

格雷汉姆站在门外。手里端着两杯咖啡，咖啡上倒映着芝加哥城市的天空。看见婴儿，他从我身边挤过去，把咖啡放在餐桌上。"这就是我该感谢的那个前几个晚上一直闹的人吧。"他说，"你没告诉我有客人来。"他坐下，用脚踢出另一把椅子，让我和他一起坐在我家的餐桌旁。

"克里斯去哪儿了？"他问，巡视了一下一片狼藉的房间。婴儿的用品夸张地占据了大部分地方：洗碗池里扔着婴儿奶瓶，客厅地板上堆着尿片和湿纸巾，大门口的筐里放着冒尖的脏衣服，垃圾桶散发着可怕的粪便味儿。"这么早就去上班了？"他问，努力忍受着恶臭，不去攥鼻子。快七点了。

"纽约。"我说。坐在他旁边，古龙水的香味扑鼻而来，天竺薄荷的基调搭配醉人的咖啡香。我端起杯子，深吸了一口。

格雷汉姆还是那么整洁。满头金发一丝不乱，穿着合体的圆领衫和牛仔裤。他说他几乎都是从早上五点开始写作的。因为到了工作时间，他要扮演自由记者的角色，为网站、杂志，有时候还为报纸写稿子。他把清晨的时间留给自己喜欢的小说创作。几年来，他一直在创作一部小说，那是他的孩子，他的心肝宝贝，他希望有一天它能被摆在书店的架子上。我零星地读过一些内容，很不错。那是他喝了三四杯红酒之后，禁不住我的请求和恭维，卖给我的一个面子。我看过的部分确实不错。所以我雇他在我们的非营利性网站做文字编辑，帮助我制作宣传册，编写年度申请。写申请的那些日子，格雷汉姆陪着我熬夜，顺便干掉一两瓶我新近喜欢上的雷司令。半夜，我醉醺醺、晃悠悠地回家，感觉不到克里斯有半点的猜忌，如果换成我，一定少不了些许醋意。

当我脑子不清醒、逼着克里斯承认的时候，他说："有什么可猜疑的？"接下来的话最伤人，"我实在想象不出你会成为他的菜。"我记得他扬扬自得的表情和大声说出这句话时的自信。

我花了好几天，好几个月，甚至好几年也没琢磨出这句话的意思。不是格雷汉姆的菜，意味着我不是那些时常在他的床上、让我们共用的一堵墙咚咚响个不停、震得墙边架子上易碎的小玩意摇摇欲坠的迷人的、性感的女人。克里斯是这个意思吗？我对格雷汉姆来说还不够好？我是什么，我是隔壁一个被岁月摧残的女人，一个头发由棕色渐变成灰白色，皮肤打着褶皱的女人。我是朋友、红颜知己、密友，但是仅此而已。

或许，克里斯的真正意思是"女人"不是格雷汉姆的菜，他更喜欢男人。

我无从知晓。但是现在，坐在他的对面，我想，如果有另一种生活，在某一个平行的空间里，他会不会把我当作邻家女以外的人呢？

但是，我心里大部分装的还是杨柳，她正在浴室里抚摸自己外形受损的胸部。牙印，人类的牙印。

她出来了，好像受到我内心的召唤一般，站在走廊里。格雷汉姆转眼看向她，报以最让人销魂的笑容和礼貌的问候。杨柳什么也没说。我看出来她想要逃跑，但是她笑了，温暖热情，特别的友善。她以微笑作为回应。

格雷汉姆这淡淡的笑而不是满脸堆笑实在罕见。

"杨柳，"我说，"这位是格雷汉姆，我们的邻居。"格雷汉姆说："你好。"

"你好，"杨柳说，"她醒了？"她问婴儿。我说是的。

杨柳问还有没有牙膏，我指给她看走廊尽头的储物柜。她一走开，格雷汉姆就转过身，好奇地看着我，仿佛从我这里获得了下一部小说的灵感似的，说道："快讲讲。"他迅速把我腿上的婴儿和在储物柜里寻找牙膏的十几岁女孩联系在了一起。

我们并排坐在"L"线列车上，这次是我们一起向北，婴儿被列车晃得迷迷糊糊的。阳光刺眼，建筑物一闪而过，它们的颜色和形状模糊不清，红色的砖房被扯进钢筋水泥的金属框里。车上人很多，我和杨柳挤坐在一起，腿贴着腿，她本能地往边上移了移。亲近让她感到不安，更多的是痛苦。她的表情和畏缩，让我觉得和她离得太近就像扇她的脸一样让她痛苦。毫不夸张地说，她喜欢和人保持一臂的距离，这是一个扩大的个人区域。在这个距离里，她不去碰别人，也许更重要的是，她不会被别人碰到。

她不喜欢被碰到。指尖的轻微触碰也会让她退缩。即便是眼神的碰撞，她也尽可能地回避。

我用余光看着她挡着脸的怪发型，猜测有这种表现的人是受过虐待还是虐待了别人？她深色忧郁的眼睛和她斜眼看克里斯、佐伊和我的方式，是受虐的结果还是她行为不端的体现？我和其他人一样观察着身边的女孩和她腿上的婴儿。婴儿的眼睛四处游走，她的意识飘出拥挤的车厢。在远方，我用一根手指偷偷地拨弄婴儿的脚，杨柳看不见。

他们看出什么我没看出来的东西吗？

难道他们有的疑惑是我没想到的？或者，我想到了，但是那是杨柳的禁地。我选择淡化，就像我淡化内衣上的血迹一样，对她的话信以为真，不去考虑更多的可能性。"流鼻血。"她说的。

然而，和我们一起住的日子里，她的鼻子没有出过血。

我们坐车去湖景区不需要预约的诊所。婴儿的发热症状时隐时现，随时有可能凶险地出击。退烧药只能起到暂时舒缓的作用，所以我们必须找到发烧的原因，找到让她一连好几个小时苦不堪言的根源。

不能找给佐伊看病的儿科医生，我心知肚明，这样会有麻烦。只能是自费的随诊诊所。这样稳妥些，稳妥些好。

下车后，我们徒步走过一两个街区到了拐角处的诊所。这正是一天中最喧闹的时候，十字路口车水马龙，小汽车鸣着喇叭，便道上架着跳板，拉着警戒线，四月的雨浇灌出无数个小湖。路上的行人绕开警戒区，迎着来来往往的车辆，司机使劲地按着喇叭。

杨柳把婴儿兜在外衣里，军绿色的外衣，露着一块粉色的毛毯。这让我想起第一次看见她们两个在富勒顿车站徘徊时的情景。我要求抱一会儿孩子，但是杨柳看了我一眼拒绝了。"不用，谢谢。"她说。但是我只听到否定，拒绝。我的脸红了，我感到很尴尬。

我克制着。等我们走到诊所的门廊下，在两道玻璃门之间，我一把抢过婴儿。速度之快让她没时间反应，她没有能力反应，因为门那边的人可以看见。然后我说："我们得说她是我的孩子，这样更可信，问题会少一点儿。"我推开第二道玻璃门走进大厅，没等她。

杨柳被落在后面，和我距离半步或是更远。她盯着我，冰蓝色的眼睛里燃起的怒火能把我的衬衫烧出一个洞。

杨 柳

"我从来没有离开过那所房子,"我说,"那真是第一次。"

我告诉弗洛雷斯夫人,约瑟夫和艾萨克出门之后,马修来了,还拿着一双旧运动鞋。他告诉我必须穿上它,而且帮我系鞋带,因为他要带我走,我不能光着脚走。

我不知道他从哪儿找来的这双鞋,我没问。我也没问他运动衫是哪儿来的。那是一件橘色的握手服,他帮我穿上。

"我们去哪儿?"我问。我总共问了三次,这是第一次。

"到时候你就知道了。"他说。我们迈出了奥马哈家的大门。

"你说你一直没出过那所房子,几年?六年?"弗洛雷斯夫人怀疑地问。她在冒着热气的杯子里放进一个茶包,上下抖动,像悠悠球一样上一下,下一下,她没有耐心等待茶包在水里溶解。

妈妈也爱喝茶,绿茶。闻到弗洛雷斯夫人的茶香,我一下想起妈妈,她曾信誓旦旦地说绿茶抗癌和预防心脏病,还可以防衰老。

遗憾的是它没能阻止蓝鸟在公路上翻跟头。

"是的,夫人。"我回答,极力避开她灰色的眼睛,那双眼睛把我当作骗子。"至少,那是我第一次出去,"我说,"除了后院。"那也是很少的。

"你觉得那是一个坏主意？"弗洛雷斯夫人问。

我的思绪回到马修和我离开奥马哈家的那天。我告诉她那天很冷，是秋天。天空的云层很厚。

马修带我离家出走的第一天历历在目。

"你告诉马修了吗？你告诉他那是个坏主意了吗？"

"没有，夫人。"

她把茶包提出来，放在餐巾纸上。"那么，为什么没有，克莱尔？如果你知道这个建议不好，你为什么不和马修讲？"她问。我不自觉地耸耸肩。

我记得我紧挨着马修走路，我害怕待在外面。我害怕看见树木在风中摇摆，我害怕汽车疾驰而过，我只在卧室的窗口看见过汽车。自从六年前，约瑟夫和米利亚姆把我带回他们家之后，我再也没坐过汽车。对我而言，汽车是可怕的。爸爸妈妈死于汽车。也是汽车让我到了那儿，到了约瑟夫和米利亚姆的家。

我记得马修拉着我的袖子过马路。我回头看了一眼那所房子。从外面看，那所房子最漂亮，最特殊。它不是小区里最新的房子，但是无论如何是最迷人的：干净的白墙，黑色的百叶窗，屋外一圈灰色的石头。前门是红色的。

我从来没在这个角度看过那所房子，从外面看，从正面看。

然后，不知道为什么，我开始害怕。

接着，我撒腿就跑。

"等一会儿，等一会儿。"马修说。他抓住我的衬衫不让我跑。运动鞋又大又沉，我的双脚仿佛赘着十斤重的东西。我不习惯穿鞋。在屋里，我都是光着脚走路。"急什么？"马修问。我面对他。他看见我眼里的恐慌和惊吓，看出我在颤抖。"怎么了，克莱尔？怎么了？"

我告诉他我怕车，怕云，怕在十一月的寒风中抖动的秃树枝，怕在各家窗帘后窥视我的孩子，怕有骑自行车和拿粉笔的孩子，怕他们起的绰号"白痴""呆子"。

然后，马修拉起我的手，他从来没这样做过。我小时候只有妈妈拉着我的手，后来很长时间再没有人拉着我的手。那种感觉真好，马修温暖的手握着我冰凉的手。

马修领着我继续走，走到街区的拐角处，把我拖到一个有趣的蓝牌子下。"这是我们的车站。"他说。我不明白什么意思。车站？但我还是跟着他挨着那个牌子站了很长时间。那里还有其他人，其他围着牌子转悠的人，都在等待。

马修松开我的手，从裤兜里掏出一把硬币。这时，十一月的冷风怒号，撕扯着我的头发。一辆汽车呼啸而过，车载音乐震耳欲聋，让人崩溃。我突然感觉不能呼吸，在阴冷的空气里我要窒息了，好像所有人都看着我。看不见的东西不会伤害你，我提醒自己。我靠在马修身上，努力摆脱阴冷的空气、吵人的音乐和冰冷的眼神。

一辆大公交车——白蓝相间的车身，漆成黑色的车窗——驶进我们面前的车站。马修说："我们的车。"我们和其他人一起迈上巨大的台阶。马修看见了我的犹豫不决，说："来吧，没人伤害你。"他先带我顺着脏乱的通道走到一个蓝色的硬椅子边，让我坐下，然后把一把硬币投进一个机器。公交车东倒西歪地前进，我感觉自己要从座位上掉下去，摔在肮脏的地面上。我盯着地面，看见一个往外流苏打水的易拉罐、一张破糖纸和鞋底带上来的烂泥。

"我们去哪儿？"我又问了一次。他还是回答："到时候你就知道了。"公交车在拥挤的马路上左摇右摆，我在硬塑料椅子上忽前忽后。每一站都上来更多的人，直到再无立脚之地。

我害怕的时候总是想妈妈，想她黑色的长发和蓝色的眼睛。回忆奥加拉拉，搜集所有的记忆碎片。最近能想起来的越来越少了，比如坐在西夫韦超市购物车里，看着上一个人扔在购物筐里的购物清单，纸上墨迹斑斑，蓝色笔道像波浪一样，我一个字也不认识，那时莉莉也坐在车里。我记得我咬了一口熟透了的桃子，桃汁顺着我的下巴往下流，我和妈妈哈哈地笑；我们住的活动房后有一棵大橡树，它的树荫几乎遮住了整个后院，我们坐在树下，给妈妈念那些供大人消遣的书。

"既然你那么害怕，为什么不告诉马修你不想走呢？"

我看着露易丝·弗洛雷斯咬了一口曲奇饼干，开始思考她的问题。我害怕的事情很多。我害怕外面的人，更害怕约瑟夫发现我们走了。我知道约瑟夫去上班了，知道艾萨克放学以后通常要去打工，但我还是担心。米利亚姆呢？哦，我在的时候她都不知道，我走了她也不会知道。就算这样，我还是害怕。

那么我为什么没有告诉马修我不想走呢？非常简单。我真的想走。我害怕，但同时也很兴奋。我很长时间没有走出那所房子了。那时我已经十四五岁了。六年来，我最大的愿望是爸爸妈妈活过来；第二个愿望是把莉莉接回来，我的莉莉；第三个愿望就是走出去。六年里，我最信任的人就是马修，我从没那么信任过一个人，比对安布尔·阿德勒夫人还信任。她曾经和警察一起到奥加拉拉的家通知莉莉和我，我们的亲人死了。她一脸真诚，跪在复合地板上，带着最善良的微笑对我承诺一定给我们找一个好归宿。

我从来没有怀疑过她说谎。她也认为她兑现了承诺。

但是马修不一样。如果马修说没问题，就是没问题。如果他说没人能伤害我，就是没人能伤害我。可是这不代表当我们从蓝白相间的汽车换上另一辆车，然后再换上另一辆车的时候我就不害怕了。我使劲地回忆有关妈妈的点点滴滴（达尔夫人和她的牛，妈妈做的香蕉蛋黄酱三明治的味道，还有她不管吃什么总是先咬掉外面的皮，留着里面的馅——她称它们为"内脏"——的吃相），因为这样可以打消那些把我吓得半死的想法。

"我爱你就像香蕉爱蛋黄酱。"她说。看着她顶着蜂窝式的发髻，穿着黑色的直筒连衣裙在我们的家里活蹦乱跳的样子我只会摇着头哈哈大笑。

我在公交车的沿线上看见了像奥加拉公寓一样的建筑物，用红色的压制黏土砖搭建的矮房子分散在黄褐色的草地上，还有一片同样大的停车场。我听见风从路旁的电线空隙中钻进敞开的车窗里，嗡嗡作响。我们穿过贫民区，两旁尽是简陋的用木板封住的破房；我看见堆着破车的场地和长相粗野的人在坑坑注注的便道上闲逛，无所事事地闲逛；美国国旗迎风飘扬；路边荒芜的草坪裸露着一块块的土地；几乎没有叶子的棕色灌木跌跌撞撞地扑向地面。

我们路过一个巨大的停车场，里面有的车辆支离破碎。我问马修这些车是怎么回事，他说这是废弃汽车场。我又问他用没有轱辘和门的车能干什么？

"用他们的零件。"他说。留给我自己想没有好的车轮和车门的车能做什么？我不自觉地开始寻找爸爸妈妈的蓝鸟：翻了个儿的车、撞烂的机器盖、破碎的前灯、耷拉在门边的镜子、悬在半空被挤扁的保险杠和挡泥板。当然这是我的想象。自从看了那张报纸的头版"I-80公路交通事故导致两人死亡"之后那些年，这幅画面一直浮现在我的脑海里。他们没有提爸爸和妈妈的名字，称他们为"伤亡人员"，那时我还看不懂这个词。

"我们去哪儿？"我第三次也是最后一次询问。

他的嘴边挂着微笑说："到时候你就知道了。"

"那天马修带你去哪儿了？"露易丝·弗洛雷斯问。我想起马修生活的那所房子，还有和我在一起的那些年。那些年约瑟夫一直把我关在那所房子里，我不知道马修怎么看，他只是一个小孩，约瑟夫又是他爸爸，也许他根本没在意，根本没感觉到一丁点的奇怪。毕竟，那时和约瑟夫还有米利亚姆一起生活在那所房子里是件正常的事。只有在我的内心深处我才意识到我被囚禁了，那是个错误。我猜也许马修和我一样。当马修还是个孩子的时候就是这样的，他从来没有见过米利亚姆进进出出，也从来没见过我离开。

而且，约瑟夫说没人会相信我，没有一个人。这是他诅咒我的话。那时我还是个小孩，一个没人——任何人——除了他和米利亚姆会要的小孩。

"他带你去哪儿了？"弗洛雷斯夫人又问了一遍。我说："动物园。"

"动物园？"她问，好像她有无数多的其他选择。

我回答："是的，夫人。"脸上挂着花儿一样的笑容，因为在这个世界上，除了爸爸妈妈再没有人带我去过什么地方。

动物园。以前，我曾经去过林肯的一个小动物园，但是我们没去过奥马哈。那天我们看见了羚羊、美洲豹、大猩猩和犀牛。我们坐火车进入一个看起来像沙漠的大圆顶屋子。在动物园里，马修把每一分钱都花在了我身上，还给我买了爆米花！

尽管我还是有一点儿害怕人群，但是我分分秒秒地陶醉其中。很多很多人，那时我从不知道有那么多人。我所知道的人的总和就是出现在我生活里的人，他们分为三类：好人、坏人和其他人。不是因为我多年没有走出奥马哈，而是因为我接触的人不多，除了随时可见的约瑟夫、米利亚姆、艾萨克和马修之外，就是每隔六个月左右见一次的安布尔·阿德勒夫人。我注视着每一个从身边走过的人，我一遍遍地猜他们是好人还是坏人。

也许，他们是其他人。

马修一直紧握着我的手没有放开。和马修在一起，我觉得安全，虽然我知道迟早得回家，回到约瑟夫和米利亚姆的家里，但是好像马修能保护我似的。事实上，不是迟早，而是很快，马修说我们不能冒险，必须在约瑟夫回家前到家，不能让他觉察到我们出去了。

马修说，否则约瑟夫会发怒，以致彻底地疯狂。

当天晚上我梦见了羚羊。一群在非洲大草原上奔驰的羚羊。自由自在的、无拘无束的，就像我盼望自己能做到的那样。

海 蒂

　　杨柳走进我的卧室道晚安的时候，我们已经在床上了。她的声音和往常一样焦虑不安。佐伊在我的床上看情景喜剧，每当台词里出现"混蛋""去死吧"一类的字眼或者是情侣间浪漫的亲吻时，我的心就抽搐一下。确切地说，我不知道我们是什么时候告别迪士尼频道，看上这个的。我十二岁大的女儿到了看这个的年龄了吗？她能理解电视上铺天盖地的性暗示和成人幽默吗？

　　她只是茫然地盯着屏幕：停车场里有一块冰，一个男人不慎摔倒，屁股着地，手里的一盒鸡蛋嗖地蹿上天，观众哄堂大笑。可是佐伊没笑。

　　杨柳进来的时候，她转头看了一眼杨柳，温暖的棕色眼睛却发出冷冷的光。

　　她夺过遥控器，把音量开大，试图压过杨柳气若游丝的声音。

　　佐伊在和我怄气。她嫌我突发奇想地带杨柳和婴儿去看病而忘了接她回家。足球训练结束后，她等了我一个小时，或许更长。教练给我打电话——后来又打了一次——提醒我他和我的女儿在埃尔福特公园等。芝加哥的太阳落下了地平线，越来越低。等我们赶到的时候，她的队友早就走了，教练的态度冷淡而且急躁。尽管我无数次地道歉时他勉强笑着说没事。

我们直接回家，佐伊既不和我说一句话，也不和杨柳说话。她洗完澡爬上床，说想自己待着。这个，当然，我一点儿也不吃惊，我从她空洞的眼神和阴沉的表情里看出来她恨我，就像她恨大多数东西一样。我已经把"我"和数学作业、豆子、碎嘴的代课老师一起列进了她憎恶的名单里，不断地补充，无穷无尽。

与此相反的是婴儿，她一脸笑容。咧开嘴的欢笑和动听的咿咿呀呀像轻快的摇篮曲一样充满房间。我贪婪地搂紧她，不想与任何人分享。她刚一开始在我的胸前寻觅，我就悄悄地溜进厨房准备好了一瓶奶。既没征求杨柳的意见，也没知会她。如果我问她要不要喂孩子，她可能会要求自己做，那样的话我就必须放弃婴儿，必须把孩子交给她照料，那是我绝对不能接受的。因此，我站在厨房的阴影里喂露比喝奶，一边挠着她可爱的小脚丫，一边用一块厚的擦碗布擦掉她嘴边溢出来的奶水。奶水顺着她的下巴流，弯弯曲曲的像两道花边。

"她该吃药了，夫人。"杨柳说，她突然出现在厨房里，宛如划破寂静夜空的一道闪电。我被逮住了，被抓了一个正着。当场擒获，就是这个意思。

她的话本身是温和的，但是她的眼神却刺穿了我，在那儿，在厨房里；她什么都不用说，我就知道我错了。我突然间对杨柳心生畏惧，我怕她伤害我，怕她伤害孩子。

她的形象再一次在我眼前彻底改变：喜欢热巧克力、无依无靠的女孩，十几岁、千方百计潜入我家的少年罪犯。

她站在那里，张开双臂准备接过孩子。她穿着佐伊淘汰的另一套衣服：露膝盖的牛仔裤和一件长袖衬衫。衣服穿在她身上略微有一点儿短，她的小臂上汗毛乍立，冒出鸡皮疙瘩。她穿着袜子，有一只在大脚指的位置破了一个洞。我盯着她裸露的脚指，情不自禁地想把她领回家是多么天真可笑。

如果克里斯真的是对的，他对杨柳的看法是正确的，我该怎么办？

我迅速地瞥了一眼装着瑞士军刀的抽屉，刀藏在一堆杂物里。我感觉到突如其来的恐惧，我突然想知道这个女孩是谁，她到底是谁，她为什么在我们家。

她站在那里，凝视着我。她没有问一目了然的问题：你在干什么？

但是她把孩子从我的怀里抱走了。就这样，她接过她，把我孤助无援地留在原地，难以呼吸。我帮她把液体消炎药灌进婴儿嘴里之后，她抱着孩子转身走了。我惶恐地站在厨房里。那是我刚才抱过、喂过的孩子，没有她，没有露比，我感觉好像生命突然被抽空了一样。我目送着杨柳走到我的沙发边，盘腿坐好，把婴儿放在腿上，用粉色毛毯把她包成裹着茧的毛毛虫一样。

看着手里的空奶瓶和空荡荡的臂弯，我突然想哭。我发现想要抱着露比的强烈愿望吞噬着我的身体，朱丽叶牵动着我的思绪，我的脑海里全是从我子宫中被刮掉的朱丽叶。我呼吸困难，简直不可思议，我的意识乱窜，一会儿渴望婴儿露比，一会儿渴望我的朱丽叶，被当作医学垃圾的我的朱丽叶。

不知道过了多长时间。我站在厨房和客厅中间，上气不接下气。血液中二氧化碳的含量达到危险的边缘，我感觉到嘴唇、手指和脚指针扎般地疼。我用尽全力——关节发白——靠在花岗石灶台上，不让自己倒下去。我假想自己的身体在木地板上抽搐，而杨柳和佐伊站在旁边视而不见，她们要么在看《芝麻街》，要么在看某个情景喜剧，最后我开始厌恶她们这种冷漠，尽管只是假设而已。

现在，杨柳道晚安的时候，我正站在自己的主卧浴室里，佐伊正躺在床上看一个荒唐的电视节目。她终于走进了我的卧室，并且站在这里，只是对浴室的门还有一点儿畏惧。她看着我把珍贵的金项链、爸爸的结婚戒指挂在复古的红色金丝鸟挂钩上。

我敷衍了事地说："晚安。"根本没有转身看她。一直沉默地等到她离开房间出去透口气的时候，我穿上缎子睡衣，锁好房门，躺在佐伊旁边，顺便把瑞士军刀塞到枕头底下。

夜里，我辗转反侧，睡不着的时候担心吵醒佐伊。她背对着我，贴着床边，避免和我的身体接触。佐伊，她曾经渴望爬上我和克里斯的床，曾经央求填补爸爸和妈妈之间的空当寻求保护，现在，她躲得远远的。

当我终于睡着的时候，梦里全是婴儿。很多婴儿和血。没有幸福地梦到天使和我失去的天使般的孩子们，而是血淋淋的孩子、死去的孩子和空荡荡的摇篮。我穿着缎子睡衣从一间屋子跑到另一间屋子，寻找朱丽叶宝贝，可是哪里都找不到她。我好像在回看，也许刚才我看见她躺在屋子中间，裹着她的毛毯。我连猫藏身的地方都搜遍了：壁橱里、储藏室门后、床底下。可是哪儿都没有她。

　　然后，我低头发现自己的缎子睡衣上沾满了鲜血，像是圆面包上的番茄酱。血沾在睡衣上，沾在我的双手上。我在镜子里看见自己衰老，比我上床的时候老了十岁，甚至更多。我看见鲜血染红了我棕色的头发。

　　我从噩梦中醒来，大汗淋漓，确定这是什么地方。不远处，我听见一个婴儿的哭声。

　　我从床上起来，踮着脚尖走出去。电子钟显示 2 点 17 分。走廊里一片漆黑，只有煤气灶上的灯散出微弱的光影。我把耳朵贴在工作室的门上，安静，没有声音，没有婴儿的哭声。

　　但是，我确信。

　　我握住光滑的镀镍门把，转动。

　　锁着。

　　我再试，只是为了确认一下，我的心提到了嗓子眼儿。我担心门那边有问题，千千万万个讨厌的想法钻进我的脑子，比如，杨柳翻身压死了婴儿；有个疯子从消防梯跑上楼偷走了露比。

　　我必须进屋，我需要确信她没事。

　　我可以敲门叫醒杨柳，让她打开屋门，然后我去核实窗户和婴儿的安全。我可以告诉她我担心婴儿出事。

　　如果我是对的，那么我的惊慌失措就情有可原。但是如果我错了……

　　如果我错了，姑娘们——杨柳和佐伊，她们两个——会认为我疯了。

　　我奔向厨房存放钥匙的杂物抽屉。那个锁只需一个尖锐的物体就可以撬开，一根曲别针就行。我回到工作室门口，插进我的临时钥匙，顺时针拨动，成功了！

门开在即。

我小心翼翼地转动把手，不想吵醒杨柳。门嘎吱嘎吱地被推开，我看见杨柳了，和前晚一样，她背对着婴儿，头上压着枕头。婴儿在熟睡，呼吸顺畅，她踢掉了盖在身上的绿绒毯，小身体一览无遗。我看见露比的肚子一起一伏，我知道她还活着，没有淹死在我梦里活灵活现的血水中。

婴儿在酣睡，眼睛和身体完全静止的睡眠状态。

我想抱起她，带她去客厅的摇椅里。我想在她睡觉的时候搂着她，一起进入清晨的曙光，看着最早的公交车和出租车驶向城市的马路；我想和露比一起看着太阳升起，看着粉红的金色消融在四月黑色的天空里。

接着，我的脑子里又有了一个想法，带婴儿去一个杨柳找不到的地方。

我注视着露比，身体在昏暗的房间里移动，我的影子爬上墙，一个毫无特征的形状，苍白的月光从青灰色的窗帘缝里渗进来。我一直讨厌这个窗帘，皱巴巴的，褶子太多。我把自己想象成名人或者某种形象的替身：简·奥斯汀或者贝多芬，或者没用的挡泥板女孩。她们美化了大型的设备和农夫的卡车，那些女孩长着沙漏一样的身材和丰满的胸脯。

我扶着墙稳定自己，希望自己不要呼吸，这样就不会惊动杨柳。我尽量屏住呼吸，搞得自己头晕眼花。

这间屋里也有一个挂钟，红色的数字从 2:21 变成了 4:18。转眼之间，我蹭到沙发床的床脚，我想给婴儿盖上绒毯，想挪动她，从杨柳身边挪开几厘米或者多一点儿，这样我就不用担心她会被憋死或者压扁。

　　我想抱起她，带她离开这间屋子。

　　但是我不能。

　　因为那样杨柳就发现了。

　　那样，她可能会离开。

杨 柳

在这里，我们都穿着背后缝着"青少年"字样的橘色连体服；住在砖房里，两个人一间，睡双层的金属床；我们的房间和走廊隔着坚硬的栅栏，看守是长得像男人一样强悍的女人，整夜在水泥地上巡视；我们用有缺口的餐盘盛肉类、面包、水果、蔬菜和一瓶牛奶，然后围坐在餐厅的长条桌旁一起吃饭。

这和从垃圾里捡食物、露宿街头比起来还真的不算差。

我的室友是个女孩，她告诉我她叫迪娃，但是看守叫她谢尔比。她的头发是紫红色的，眉毛却是棕色的。她唱歌，不停地唱，整夜整夜地唱。看守和其他的狱友命令她闭嘴，说会用袜子堵住她的嘴，以及闭上她的臭嘴，等等，总之各种谩骂声从我们看不见的地方传过来。我问她为什么会在这里，像我一样被关在金属栅栏里。她坐在水泥地上，因为她认准了床上有陷阱，说："你最好不要知道。"我只好自己琢磨。

她十五岁，也许十六岁，和我同龄。她的身上有各式各样的穿孔：嘴唇上、鼻子上、耳朵上。她伸出舌头让我看那上面的洞，告诉我当时她的舌头肿得有两个那么厚，好几天都不能说话，她知道有个女孩的舌头被扯成了两半。她说她的乳头和肚脐上也有洞。她还提起在橘色连体服里面的一些洞，告诉我在被关进监狱前，看守看着她取下了挂在外阴上的"J"形环，然后低声嘟囔了一句："该死的同性恋。"

我尴尬地别过头。她开始唱歌。有人让她闭嘴。她唱的声音更大了，跑调且刺耳，就像货车紧急刹车时发出的声音。

看守来提审我。她给我戴上手铐，拽着我的胳膊走进那间摆着金属桌的冷屋子。露易丝·弗洛雷斯在墙角望着窗外，背对我。她穿着一件起了球的烟色羊毛衫，黑色的裤子。桌子上摆着一杯茶，还有给我的果汁。

"早上好，克莱尔。"我们在桌子旁边坐好以后她说，但是没有笑容。墙上的钟表显示刚过10点。

弗洛雷斯夫人示意看守摘掉我的手铐。

昨天的男看守不见了，换了一个发髻灰白的中年妇女。她双手交叉端在胸前，站在墙角，枪把露在枪套外面。

"我给你准备了一杯果汁，"弗洛雷斯夫人说，"还有一个甜甜圈。"她边说边把一个纸袋放在桌子上。

她把眼镜推到鼻梁上，翻开昨天的记录。昨天说到我和马修离开奥马哈的家，坐汽车去了动物园。

"那天下午你回家之后发生了什么？是从动物园回去的吗？"她问。

"什么也没发生，夫人，"我回答，伸手摸到纸口袋，拿出甜甜圈，双层巧克力还带着糖屑，我把它塞进嘴里。"我在约瑟夫到家前回去的，"我含糊地说，"也比艾萨克早，米利亚姆在她的房间里，不知道时间，什么都不知道。我给她做了午饭，然后开始洗衣服。后来，我告诉约瑟夫我一整天都在洗衣服，我有证据——衣服晾在绳上。他永远不会知道我撒谎了。"

她递给我一张餐巾纸，示意我擦擦脸蛋。我擦掉巧克力渣，舔干净手指，又喝了一大口果汁。

我告诉她，逐渐地我习惯了和马修一起坐车出去。我们再也没有去过动物园，因为那里要钱，可是马修没有钱。我们去不要钱的地方。我们去公园，马修教我荡秋千。自从离开奥加拉拉以后，我就忘了秋千是什么了。有时候，我们只是沿着奥马哈的街道走，走过高大的建筑物，走过很多人。

然后，有一天，马修带我去了图书馆。我曾经特别喜欢和妈妈去图书馆，对此我记忆犹新。我喜欢面对那些书，喜欢闻到它们的气味。成千上万本书，多得数不清的书！马修问我想知道什么——大千世界里的任何事情——我认真地想了很长时间之后告诉马修我想了解星球。他点点头说："好的，那是天文学。"然后他像在自己的地盘似的，熟练地带我走到一大堆天文书面前，给我讲太阳、月亮和星辰。图书馆里很安静，这趟走廊里没有其他人，夹在笔直的书架中间，仿佛全世界只剩下我们两个。我们靠着书架坐在地板上，我把书从架子上一本接一本地取下来，欣赏它们的封皮：黑色的夜空，满天繁星……

我想知道很多事，但是没有妈妈，我没人可问。比如，为什么我的身体经常出血，我必须在内裤上垫上卫生纸才能不弄脏裤子；比如，为什么以前没有毛的地方长出了毛发，为什么我身体的某些部分没有理由地变大。我的生活中没有女人可以咨询。社工是唯一的一个，但是显然，我不能问她这些事情。如果我问了，她一定要问我为什么没有问米利亚姆，因为每次安布尔·阿德勒夫人来的时候，吃过白药片的米利亚姆表现几乎完全正常。事实上，她离正常太远了。

那些问题都是关于外在的，我还有关于内在的问题。尤其是有关马修的，只要他在我身边，我就有那种奇怪的感觉。我有靠近他的冲动，他不在的时候我感觉孤独。每当约瑟夫和艾萨克不在的时候，我就分分秒秒地等待马修的出现，他不来的日子我伤心难过。

马修带我走出那所房子以后，我看到了许多以前从没见过的漂亮女人，她们的头发波浪起伏，淡黄色、黄褐色或者是奶酪通心粉的颜色。她们的脸蛋美极了，她们的衣服花枝招展：长筒高跟皮靴、紧身牛仔裤、皮短裤、鸭嘴鞋、箍在胳膊上成串的手镯、低圆领衫、带网眼的毛衣，深红色、翠绿色或者深蓝色的毛线下隐约可见的胸罩。

我有一个胸罩，装在上次约瑟夫扔给我的一包衣服里。我拆开包裹的时候差点失望地哭出来，要知道我那时候想要的是高跟鞋和手镯。我想戴着胸罩穿一件薄透的衬衫给马修看。

我和马修并排躺在我的床上看他带来的书，我们挨得很近，枕在一个凹凸不平的枕头上，我们贴在一起。马修斜靠在床头，他的腿和身体圈在我的身体外面，他歪向我这一侧，这样我们就可以同时看见书上密密麻麻的小字了。我最喜欢的书里有一本叫《清秀佳人》，我求马修借了很多很多次，我知道他肯定要看吐了，但是他从来没有抱怨过，他总是说他也喜欢。

但是不管那本书多么吸引我，我还是想马修，什么也做不了。我想他翻页时手指蹭到我的手的感觉，我想我的腿在毯子里贴在他的牛仔裤上的感觉，我想他在床上调整位置时肘弯意外地碰到我胸部的感觉。马修大声朗读安妮·雪莉和卡斯伯特的时候，我完全沉醉在他的声音、他的气息——潮湿的霉味和烟草的味道——他指甲的形状和幻想中。

马修会和我在床上躺很长时间。有时候，他会突然站起来，转到床的另一头。

仿佛我们做了什么错事。

安布尔·阿德勒夫人差不多每半年来一次。在她来访前几日，约瑟夫让我帮他喂米利亚姆吃药。然后，一切按部就班地发生，米利亚姆感觉越来越好，能起床了。我们开窗换气，赶走她的臭味。我洗澡，约瑟夫换新衣服，他让我坐在餐桌旁，给我剪头。社工开着她的破车、拎着超大号的耐克包出现的时候，屋里弥漫着柠檬的清香，米利亚姆的举止趋于正常，冰箱门上贴着约瑟夫伪造的读书笔记，上面印着我的名字。

"你写的？"安布尔·阿德勒夫人可爱的小手举着读书笔记问我。我撒谎说："是的，夫人。"

我当然没写过什么读书笔记。我从来没去过学校。但是约瑟夫像对上帝一般忠诚地看着她，说我的阅读和写作都没问题，只是不服管教的老毛病没有改。这时安布尔·阿德勒会把我拉到一边，提醒我有多么多么幸运走进约瑟夫和米利亚姆这样的家庭，我应该更注意自己的行为，表现出稍许的尊敬。

社工继续带来保罗和莉莉·赛格尔的来信，还有我的小莉莉写的信。大莉莉告诉我露丝（莉莉）长成大姑娘了。她想让一头黑发不停地长，最近刚剪了刘海儿。她有很多朋友，比如佩顿、摩根和费丝。她特别喜欢学校，她非常聪明，酷爱音乐课。她问我会什么乐器吗？我喜欢唱歌吗？她告诉我露丝（莉莉）是个音乐天才。她好奇这是遗传吗？莉莉已经可以自己看书写作，所以给我写了短信。她还在信纸上简单地画了一根树枝和一只红鸟，上面有她的签名：露丝·赛格尔。每年秋季，里面会夹带一张新的学生照。我的莉莉总是兴高采烈，总是一脸欢笑。我从照片上看出来她长大了，越来越像我们的妈妈。我对着镜子看自己，却找不到一丝妈妈的痕迹，而我在小莉莉的脸上看到了妈妈。社工走了之后，约瑟夫命令我把照片撕成了碎片。

"我开始对莉莉放心了。"我告诉弗洛雷斯夫人。

"为什么？"她问。

"因为莉莉在赛格尔家高兴。她如果和我在一起，不会那么高兴。"

我一想到约瑟夫像对待我那样对待莉莉，虽然只是一个想法，我就恨不能用锅底砸他的头。这种想法慢慢地在我的脑子里膨胀，直到我从八岁变成十五岁，长大到完全明白约瑟夫没有权力进入我房间的时候。

"你为什么不告诉社工约瑟夫做的事？"弗洛雷斯夫人问，"如果真如你所说。"弦外之音是我在撒谎。

我看向一边，拒绝回答。之前我回答过这个问题。

"克莱尔，"弗洛雷斯夫人严厉地说，她的声音冷冰冰的。我没有做任何答复，她低头看着记录，"据我所知，克莱尔，你没有做任何事去改变你的境遇。你可以向阿德勒夫人投诉约瑟夫的行为。你应该通知——"她又看了一眼记录，保证自己没说错"马修。但是你都没有。你选择自己解决。"

　　我拒绝回答。我把头放在桌子上，闭上眼睛。

　　她一巴掌拍在桌子上，我惊了一下，看守跳了起来。"克莱尔！"她吼叫着。我不会抬起头的，不会睁眼的。我想象着妈妈拉着我的手。坚持不动，没有那么疼。"小姑娘，"她说，"你最好合作一点儿。不理我也于事无补。你有大麻烦了，比你想象的更麻烦。你面临两项谋杀罪名，不算——"

　　这时，我抬起头，盯着她，一直看进她灰色的眼睛里，看进她长长的银发里、起球的羊毛衫里、皮肤的皱纹里、大马一样的牙齿里。灰色的砖墙从四面挤压过来，阳光从唯一的一扇窗户里透过来刺进我的眼睛。头疼，毫无症状地头疼。我想象着一个婴儿，一片鲜血，我所有的勇气瞬间遁入地下。前门开了。我的腿抖个不停。一个声音命令我走。走！

　　我在想：两个？

克里斯

我终于找到机会和海蒂谈谈了，婴儿还在没完没了地抽泣。我问海蒂怎么回事，她只是说："是药效上来了。"她一直抱着孩子摇来摇去，想要安抚她，让她安静下来，连说话的时候都有些气喘吁吁。

"发烧？"我问，然后继续在我的电脑上打字：此处所指的证券投资是高风险……我没继续听，她接着说发烧不是什么坏事——她脱口而出的数字对我没有意义，即使我的命在那些数字里，我也不会多想的——然后喋喋不休地讲她们去湖景区诊所看病的事。

"找佐伊看病的医生。"我提醒她。

打个电话就可以轻松地解决这些麻烦了。

但是她说："现在不行，克里斯。"她突然闭嘴，她不想听我唠叨。她知道我会说那个女孩，我会觉得她疯了才留女孩在家里住，我们三个人已经够挤的了，更别说五个了，还有如果事情败露，我们都会进监狱的。

股权分割没有……

她告诉我带婴儿去湖景区诊所看的是家庭医生。为了避免多余的询问，她们说孩子是海蒂的。我于是想象着海蒂在这个岁数有个婴儿的情景。海蒂真的没老到不可以有孩子，但是我们已经对尿片、奶瓶什么的太陌生了。

显然，孩子是谁的并不重要。当她们站在诊室里，心急如焚地想要一剂神药治愈孩子的时候，医生关注的只有孩子的高热。

我从她的声音里听出疲惫。我满脑子都是她：乱糟糟的头发，可能一整天都没洗澡了，头发一缕一缕的，像意大利面，她不好好洗头的时候就是这个样子；棕色的眼睛透着疲惫和烦躁，眼袋浮肿。我看出来她有点儿手忙脚乱，我们说话的时候，她把一听汽水放在灶台的边缘，不巧汽水却掉了下去。

黏糊糊的棕色液体砰的一声喷出来，涌到实木地板上。

"混蛋！"她骂道。她从来不说粗口的。我看见她趴下，用纸巾擦地。头发糊在她的脸上，她吐口气吹开。她实在是太狼狈了，绝对需要洗澡睡个好觉。她的眼神游离不定，脑子里有千万个想法在横冲直撞。

这种现况已经伤害到我的妻子了。

海蒂说前几天她坚持给婴儿的屁股涂抹润肤乳很有成效，医生几乎没提湿疹的问题。在排除了所有发烧的病因之后，医生用导管抽取尿样进行化验才知道原来是尿道感染。

"她怎么得的这个病？"我问。想起她每次小便时的灼烧感和导管穿进她稚嫩的膀胱时的感觉，我不禁愁眉苦脸。

"不讲卫生。"她简单地回答。我想起来婴儿沾满污物的尿片，老天知道她用了多久。排泄物里的细菌侵入了膀胱和肾脏，导致了感染。

医生给婴儿开了抗生素，要求妈妈从前往后地给她擦屁股。这是佐伊戴尿片的时候海蒂对我反复强调的命令。我的脑子里出现杨柳坐在沙发上看电视的画面，她习惯对着电视发呆。她不到十八岁，我提醒自己，她是个需要提醒才记得洗手的小孩子。要提醒她吃蔬菜、叠床。提醒她从前往后地给她的孩子擦屁股。

我一直在等马丁·米勒，那个私人侦探的回信。虽然我在网上已经无计可施，但还是绞尽脑汁地想推进一下，希望能给他提供一些线索。我想要一张杨柳·格里尔的照片，但是我既不期望杨柳同意让我给她照相，也不期望海蒂说声"可以"。我在琢磨那只棕色的破皮箱，她离开房间的时候把它塞到沙发床下面，以为这样我们就不知道它的存在了。我想打开它一探究竟，也许能发现点什么，随便什么信息，比如驾照、身份证，或者有通话记录的手机。

马丁建议我收集指纹，从玻璃杯、遥控器或者其他她动过的东西上提取，这样可以证明她真实的身份。他指导我如何保存杨柳·格里尔的指纹，然后寄到他的实验室。

但是这些都要等我出差回来才行。

我收到了 W. 格里尔的回复，确认她已经死了。是自杀，她说到做到，结束了自己的生命。

不过，也许她蛰伏在芝加哥的某个公寓里，希望全世界相信她死了。我怎么知道？只能是每天看一下，以防万一。

"她对她的胎记很感兴趣，"海蒂的话打断了我的思路。

"谁？"

"医生。"

"婴儿的胎记？"我问。我想起海蒂给她垫着蓝浴巾擦身体的时候，我在她的腿后面看见过一块。

"是，"她说，"据说那个叫葡萄酒色痣。"我想象着一杯葡萄酒洒在她腿后的样子。她说起血管胎记和毛细血管扩张，还说婴儿皮下血管扩张。按照医生的建议，她对我说我们应该考虑激光切除。她这样说好像这是我们该考虑的事。我们，她和我，好像我们在谈论的是自己的孩子。

我仿佛看见我的妻子，散着意大利面似的头发，睁着疲惫的双眼，面无表情地对着电话说："医生说随着孩子的成长，他们会为此而自卑。趁婴儿的血管还比较细小，治疗更容易些。"

我没说话。我无言以对。我张开嘴，又闭上。因为实在没什么好说的，我问："佐伊怎么样？"海蒂回答："挺好的。"

对于胎记，我只字未提。

我们的对话从胎记转到天气，海蒂的声音听上去有气无力，已经到了极限，就像弹簧玩具一样，拉开太大就回不到原来的位置了。我差一点儿就心生愧疚了，差一点儿。

当时我的记忆飘回到我和海蒂没有孩子之前的日子里——在佐伊之前，在她不愿意承认的严重地毁了她生活的流产之前——每周六晚上，在我们以前住的公寓里，我们会一步两级地从楼梯爬上楼顶的平台，观看海军码头的烟花。我怀念我们坐在一起的时候，坐在一条长凳上，喝同一瓶啤酒，注视着城市的风景。那时我们有那么多的愿望：环球旅行，到处观光，一起参加三项全能竞赛。当我们有了一个孩子的时候所有的计划都泡汤了。我从来不想过这样的夫妻生活，不想两个人被各自的理想和共同的孩子折磨得精疲力尽，这种生活应该被看似更有意义的生活所摒弃、所掩盖、所代替。

我渴望婚姻让海蒂和我成为队友。但是最近我感觉我们好像是对手，打比赛的对手。在女孩和婴儿的乱麻里我开始烦她。

然而，再想想她疲惫的眼神和意大利面似的头发，我对自己说这是她的一贯作风。

无论如何，我总忘不掉那张字条，那张装在我的公文包里只写着一个"是"字的字条。我在机场把它掏出来，拿到飞机上。到了纽约，在市中心的豪华酒店办入住的时候我把它掏出来。在前台和卡西迪、汤姆、亨利分手各奔房间的时候，我又把它掏出来。我的房间富丽堂皇，我坐在整洁的白床单上掏出字条，拿在手里。我不知不觉地开始研究这张字条的细节。她哪来的紫色便签纸？她的字迹潦草，是因为紧张吗？还是因为婴儿的吵闹时间仓促？还是她的书写本来就比我的还糟？

我在琢磨她写字条的时间：是她听见关门的声音，在佐伊的呼吸变得沉稳，我们刚睡觉的时候？还是半夜，被人虐待的记忆像瘟疫般缠着她，让她整夜辗转反侧无法入睡的时候？再或者是凌晨，她听见我的闹钟响，趁我洗澡的时候蹑手蹑脚地到门口打开了我的公文包，然后返回屋里。

谁知道呢？

现在，过了一天，会议结束后我约汤姆、亨利和卡西迪二十分钟后在酒店的酒吧见。我在犹豫要不要告诉海蒂字条的事。但是告诉她有什么好处呢？只会让她更跟着感觉走。有证据表明女孩受虐——只是她承认了——足以让海蒂提出收留她，永远的，就像那两只可恶的猫一样。

有人敲门。我掩盖不了这个声音，所以对着电话大声喊道："谁？"然后我撒谎说是"服务生"。我不能承认是卡西迪过来校对募股说明书——我们要卖的公司概况和资产分析——晚些时候，我们一起去酒吧。

我从床边往门口走，举着电话告诉海蒂我叫了客房服务。然后说我今晚要熬夜完成上周末就该完成的募股说明书。我点了鸡肉三明治和乳酪蛋糕。如果能按时完工，我可能会看小熊队的决赛。

我打开门，果然不出所料，卡西迪站在门口。她涂着鲜红的口红，让我除了她的嘴唇什么也想不起来了。

我竖起一根手指放到嘴边，轻轻地嘘了一下。

接着，为了让海蒂听见，我提高嗓门说："你带番茄酱了吗？"然后看着卡西迪忍俊不禁的样子。

我感谢虚构的客房服务员，砰地关上门。海蒂让我挂上电话趁热去吃饭，我觉得自己真该下地狱。

"爱你。"我说。海蒂说："我也爱你。"

我把手机扔到床上。

我看见卡西迪气鼓鼓地走进来，就跟这是她的房间似的。没等我邀请就毫不犹豫地跟进来，一点儿都不像往常的她。

她换了衣服。只有卡西迪会为了一杯睡前酒特意换套衣服。她用无袖修身的铁红色希腊裙装换掉了黑色正装。她坐到黄色的矮沙发上，跷起二郎腿，先问了募股说明书的情况，接着问起海蒂。

"她很好，"我说着打开电脑上的募股说明书，我把电脑递给卡西迪的时候小心地避免碰到她的手。"是的，她很好。"

在我准备说第三次的时候，我找了个借口离开了。我强迫自己盯着她的眼睛，而不是她的大腿、嘴唇或者铁红色裙子里的胸脯。不大，但是也不小，在她柔和的曲线上恰到好处。太大会影响整体的美丽。我站在浴室门口，看着黑色水盆上摆着的酒店用品——洗发水、护发素、浴液、肥皂——想她会显得不成比例。我拆开肥皂洗脸，冰冷的水扑在脸上抑制住我对她胸部的遐想。

还有她的长腿。

她的嘴唇，红唇，辣椒的颜色。

不一会儿她在隔壁叫我，我用毛巾擦干脸，从浴室出来。坐到她旁边的另一个黄色矮沙发上，然后把沙发拉到圆桌旁边。

我们过了一遍募股说明书。我把精力集中在"股份""股票"和"每股资产净值"等字眼上，而不去关注划过屏幕的芊芊玉手和在我的腿边蹭来晃去的铁红色裙边。

看完之后，我们坐电梯下楼。在电梯里，我们并排站在一起，卡西迪斜着身子向我靠过来，嘲笑一个和我们一起下楼的带着劣质假发的男人。她仰着脖子大笑的时候，用手指甲掐着我的前臂。

我想知道别人怎么看我们：我戴着结婚戒指，她没有。

他们会把我们当成来纽约出差的同事，还是其他的关系——奸夫淫妇？

在酒店的酒吧里，我拽过一把钢制的吧椅，这样卡西迪只能和汤姆还有亨利一起坐在矮沙发上。我们喝酒，喝了太多。我们聊天，讲八卦新闻；拿同事和客户开心，太轻松了；讽刺伴侣，然后谁的妻子成为笑柄，谁就要被取笑。

卡西迪呡了一口曼哈顿，在鸡尾酒的杯口印下宝石红的唇印，她说："看见了吗，先生们，这就是我不结婚的原因。"我不知道她说的"看见"指什么，是她不愿意被取笑，还是不愿意取笑她发誓深爱的伴侣？无论顺境还是逆境，无论疾病还是健康，永远永远……

或许是一夫一妻制让她却步。

后来，在厕所里，喝得酩酊大醉的亨利递给我一个避孕套。"以备不时之需。"他说，然后放荡地大笑起来。这是亨利·汤姆林特有的黄色幽默。

"我觉得我和海蒂不用避孕。"我说。但我还是接过来，并且装进裤兜，因为我不想表现得很无礼，也不想把它扔在马桶里。

亨利靠近我，喷着浓烈的老田纳西杰克丹尼威士忌的酒味，露出粗鄙的本来面目，嘟囔着："我不是说海蒂。"然后冲我眨眨眼。

我们忘了时间。汤姆又开始了新的一轮，给我和他自己点了比尔森啤酒，给亨利点的还是杰克丹尼，给卡西迪的是阿拉巴马监狱。卡西迪把鸡尾酒里的水果拣出来——橘子和马拉斯金樱桃——先吃掉。酒保宣布："打烊了。"

这时，我也把手机忘得一干二净，它还在床上，被压在白床单的褶皱里。

海 蒂

佐伊头疼鼻塞，早早地上了床，也许是春天过敏，也许是流行感冒，很难区分。每年的这段时间都是这样，树木花粉已经无孔不入，可是寒流和流感还迟迟不走。我给她吃了止痛药和抗生素，她很快在药效的作用下睡着了。我轻轻地吻了一下她的额头。此时开着电视，真人秀节目的声音弥漫在房间里。

我去客厅和杨柳坐在一起。她在闷头看《清秀佳人》；我假装对着电脑工作。现在，工作是离我最遥远的事情，我已经三天没上班了，三天没想过和工作相关的事。

我的缺勤惊动了办公室，他们送来一大束玫瑰和百合花，还有一张早日康复的贺卡，现在都摆在餐桌上。每天早上，我会给优秀的前台达纳打一个电话，用我最低沉的嗓音告诉她我不舒服，百分百是流感，我埋怨自己愚蠢地忘了打疫苗。我的体温徘徊在38.8摄氏度左右，全身疼，从头发丝疼到脚指头。尽管一件一件地加衣服，可还是得裹着毯子，就这样也感觉不到暖和，不停地发抖。我只能祈求老天保佑佐伊没事，作为一个称职的母亲，我当然没忘给她打疫苗。

"但是现在，"我说，然后我突然咳嗽了一声，听起来真真切切。

我暗自窃喜，以前怎么没有意识到自己有演悲剧的天赋呢——肺部的挤压和从胸腔里涌上来的黏液，像莫纳罗亚火山的熔岩一样——"还不知道。"

当然，没有一句是真的。

我发现自己特别会编瞎话。

我目不转睛地注视着在地板上熟睡的婴儿，迫不及待地等着她醒来的前奏——忽闪眼皮，挥舞小手——我会从椅子上扑到她身边，抢在杨柳前一秒钟，就像小孩子玩纸牌游戏一样，看谁第一个发现"J"，并且以最快的速度把手压上去。

我胡乱地敲着键盘，以此证明我在工作。

我的视线从露比转到杨柳、从杨柳转回屏幕、再从屏幕回到露比，周而复始。此刻，我的眼有点儿花，突然感觉天旋地转。

稍事休息后我听见墙的另一面响起格雷汉姆和他新女友的笑声，她的声音轻浮做作。他们在调情。这是格雷汉姆的特长。我看见杨柳从书上抬起眼睛在听，她在听他们放荡的笑声和尖叫声。当她的眼神和我的眼神交会的时候，她的冰冷刺破了我的心虚，我迅速地避开。我想起赭石色的瘀青，想象什么事会让杨柳这样的人动手打人，想象一个人在失去理智之前到底可以忍耐多久，承受多少虐待。

我不能看她，她的眼神让我心惊肉跳。我盯着白墙上的木镜框，里面是克里斯、我和佐伊的黑白照片拼贴，还有专门放猫照片的镜框，中间的纤维板上有手刻的"家庭"两个字。

我拍了拍紫色睡袍的口袋，感觉到瑞士军刀的存在。

防患于未然。我记着克里斯的警告：你到底对别人了解多少？

这时，婴儿开始躁动，她在忽闪眼皮，在挥舞小手，但是那是杨柳——不是我——闪电般地冲到婴儿旁边，从地板上把她举起来。她的胳膊在抖，颤颤悠悠的，刹那间，我以为露比要掉下来了。我腾地站起来，迈步向前想要接住垂直下降的孩子，但是杨柳的眼神阻止了我，她瞪着我，洋洋得意的样子，无比快乐地享受着我的窘迫。哈！那是嘲笑我的眼神"我赢了"，仿佛她早就知道我一直在等，耐心地等待抱起婴儿的时刻，等待可爱的婴儿醒来，把她搂在怀里的时刻。

我抬起一只手捂住嘴，拦住脱口而出的尖叫和从心底深处迸发的惊恐。

"你没事吧？"她回到椅子上，用粉毛毯裹好婴儿，问我。我没有很快地做出反应，她又问道："夫人？"

我闭上嘴，把手挪到破碎的心口上，撒谎说："没事，没事。"山雨欲来风满楼，我发现当你用外表的平静掩饰内心的混乱时，撒谎是如此的轻巧。

我突然想起卧室里的电视，太吵了。真人秀节目插播的广告正在扯着嗓子连哄带骗地推销某种桉树叶味的衣物柔顺剂。我被激怒了：声音太吵，该死的广告！我诅咒电视台，诅咒网络，诅咒桉树叶味的衣物柔顺剂，我永远也不会买。我大步走进卧室，气愤地按下开关，也许是太使劲了，电视在柜子上向后滑了一点儿蹭到墙上。我身后的大双人床上，佐伊盖着马特拉斯被子翻了一个身，即便睡着了手里还握着遥控器。

她哼哼了一声。

我的心像擂鼓一样咚咚地跳，我好像完全失去了知觉。无能为力，在崩溃的边缘。我站在那里，在卧室里，盯着空白的电视屏幕。我突然感觉到一阵恶心，双腿颤抖，就那么一瞬间，我感觉自己的心脏停止了跳动。

就像玻璃水在脏玻璃上流淌一样，黑暗蒙上我的眼。我摸黑挪进浴室，坐在浴缸沿上，把头埋在双腿间，让血液重回大脑。

我摸索着拧开水龙头，让水一直哗哗地流，这样如果佐伊迷迷糊糊地醒过来的时候，就不会听见我的哭声。

视觉恢复的时候，我看见墙上复古的红色金丝鸟挂钩。还有一个笨手笨脚地修补过的洞，是克里斯钉挂钩的时候砸歪了留下的纪念。

挂钩是我和詹妮弗六七年前在凯恩的跳蚤市场里买的。有几年休假的时候我们常去逛街，最近也要去离城六十多公里的查尔斯街。我和詹妮弗走马观花地欣赏那些我们不需要的古董和收藏品，佐伊和泰勒则安安静静地坐在红色的小车里吃热狗和爆米花，心满意足。

挂钩，空着。

我摸了一下脖子，也空荡荡的。我清清楚楚地记得链子——套着父亲那枚内圈刻着"永远的开始"的结婚戒指的金项链——挂在金丝鸟上，在我离开去和佐伊道晚安，亲吻她的额头之前，它还在。然后我离开卧室，回厨房去清洗堆在冰冷的灶台上的锅碗瓢盆。接着我把臭烘烘的垃圾袋扔到楼下的垃圾站。最后我坐在电脑前心不在焉地敲击键盘，徒劳地等待露比苏醒。

她拿走了我父亲的结婚戒指。

突然，我感觉他又死了，我的父亲又死了一回。我感应到那天早上妈妈从克利夫兰的家里打来的电话。爸爸已经病了好几个月，我早该做好心理准备，他要死了。但是，当这句话从妈妈的嘴里说出来的时候，她没有特别悲伤，反倒像是说个通知一样，而我完全傻了。一连好几个星期，我坚持认为是他们搞错了，是我没听清楚，这是不可能的。我出席了葬礼，我看见一个和我父亲很像的人——但是他冰冷而且像橡胶，表情柔和却很怪异——被埋进地下。我，像个称职的女儿该做的那样，在棺材上放下玫瑰花，因为妈妈结婚的时候捧的就是玫瑰花，淡紫色的玫瑰花。

虽然，我内心坚信里面的那个人不是我爸爸。

我每天给他打电话，给我爸爸打电话，他不接电话，我着急担心。每次都是妈妈接，她用最温柔和蔼的声音说："海蒂，亲爱的，你不能总是这样没完没了地打电话。"可是我停不下来，她建议我和克里斯去见见什么人，见见能帮助我度过悲伤的人。我拒绝了。

我拒绝见什么人——心理咨询师、精神病专家——妇产科大夫杀死朱丽叶，摘掉我的子宫以后也这样建议。

纽约时间快十点了。我从兜里掏出手机给克里斯打电话，我要告诉他杨柳偷了我的东西，但是电话响来响去就是没人接听。

过了十分钟，我再拨。我知道他是夜猫子，肯定还没睡觉，一定还在奋笔疾书地赶写他提过的募股说明书。

他说过的。

还是没有应答，我发了一条短信：回电话，尽快。然后我继续空等了二十分钟，也许更长。

我开始烦躁不安。

我在网上查到曼哈顿酒店的电话，我打到前台，请她帮我转到克里斯·伍德的房间。因为怕吵醒佐伊，我的声音很低，前台总是让我重复。我等着她拨通分机，过来一会儿她道歉说："夫人，房间电话没人接听。您需要留言吗？"

我挂断电话。

我在考虑要不要把电话转到卡西迪·克努森的房间。

我想要不要搭乘航班飞往纽约，不计后果地现身在他住的酒店大堂，抓住这两个飞来飞去、忘记世界、纵情欢笑的人。我似乎看见卡西迪和克里斯穿着酒店的浴袍，看见贵宾室特供的香槟和草莓。对的，当然是草莓。

房间的门把手上还挂着"请勿打扰"的牌子。

热血顿时涌上脖子，耳朵嗡嗡作响，剧烈的心跳让我头晕眼花，我再一次把头垂到腿下，调整呼吸。对我的丈夫和那个女人的一股邪念油然而生，我盼着飞往丹佛的飞机失火坠毁。

"露比该吃药了。"我听见那个女孩怯懦的声音，那个惯偷，是她偷走了我爸爸的结婚戒指。

我想要怒吼，但是，我极力克制着自己说道："你拿了我父亲的结婚戒指。你拿了戒指。"我想冲过去掐住她的脖子，掐灭她的生机，因为她拿走了这个世界上对我最重要的东西。

可是我依然坐在浴缸沿上，隔着睡衣摸着瑞士军刀直棱棱的边缘。它是灵活多样的工具，你也可以把它当作武器：开瓶器、剪子、螺旋锥，当然还有刀。

"什么？"她弱弱地问，好像她是那个虚弱的受到伤害的人。被抢了，被盗了。她的声音轻飘飘得几乎听不见，她拼命地摇头，发疯似的，低声唠叨着："没有。"

她的眼睛不敢直视我，双手有些无所适从的样子。她频繁地眨着眼睛，白皙的皮肤开始泛红，这是典型的撒谎的表现。我抬起脚的时候，她迅速地跑开，嘴里嘟囔着上帝、宽恕和仁慈一类的话。

她似乎在忏悔。

"它在哪儿？"我问，追着她走进客厅。我的步伐小，但是速度快，比她的频率快半步左右，我们间的距离越来越小。我穿着羊皮拖鞋冲上去，抓住她的肩膀把她的身体扳转过来，强迫她看着我，像对待做伪证的人那样目光对视。她一下子躲开，我冒犯了她的领地。她把手背在身后，不让我再碰到它们。

"我父亲的结婚戒指在哪儿？"我意识到婴儿在地上注视着我们，所以这次我改成了询问的语气。然而，她在咬从脚上扯下来的圆点袜子，她的头顶悬挂着浅粉色的小猪，对房间里让人窒息的紧张气氛却浑然不知。

"我没拿。"杨柳撒谎，她的声音像蚯蚓和水蛭一样软绵绵的。"我发誓，夫人，我没拿戒指。"她说着，但是眼神还是那样的诡计多端，装出我曾经以为的敏感、天真的年轻女人的样子，但是我现在看到的是另一个人，她狡猾精明，圆滑刁诈。

她逃避我的目光，她的皮肤在不自觉地抽搐，好像一下子换上了箭猪长满刺的皮。

她在表演。

她的话断断续续地冒出来，生硬而且不连贯，一连串的否认：我没有拿，我发誓。她不停地打着手势，脸色通红。

这不是演员辅助性的动作吗？

她用谎话和无聊的小伎俩，还有天真无邪的眼神欺骗了我。她清楚地知道自己在做什么，从站在雨中，等我在富勒顿车站拦住她的第一天开始。

等着像我这样的一个人上钩。

"你把它怎样了？"我火急火燎地问，"你把戒指怎样了？"

"我没有拿，"她又说，"我没有戒指，"使劲地摇头，像钟摆一样从一边摆到另一边。

但是我认准了："你拿了，你拿了它，从浴室的挂钩上。你拿了我父亲的戒指。"

"夫人。"她恳求着，几乎是哀求，如果不是太装模作样的话，她的声音令人心碎，真的。她后退一步，我上前一步，步步紧逼。我的行为，这种粗鲁的行为，虽然只是一步，还是吓到了她。她的内心在退缩。

我的手握住睡袍里的瑞士军刀，紧紧的，然后大声喊出一个字："走。"

我感觉自己的手在颤抖，刀在颤抖。我心想，别逼我……

她一直在摇头，急促地摆来摆去，深褐色的头发挡住她鼓出来的眼睛。她喃喃地吐出一个字："不"。接着她开始求我让她留下，求我别赶她走。外面开始下雨，又下雨了，雨点啪嗒啪嗒地敲着飘窗，还只是绵绵细雨，算不上暴雨，至少现在还不是。

晚间的天气预报并没有报道。

"走，"我又说了一遍，"现在就走。趁我还没有报警。"我走到厨房灶台的电话旁。

"求你不要，"她乞求着，"求你别赶我走。"她望着窗外的雨。

"你拿了戒指，"我一口咬定，"还我戒指。"

"求你了，夫人，"她说，"海蒂。"试图拉近和我的感情，但是给我的印象却是她越发地无礼和放肆。这种冒失让我想起她的自欺和自负，其他的都是伪装和谎言。她装出一副可怜的模样混进我的家，偷走了我的东西。我在想她还拿了什么：波兰陶器、祖母的珠宝、克里斯的纪念戒指。

"是伍德夫人。"我义正词言地说。

"我没拿戒指，伍德夫人。我发誓，我没拿戒指。"

"你把它卖了，"我说，"你卖到哪里了，杨柳？当铺吗？"

林肯公园里就有一个，我一清二楚，店面在克拉克街上挂着牌子：收购黄金。我心想是那个下午，我打盹的时候。她在我睡觉的时候当掉了戒指？不对，我今晚才把项链挂在钩子上，然后我吻了佐伊，和她道晚安，调暗灯光，收拾厨房，打开电脑工作，不是工作，是假装工作。

难道是昨天晚上？我突然恍惚了，分不清是哪天，搞不清是怎么回事了。

反正我确信是她拿走了戒指。

"你卖了多少钱？"我突然又问，她没有出声。我重复道："你把我爸爸的戒指卖了多少钱？"我想，五百美元？一千美元？我一直攥着瑞士军刀，大拇指不自觉地捋着刀刃，直到被割出血。我没感觉疼，但是我看到血，一滴，两滴，从紫睡袍里渗出来。

她开始满屋子收拾自己的东西——奶瓶、奶粉；她从书房里把破仔裤、系带皮靴、军绿色的外衣和旧皮箱拿到客厅，拉到门口，堆成一堆儿，阴沉着脸对着我，她眼神里虚伪的绝望已经被坚忍所代替。

她走过去抱起地板上的婴儿，我突然妥协了。

看在我死去孩子的分儿上，我心里是这么想的，可是我嘴上说的是："你照顾不了她。你和我一样心知肚明。如果没有我，她可能已经死于感染。"

尿路感染不及时治疗将导致败血症。

没有治疗，谁都得死。

这不是我说的，这是医生说的，不是吗？是医生告诉我们的，她要知道婴儿这样情绪焦躁和发烧持续多久了。

"一周，也许两周。"杨柳懊悔地说，我打断她的坦率说："就几天，亲爱的，不到一周。"如果医生知道我们让炎症持续了好几周，而且任凭她发烧，我知道她会怎么想。在俗气的诊室里，我抬眼看了一眼医生，评论杨柳说："她特别没有时间概念。小孩子，你懂的。一天，一周，对他们来说没什么区别。"这位医生，可能也是一位十几岁孩子的母亲，也许她的孩子也在走进青春期，点点头表示赞同。

这几天，撒谎成了家常便饭。自然而然的、不假思索的，以至于我都分不清哪个是真、哪个是假了。

"如果你带走婴儿，"我说，"我正好报警。危害儿童，附加盗窃。在这里，她更安全，和我在一起。"

她需要明白婴儿和我在一起更舒适。"我遇见你的时候，"我提醒她，"她在发烧。屁股上有疱疹，皮肤上有湿疹。她已经好几周没洗过澡。你们都没有食物。她没有体温过低、饿晕了或者死掉真是一个奇迹。"

"而且，"我不动声色地挪到婴儿旁边，我想好了，如果需要我会为她一战的，我会从睡袍里掏出刀子，然后辩称我是自卫。

但是，我在她的眼里看出了退让，我不用出手了。婴儿，于她是个累赘、负担。我发自肺腑地、情不自禁地想要拥她入怀，我不能抱着她的时候，这种感觉煎熬着我。她是我的，全是我的。这种渴求从我的脚尖延伸进我的五脏六腑。

"你不能让一个婴儿拖累你。"我猜她很可能在逃避某人的追踪。是谁，我不知道，但是我认为有这么一个人，男人或者女人，造成她脸上瘀青的那个人，我料定是这样的。

"你会照顾她的。"她说。不是疑问而是要求：我需要你照顾她。

我说我会的。我的表情柔和下来，为了婴儿，我脱口而出："哦，我会的。"我承诺，我会好好地照顾她，像被奖励了一只小猫的孩子一样。

"但是我不能留你在家里，"我接着说，我的语气坚决，在照顾婴儿和杨柳必须离开我家之间划出了一道明确的界限，"你偷了我的东西，不可能再留在我家里了。"她反驳："我没有——"我打断她："走。"

我不想听任何谎言和抵赖，任何关于缺钱的借口，很明显，我不能任由她编故事骗我。简单极了，她拿了我爸爸的婚戒，卖给当铺了。

现在她必须走。

她没有和我说再见。反而又问一句："你会照顾她，照顾露比吗？"她说得没有那么急切，也没有特别真诚，出于礼节，她必须在走之前确认婴儿会受到好的照料。她看婴儿的时候有一丝犹豫，不管怎么说，有短暂的犹豫。她的蓝眼睛里泪光盈盈，我告诉自己，没事。

杨柳走到婴儿身边，伸手抚摸她的头；走之前她小声说了再见，用袖子抹了抹虚情假意的眼泪。

"我会像对待亲生孩子一样对她的。"我直截了当地说。她走了，我关上大门，锁好门锁。我站在飘窗前观察，确认她走了，消失在飘着四月冷雨的街道上。然后，我回到宝宝身边，完全沉醉在她胖乎乎的小脸蛋和柔软的头发里。她没长牙的小嘴绽放出一个灿烂的微笑，我心里念叨着：我的，全是我的。

杨 柳

不知不觉间我变成十六岁了。

所有这一切都发生在三周内。

冬天快过去了，我坐立不安地等待春天。不知道什么原因，灰色的天空飘起雪花，像是某种噩兆。每次和马修坐车的时候我都冻得要死，握手服和运动鞋从来也不顶事。每次停车的时候，凛冽的寒风灌进车里。我的衣服大部分是裙子和约瑟夫的短袖上衣，我的腿总是赤裸裸地露在外面。

晚上，我躺在床上，只能凭借一件超大号的 T 恤衫和一层拼布的薄被取暖。我冻得发抖，满身的鸡皮疙瘩。当约瑟夫脱掉我的 T 恤衫的时候，身上的鸡皮疙瘩更是成倍地冒出来。

我想尽各种方法杀死他。我反复地想妈妈和"我爱你就像……"以此打消千方百计要收拾约瑟夫的想法：把他从楼上推下去；用煎锅打他的头；趁他睡觉的时候放火，烧掉整座房子……

然后我怎么办？

我恨你，就像蜘蛛恐惧症患者恨蜘蛛。我恨你，就像猫恨狗。

在一个了无生机的冬日，马修带我坐车去图书馆。我记得我特别兴奋，因为那天马修要教我用电脑，之前我从来没有用过电脑。

车子开了还不到一个街区的地方，马修问我冷不冷。我回答冷。他伸出一只胳膊圈住我的后背，把我搂到怀里。刹那间，车上的人仿佛都不在了，只有我和马修。仿佛整个世界都消失了，只觉得马修的胳膊温暖，强壮，安全。

我抬起头偷偷地望着他，想让他巧克力色的眼睛告诉我发生什么了。我的心里甜蜜蜜的，手心黏糊糊的。马修什么也没说，他的眼睛也没回答我。他看着窗外，就像什么都不知道似的，但是心里，他是不是也和我一样感到了不同呢？

我们搬了两把椅子，坐在图书馆的电脑前。马修向我展示了我从来没有见过的世界。他告诉我一个叫因特网的东西，可以通过它查我一直想知道的有关星球、丛林动物和蜘蛛的所有事情。他还教我打游戏，其乐融融……

电脑里有音乐。我们带着图书馆的耳机，马修打开音乐，有点儿吵，但是我喜欢。我喜欢低音在耳朵里回旋的感觉。我想起妈妈，想起她伴着佩茜·克莱恩的歌声在房间里翩翩起舞的样子。

去图书馆成了我和马修的固定生活。我喜欢。图书馆里总是安静温暖的，虽然大玻璃门外的世界依然寒冷喧嚣。图书馆很高，有四层楼，或者更高，夹在摩天大厦中间。有时候，我坐在电梯里，上来，下去，再上来，再下去，即使哪也没去，我还是乐在其中。我们在那里有很多话说，马修和我，他一句接一句地说着要带我离开那所房子，离开约瑟夫。他要做的就是想出一个办法。从那时开始，我更多的是在思考奥马哈外面的世界，这让我觉得跟约瑟夫和米利亚姆的生活更加无法忍受。我渴望离开，比对任何事都渴望。我想要走得远远的，能多远就多远，但是马修让我等。他会替我安排好，他说不要急，所以我等。

我期待去图书馆的真正目的是躲在空无一人的过道里——只有我们两个人。我们坐在地上，伸平双腿，靠在高耸的书架上，随意浏览图书，然后互相大声地问一些天马行空的问题，比如你知道生鸡蛋会沉底，熟鸡蛋会漂在水上吗？你知道人的大脑有89%是水吗？就像我们小时候马修在晚上路过我房间时那样。我读了有关奥黛丽·赫本和佩茜·克莱恩的书。我查了莉莉生活的地方，科罗拉多。我了解到它是美国的第三十八个州，有广阔的平原和大陆分水岭。我了解到妈妈常说的"华丽一英里"和被称为"风城"和"宽肩膀之城"的芝加哥。

"你知道'华丽一英里'是1947年由亚瑟·罗波鲁夫提议的名字吗？"我问，但是马修却问我："'华丽一英里'是什么？"

后来有一天，我们坐在无人的过道里的时候，马修突然把手伸进我橘色握手服的口袋里抓住我的手，紧紧地握着。他曾经牵过我的手，在公共汽车上，在我害怕的时候，但是这次不一样，因为我觉出他也害怕，他的手心好像全是汗。他抓住我的时候，我的心在膨胀，似乎要炸开了。我说不清是什么感觉，我迫切地想要找个人问问，随便什么人都行。

但是，我最想问的人是妈妈。

我们若无其事地装了很长时间，假装没有拉手。我们用空闲的手继续胡乱地翻书，寻找问题。当两只手握在一起的时候，它们虽然还像是两个独立的个体，但是感觉已经不一样了。

面对图书馆里丰富的藏书，我的心脏不受控制地狂跳，我的大脑里一个字也装不进去了。

接着，我意外地发现马修坐在离我很近的地方，我不知道他是什么时候靠过来的。我根本没有察觉。但是他突然靠近我，我们在看同一本书，另一本放在一旁。一本关于工程的书，管它是什么书呢。反正我怎么也看不懂，而且我也没有用心，因为我的脑子一片空白。我只知道我的手被马修掬在两手之间，还有他转向我温柔地说出我名字时的声音。

"克莱尔。"

马修像是喃喃自语般地说出我的名字。我真切地感觉到他嘴唇间的气息，却不能听清我自己的名字。

我转头望着他，他离我是那么的近。他就在那里，我感受着他的呼吸。我们的鼻尖抵着鼻尖。

我不知道该做什么，靠过去还是闪开。但是我知道，在我的内心深处，我想要做什么，所以我靠近马修，把我的嘴唇压在他的嘴唇上。粗糙干裂又温柔甜美，我感觉自己从内心开始融化了。

我知道我在经历什么：我爱上马修了。

他迅速地缩回，像来时一样地迅速，离开我的嘴唇。他推开我，但是没有松开我的手，他的眼睛飞快地扫过书页，在工程学的书上找到一些无聊的事实之后，他紧张地问我什么公里和瓦特之类的问题，我听不懂。我对那些一点儿概念都没有。我几乎听不见他在说什么。我只是情不自禁地想他热烈的嘴唇和温暖的双手。

他的味道。

他的气息。

从此之后，我们在图书馆的时候不再花时间看书，不再漫无目的地找真相互相分享。我们躲进任何一个没人的走廊里，让那些高高大大的书架把世界屏蔽。马修的嘴唇贴在我的嘴唇上。有时候，他的两只手握着我的手；有时候，它们会游荡，从我的手到我的脸、我的胳膊，他冰凉的手伸进我的橘色握手服里，迟疑地向上探索……

克里斯

去丹佛之前，我要先到芝加哥去见一个目标客户。面对面地会谈在投资银行行业里至关重要，我们对公司承诺每个月见二十个客户。那是CEO定的，二十个和客户面对面的会议，网络电话不算，视频会议无效。即使我远在一千多公里之外，也要赶过去和潜在的投资者见面，说服他们购买其他客户首次公开发行的股份。我匆匆忙忙地赶往办公室去见客户，稍晚的时候再到丹佛和汤姆、亨利、卡西迪以及其他的同事会合。

我乘坐早上6点的飞机离开拉瓜迪亚机场，当地时间7点28分到达芝加哥。会议定在9点，我有足够的时间提取行李，然后打车去卢普。

会议出奇地成功。一向如此。我可能有什么自己不知道的迷人之处，也许是柔和的面孔更容易让人信服。总之，我是和目标客户会谈的不二人选，这和令人敬佩的MBA学位以及多年打拼出来的经验无关，而要归功于我的笑容和孩子气的长相。不过我妈妈曾经胸有成竹地说早晚有一天英俊的外表会给我惹上麻烦。

我在奥黑尔机场乘坐下午的航班飞往丹佛。没有时间回家洗澡、刮胡子、换掉穿了好几天已经酸臭的西服了。这没完没了倒霉的旅行，我现在已经没有干净的袜子、内衣和幸运领带了。我给海蒂打电话，她竟然出其不意地同意给我送一包干净衣服，我们约在一个亚洲烤肉馆见，顺便吃点儿。

我离开海蒂不过四十几个小时，她就有了变化。现在一副轻松的样子，和我早上走的时候睡在床上那个多思多虑、钻进婚姻死胡同的海蒂有天壤之别。从她的脚步就可以看出来，她轻快地走上密歇根大道桥，桥下就是芝加哥河上的麦格码头，城市的喧哗映衬着她的淡定。她穿着裙子，长及脚踝的宝石色裙子，时尚得体，无可挑剔，步履轻盈地走过来，这和我平时所见到的海蒂简直判若两人。她让我大吃一惊，她竟然背着包袋把那个倒霉的婴儿带出来了。我问："这到底是怎么回事？"她说这是 Mony 牌的婴儿背巾。她像抱个皮箱似的背着别人的孩子，仿佛这是全世界最寻常的事情一样。

"她妈妈呢？"我问，左顾右盼地寻找那个女孩。"你不会把她留在家里了吧？一个人？"我准备大肆地指责她，永远不能把陌生人留在家里，那个女孩会偷走我们的大电视的。

但是海蒂面带微笑，温和地说在来的路上打发她去图书馆了。那个女孩想借几本书。"《黑骏马》，还有《时间的皱纹》。"她说。然后补充道："都是名著。"她知道我小的时候只看过《华尔街日报》。她说她觉得我不会愿意让杨柳和我们共进午餐，这么说无可厚非；我倒是希望她把婴儿也留在图书馆。

海蒂凑过来，亲了我一下。突如其来的一个吻，不是太匆忙的那种，而是绝对的深情。我的海蒂很少这样，尤其是在公共场所。她极力反对秀恩爱。这么多年以来，也许会是一辈子，每次在街角或者公交车站看见情侣接吻，即使是匆匆一吻，那种爱人间最普通的"祝你一天都好"的亲吻，都会招来她厌恶的表情。她靠在我身上，酣睡中的婴儿夹在我们中间，她双手抚摸着我的胳膊。我感受到她手上的温度和罕见的脆弱。她的唇紧紧地压在我的嘴上，低声说："我想你。"我慢慢地移开，我理解那几个字，那几个简单却珍贵的字，她语气中的渴望将陪伴我一整天。

我们一起吃了午饭。我点了炸蟹角，海蒂点了泰式鸡肉面。我们相互汇报了一周的情况。我为昨晚和同事聚会错过她的电话道歉，她善解人意地耸耸肩说没事，完全和语音留言时火急火燎的语气不一样，这也就相隔不过十二个小时。我的解释是这周累得筋疲力尽，一沾枕头就着了。我喝了一瓶或者两瓶啤酒，也许三瓶，所以晚饭的时候，没听见电话铃声。

我没告诉她在酒店酒吧喝酒的事，也没告诉她卡西迪先到我的房间看了募股说明书，没有别人。我要是说了就太不明智了，真可以算愚蠢透顶。我没提卡西迪优雅的身材和她铁红色裙子下掩映的胸部曲线，尽管它们一直萦绕在我的脑子里，像贪吃的小孩对糖果一样念念不忘。

"你要告诉我什么？"我问。服务生过来给我们的杯子加水。她真诚地笑着，说道："我不记得了。"

海蒂的笑容透着和谐，是温顺的妻子的典型笑容。她的头发洗过了，不再像意大利面有一股麝香的味道，我简直认不出我的妻子了。我不知道她还用香水，也许是香波的味道。

她关心地说："克里斯，你一定是累坏了。你总是在赶路。"

我承认我累了。然后她和我谈起婴儿，抗生素改善了她的状况，她感觉好多了，也睡得好多了，这意味着海蒂也可以睡觉了。我看出来她的眼睛炯炯有神，而且有时间洗澡和化妆了，不太浓，有一点儿腮红，也许还有一点儿唇膏，但是足够了，她的皮肤恢复了本色，不再是吓人的苍白了。

我想，或许她只需要这些，一个安稳的睡眠。

"我回家以后，"我说，"我们要好好谈谈。杨柳的整件事情。"我预想着某种形式的反抗——平易近人的海蒂消失，往常那个咄咄逼人的海蒂再次现身——但是出乎意料。

她轻松地说："当然。好的，我们谈谈。等你从丹佛回来以后。但是，"她抚摸着我闲着的那只手——我用另一只手捏着煎饺往嘴里放，就像一周没吃过饭一样——然后把她的手指插进我的指缝，扣紧："我有预感，一切都会好起来的。你会明白的。一切都解决了。"

莫名其妙的，我相信了，一切都会好起来的。

我们道别，换了书包。我拿走干净的袜子、内衣和我的幸运领带；海蒂像二十世纪五十年代尽职尽责的家庭主妇一样带走我的脏衣服。

我目送她离开。她在车流之中穿梭，朝图书馆相反的方向走去。

我检查包里的东西，确定她给我装了金融计算器。我告诉她我从办公室带走的那个坏了。尽管她没问，我还是解释说是小数点后面的数字显示和按键出问题了。事实是，这是我唯一能想起来令人琢磨不透的杨柳·格里尔在我家里动过的小东西——第一天，在我的工作室，她趴在地上捡起来的东西。她颤抖的手摸过按键，留下了她和我都看不见却万无一失的证据，这也是吃午饭的时候，可以合情合理地带过来的东西。

我总不能让她拿遥控器、奶瓶和旧箱子来吧。

接下来，我风风火火地跑去见马丁·米勒，然后再赶下一班飞机。

杨 柳

　　阿德勒夫人在事先约好的日子过来，像往常一样带来赛格尔夫妇的信，但是这封信和以前的完全不一样。进门之前，她先站在门口的台阶上跺掉大毛靴上的雪。进门之后，约瑟夫接过她的外衣搭在椅子扶手上。我们走进厨房，每次都是这样，围坐在木餐桌旁边，吃过药的米利亚姆给我们端茶、送饼干。

　　这封信不是讲我的莉莉上学有多好，长得有多快。不是的，这是一封和以前天差地别的信。这封信让我的血液变冷，屋里的空气稀薄得让我无法呼吸。我两手颤抖地攥着信，大声地读出来——约瑟夫要求这样做，他不想被蒙在鼓里——大概十个月前，大莉莉发现自己出人意料地怀孕了，露丝（莉莉）已经在十二月成为了姐姐。信里满篇皆是有关婴儿的细节描写，浅色的眼睛、柔软的头发、乖巧的举止、悦耳的咿咿呀呀声。大莉莉说这是她和保罗梦寐以求的：有一个自己的孩子。她的名字叫卡拉[1]，和莉莉合二为一。而我的莉

1　小女孩卡拉的英文名字叫 Calla，大莉莉的名字是 Lily，Calla Lily 在英语中是马蹄莲的意思。这里她们各取一部分作为名字，表示一个整体，一家人。

莉被排除在外了。被遗弃了。她不是大莉莉和保罗梦寐以求的孩子。

"怎么可能？"我带着哭腔地说，"她不是……我以为……"我把信放到桌子上，使劲吞下喉咙里的肿块。我不能让约瑟夫看见我的眼泪。站在一边的艾萨克对着墙，丑陋的脸上露出一丝阴笑。

社工总是笑眯眯的。"太好了，"她说，"多大的一个惊喜啊。想象一下，露丝——姐妹，"好像露丝从来没有过姐妹似的。我的妹妹，我的。"有时候，"她像对傻子说话似的放慢语速对我解释："是这样的。我从来不认为有绝对不能生育这回事。只是——"她停顿了一下，接着说，"不够幸运。"

他们的生活里有了小莉莉，不幸的是她不是他们梦寐以求的孩子。

信里没有提到我的莉莉，只是炫耀地说她成了姐姐。信里絮絮叨叨的都是卡拉的生活：她安安静静地睡整宿觉，大莉莉觉得通过生育自己的亲生骨肉获得了升华。里面还有一张照片，是大莉莉和卡拉，我的莉莉在背景里像个多余的人。她的头发一团糟，白衬衫的前面还沾着红色的酱汁。

卡拉则一尘不染，穿着看起来柔软至极的淡紫色连体服，戴着斜纹粗棉布的头巾和一个蝴蝶结。

信里没有莉莉写的东西，没有三年级的学校照，没有画着红鸟和树枝的信纸，没有信封上扭曲的签名：露丝·赛格尔。

我的莉莉被人取代了。

我整日整夜地被这件事情折磨着，一连几晚都睡不着觉。我想知道他们怎么对待莉莉。赛格尔夫妇还会一直照顾她吗？现在他们有了自己的亲生骨肉，是不是就不善待莉莉了？他们会不会觉得两个孩子太多了，决心要把莉莉送回教养院呢？莉莉在那里等待下一个收养家庭，去像我生活的家庭一样讨厌的地方。她要一直住在教养院吗？还是等到十八岁的时候被赶出去自谋生路，像科罗拉多街和内布拉斯加街上的流浪汉一样生活吗？我只能想象。我的脑子里总出现赛格尔夫妇冷落她的画面，强迫她一辈子穿着那件脏了的白衬衫。半夜三更，总有个名字搅得我心神不宁：卡拉。卡拉。

我恨这个名字。我恨她。

卡拉毁了我的莉莉的生活。

日子一天一天过去了。我所有醒着的时间都在读大莉莉的信，翻来覆去地看，盯着大莉莉和她的孩子的照片，我的莉莉被远远地扔在背景中，几乎不在照片里。

那张照片和其他的照片不一样，约瑟夫竟然让我留着。事实上，他把照片贴在了花壁纸上，唯恐我忘了这个婴儿，那个卡拉，是她剥夺了我的莉莉幸福的童年。

但是，我能做什么呢？

海 蒂

　　我整晚坐在摇椅里，目不转睛地注视着这个可爱的婴儿。佐伊睡醒了，晃着没苏醒的双脚走出来。她眯着眼睛瞟了一下工作室关着的门，问我杨柳在哪儿。我沉稳地说："还没醒。"我当然知道这不是真的。

　　我根本没想她。我不想杨柳。

　　佐伊去上学了。新的一天开始了，又结束了。我毫无察觉。我和婴儿只是出去和克里斯简短地吃了一个午餐，就再也没有离开家。我几乎一整天坐在摇椅里，走了屈指可数的几步路。露比在我有节奏的拍打下睡熟了，像个刚出生的宝宝。除了想她眼睛的形状，我什么也想不起来，除了数她鼻子上的小丘疹，我什么也做不了。我看见窗外太阳升起来，然后没过几分钟，它就沉下去了，落到摩天大厦的下面，在天空中洒下圆斑，给薄纱般的浮云染上深粉红色、藏青色和橘黄色。窗外的人醒了，开始一天的忙碌；很快，他们回家了，一天就这样过完了。早饭、午饭、晚饭轮流登场；我的电话响了，门铃响了——一层有人在按门铃——我才不理呢，我不想被打扰，我不能让露比睡觉的时候离开我的视线，醒了也不行。她睡了又醒了，饿了的时候在我的衣服上蹭着寻觅食物，那时候，只有那时候，我才从摇椅里起来给她冲奶。傍晚时分代替了午后时光，西垂的太阳透过云隙间投下万丈光芒，垂直的光柱，宛若上帝之手。

我不在乎时间，完全无视圆表盘上的铝制指针从这个罗马数字移到下一个，再一个，再一个；我听见走廊里邻居下班回家的声音；我闻到顺着门缝和墙缝飘过来的饭菜香味：墨西哥辣椒肉馅玉米饼、烤鸡、猪排。我的电话又响了，没完没了的，但是我不想从椅子里起身去接听，我安慰自己是推销电话，或者是佐伊的老师发来的会议通知。我对那种会议没兴趣，只有老校友和有特殊需求的学生家长才愿意出席。

突然，大门被撞开了。突如其来的，粗暴的。佐伊穿着粉色的球衣、粉色的短裤，踩着一双裹满泥巴的鞋站在门口。她戴着护胫，过膝的艳粉色长袜上溅着泥点。她还梳着两根辫子。每次比赛之前，总有热心的队友妈妈依据队服的特点，给幸运符队的孩子们打理出统一的发型。

她嚷嚷着："你去哪儿了？"恶狠狠地把书包扔在地板上。她开着门怒视着我，我看见她背后有邻居端着一盒比萨走过去，假装对佐伊气愤的喊叫无动于衷。比萨的香味飘进屋里，我才意识到自己饿了。"你没有去看我的比赛。"她接着说，没容我给第一个问题编出一个合适的理由回答她：我忘了，还是工作太忙脱不开身。

可是，我能说出口的只有"抱歉"，听起来有点儿虚伪，因为事实上就是虚伪。我不抱歉，没去看佐伊的比赛我不感到歉意。因为如果我去了，就没有抱着露比坐在摇椅里的这段时光了。

“我一直给你打电话。”她说。叉着腰，噘着嘴，看了一眼厨房，发现我还没做晚饭。天快黑了，我还什么都没准备，只是干坐在黑暗里。她打开餐桌上的灯，灯光晃到我的眼睛，一时无法适应。

婴儿呻吟了一声，我赶紧哼哼着：“好了好了。”琢磨着是灯光太亮还是佐伊的声音太大惊扰了她。

“你为什么不接电话？”佐伊吼着。“我给你打电话，你不看我的比赛，你一直没出现。”她哭起来。我想象着：佐伊和其他幸运符队的队员在赛场上，拒绝承认我在现场，每场比赛都如此。这太难为情，真的。她不希望我在那里。然而，她又不想成为唯一一个没有妈妈陪的人。

我没理会，没回答佐伊的问题。而是反过来问她：“你怎么回来的？”

“你听见我的话吗，妈妈？”她问。我发现自己有点儿反感她说话的语气。她尖酸的口吻好像领导对待下属似的。

“听见了，佐伊，我听见了。但是我在问你，你怎么回来的？”

她怒了。冲进厨房在橱柜里到处乱翻找吃的东西，拽开这个，关上那个。然后说：“教练帮我打车。他不能陪我一晚上，等着你，你知道吗？就像那天一样，他有自己的生活。”她停顿了一下，接着说：“你要还他十四美元。”她从冰箱里出猛地抽出一瓶水，“马库夫人说她一直在给你打电话。她说你没回电话。”然后，她拿着一盒苏打饼干和水回房间了。她走了两步，在工作室门口停住，问道：“你为什么不回电话？”

“我很忙，佐伊，你知道的。”我知道一个十几岁的孩子脑子里还没有概念，照顾一个婴儿何止一个“忙”字可以形容。“忙”的意思是在手臂上彩绘、给朋友发信息、逃作业和对着英俊的教练山姆想入非非。千辛万苦抚养孩子的那些时间可不是那种忙。

"好吧，你准备给她回电话吗？"她问。她的两根辫子垂在前面，发梢连在一起围住她的脖子。她看起来不只十二岁，她不笑的时候，我看不见时刻提醒我她还是个孩子的牙齿的矫正器。我突然发现，第一次意识到她有胸了。一直是这样吗？难道是我以前忽视了，还是她一夜之间长成少女了？

"是的，"我说，"当然。"

"什么时候？"她质问。

"很快，我很快就给她打。"

"这个孩子不是你的，你知道。"她冒出这么一句话。她注意到我温柔地摇晃着露比，抚摸着她的头。

"你为什么这么说？"我痛苦地问，但是语气平和。

"你好像认为她是你的。这太奇怪了。"然后她冷冷地问："杨柳呢？"她的话让我措手不及，简直就是当头一棒。我被数落的有些气短，迟缓地说："她不太舒服。早早地睡了。"为了让佐伊信以为真，我平静地解释道："流感，流感泛滥。"

也许，佐伊想起了我给优秀的前台达纳打过去的欺骗电话，她转了转眼睛，冷笑地说："好，好。"然后直奔自己的房间，重重地关上了房门。

我把露比放回到大腿上，一直摇到黑暗笼罩着整个天空。窗外什么也看不见，只有点点星光和灯火明灭的高楼，这一点儿灯光，那一点儿灯光，汇成万家灯火。

杨 柳

　　我开始越来越频繁地和马修见面。我们大部分时间去图书馆，我们在一排排的书架间看书，或者接吻。我们总是尽可能早地到达图书馆，因为如果耗到太晚等到放学的话，学生们将蜂拥而至，挤满走廊尽头的桌子。即使在没人去的工程书走廊里也吵吵嚷嚷的惹人烦，所以只要约瑟夫和艾萨克离开奥马哈的家，我们马上就出去。中午时分的图书馆寂静无声，孩子们在学校，大人们在上班，我们两个像世界上唯一的生灵一样在走廊里游荡。图书管理员也躲得远远的，因为没人看工程书，没有书需要整理。

　　只有一次，一个管理员拦住我们好奇地问："学校放假了？"语气里没有不信任，可我还是愣住了，我的心停止了跳动，相信她一定会把我交给约瑟夫。是马修，他说："我们有家教。"好像早就准备好了，准备好很长时间了。管理员点点头说："多幸福啊。"然后走了。我一点儿也不知道"家教"是什么意思，但是马修懂。

　　就这样结束了。再没有人问过我们在那里干什么：两个孩子大中午的从学校跑出来。

　　马修抚摸我的方式和约瑟夫截然不同。马修的手是体贴的，约瑟夫可不是。马修的手温柔地缓慢地移动，约瑟夫则不会。我感觉马修的手就像橡皮一样，他抚摸我的时候就抹去了约瑟夫的手在我脑子里的印记。

马修越来越频繁地提出要带我离开。可是他也说知道他爸爸不会放过我。而且，他没有钱养活自己，更别说养了我了。他没告诉我离开救护站之后他住在哪里。总之没有实话。他说睡在朋友的沙发里，或者住在朋友门店里的简易床上。他每次谈到这些事的时候，就像讲坐船游览密苏里河时一样，总是看着别处。我知道他在撒谎。他总是一脸疲惫。他开始显老，他的皮肤变得粗糙。也许他睡在马路上，我不知道。

但是，他一如既往地说要带我离家出走。他提过奥马哈以外他想去的很多地方。高山，还有海滩。他说过要攒钱，他说过他挣钱的方法：偷女人的包或者抢银行。我不相信马修真的这么做了，但是如果这样可以让我离开约瑟夫和米利亚姆，我想，可以。只要没人受伤就好。

"也许，"他说，"有那么一天。"

在奥马哈的房子里，在我的卧室里，马修有好几次想吻我。他好几次想躺在我的身边，不是为了看书而是为了别的。

我不知道马修在做什么，也不知道约瑟夫进我房间做什么。我特别害怕，不敢告诉马修，我怕他不相信我。"我诅咒你，"约瑟夫说，"没有人会相信你。"

而且，约瑟夫提醒我，我是个没人要的孩子，除了他和米利亚姆。

从秋天到冬天，我和马修一直坚持图书馆之约。约瑟夫在家待了好几周，或许更长，他不去上班。"放寒假了。"他说。他一天到晚地和我待在那所房子里，我根本见不到马修，我想他。我思念马修停留在我身上的手和嘴唇，想听他叫我名字的声音：克莱尔。大雪从天而降，雪片又厚又密，草坪穿上了一袭白衣。我凝视着窗外漫无边际的雪花，回忆在奥加拉拉时和爸爸妈妈堆雪人、滑雪橇、打雪仗的情景。在这里，雪不过是另一个让人待在屋里的理由而已。奥马哈屋里和屋外的温度一样低，窗户漏风，暖气只有 20 摄氏度。我总是处于寒冷之中。

约瑟夫去上班了，马修回来了。日历已经翻到了三月份，可是冬天好像永远不会结束，天气怎么也不像春天。寒冷，灰暗，家家户户的屋顶上依然结着冰。

三月初的一天，马修过来接我去图书馆，兴致勃勃地在电脑上给我展示他新发现的一个游戏。他进来的时候情绪高涨，这么长时间以来我从没见过他那么兴奋。天空的颜色像是一块碳，我们呼出的热气化作了一股烟。

我和马修都不知道约瑟夫那天不舒服。我们不知道当我们跳上蓝色的公交车路过伍德曼大楼的时候，正在社区大学讲课的约瑟夫会突然感觉头疼；我们拉过椅子坐在电脑前的时候，他正计划取消下午的课回家休息。我们把钱投进售货机买薯片的时候没办法知道他正在收拾东西，背上黑书包准备出门；还有后来，我们坐在工程书通道看书亲吻的时候，约瑟夫却钻进他的车里，开车回家了。

我们回去的时候，屋子里静悄悄的，冷风把我们推进去。马修侃侃而谈地说着他妈妈米利亚姆，说如果他像她一样成为植物人，他宁愿有人朝他开一枪，让他从痛苦中解脱。

我震惊了，只顾张大嘴巴看着他，没发现约瑟夫坐在灯芯绒的躺椅边上，用他的一双鹰眼恶狠狠地盯着我们。他一动不动，像尊雕像。马修僵在门口，我莫名其妙地也停下来，转头看见了约瑟夫，他双手紧握灯柱，大灯罩被甩到地板上，落在他黑色的大靴子旁边。

接下来发生的事，我简直无法理解。约瑟夫异常冷静地问我们去哪了。

"散步。"马修说。约瑟夫什么也没说，他把灯线一圈一圈地绕在手上，还轻轻地扯了扯试试松紧。

然后约瑟夫问我的衣服是哪来的。以前为了不让约瑟夫看见，马修每次都把衣服带走。

约瑟夫和马修对视了很久。约瑟夫怎么也不可能知道，他上班的时候，马修常在这个家里进进出出。

约瑟夫让我说，说我们出去散步了，因为撒谎的嘴和邪恶的想法一样是上帝所憎恶的。他让我大声地说出来。他想让那些话从我的嘴里说出来。

我说了。

他转向他的儿子，说道："我是怎么教你的，马修？坏朋友会毁掉良好的品行。难道我不是一直这么教育你的吗？"

接下来，就这样发生了：约瑟夫冲出来，用灯柱反复地打马修同一侧的头。他大声地吼叫着那些妈妈只在嘴里小声嘀咕过的词。

我拼命拦着约瑟夫，让他住手，他把我推倒在冰冷坚硬的地上。过了一分钟我才缓过神来，重新站起来，但是在我明白过来之前，约瑟夫又把我推倒在地。这一次，鲜血从我的鼻子里流出来，红色的，黏稠的，源源不断地流着。

一切都来得太快了。

灯柱砸在坚硬的骨头上，发出声响。

一条深红色的血柱喷向空中，溅在麦片色的墙面上。

每次喘息间我都听见"畜生""混蛋""蠢货"一类的词。

手边的东西都变成了武器：电话、花瓶、电视遥控器。玻璃碎了。还有哭声以及更多的血。

我蜷缩在地上，感觉地板像地震一样在颤抖。

后来，艾萨克也加入了，他从学校或者是打工的地方回来，和约瑟夫一起打马修。那么用力，我真不知道他能不能站得住。我嘶喊着："住手！放开他！"可是没人理我。马修摸到一个烛台，成功地用它抵住了艾萨克的头，他瞬间就不动了。

艾萨克失去平衡，打了一个趔趄，一只手抓着自己的头。

马修接着举起烛台，约瑟夫使劲夺了过去。

我不知道过了多久。三十秒？三十分钟？好像一辈子，我确定有那么长。

我什么也做不了。

"这就是你说的正当防卫？"露易丝·弗洛雷斯问，"你是这个意思吗？"她挽起起球的羊毛衫的袖子，拿出一张纸扇风。她流汗了。外面肯定很暖和，已经从春天进入夏天了。她的鼻子上挂着汗珠，葡萄干似的皮肤褶皱里存着汗水。我看见阳光从孤零零的窗户里照进来，给这个阴郁的房间在黑暗中注入一线光明。

"是的，弗洛雷斯夫人，"我说，"当然是。"

我闭上眼睛看到的还是马修，血流顺着他深棕色的头发淌到他的脸上。那天在客厅里，他和约瑟夫、艾瑞克打成一片的时候看起来老了十岁。我恨自己不能阻止他们，更糟糕的是，我体会到了马修的心情：无能和无力。他瞪着我身后的地方，我知道他最深的感受是耻辱。我恨这一切。

"过了一会儿，"我对弗洛雷斯夫人说，"马修走了。你知道，他不想走。他不想把我留在那个家里和他们在一起，但是他无能为力。"

我给她讲了在那个可怕的三月的下午，马修是怎么心力交瘁地把自己拖在门口才离开的。

现在，那情景还历历在目，马修爬到门口。约瑟夫和艾萨克则在狂笑。

我听见他们在起哄。

"去哪儿？"她问，"马修去哪儿了？"

"我不知道，"我回答，"我不知道。"

我回忆着：他在出门之前用抱歉的眼神看着我。约瑟夫和艾萨克愚蠢地嘲笑着马修，把他赶出门。

他们以为自己赢了。

但是我知道这还远远没有结束。

"接下来怎样了？马修走后发生什么了？"

我撩起头发让她看丧心病狂的约瑟夫用灯打我时留下的印记。他一直等到马修走远——艾萨克还在偷笑，还隔着窗户大声羞辱马修——转身对着我，用我从未见过的最邪恶的眼神盯着我，从地上抄起两边凹陷的灯柱，一把抢到我的头上。我没记得有多疼，但是我记得它严重的后果。我全身失去知觉，双脚摇晃，瘫在地上。艾萨克站在一边指指点点、开怀大笑。随后，黑暗潜入我的眼睛，我什么也看不见了。脏话和各种声音渐渐地飘远，周围一片肃静。

　　我醒来的时候发现自己已躺在床上，身上压着拼布被子，门从外面锁着。

克里斯

我在丹佛酒店。洗完澡就上了床，累死了。

我住在酒店最小的房间里，即使这样每晚还要两百多美元。窗外的景色可以是任何地方，这个夜晚可以是任何一个夜晚。对我而言，它们全一样，高楼大厦，灯火通明。

我穿着背心和一条蓝色略带一点儿收身的泡泡纱睡裤躺在床上。电脑在我旁边开着。

我从机场出来的时候随手拿的今天的报纸《丹佛邮报》被扔在一边。我只看了一眼首页上夸大的天气预报和当天的彩票号码。

我没中。

我厌倦了，疲惫写在我的脸上。我对着镜子端详自己，感觉老多了。我在变老，我跟不上这个节奏了。我一边刷牙一边考虑换个工作，比如大学教授或者管理顾问。我想象着自己站在讲台上分析全球资本主义的情景，学生们座无虚席，他们和当年的我一样踌躇满志。等到我需要钱的时候再回归本行。我知道讲课会大大降低我的收入，这是肯定的，但是海蒂和我会有办法的，我把牙膏沫吐进洗手盆里的时候这样想。

我们可以把公寓卖了，或者出租一段时间。或者把佐伊转学到公立学校，我知道这行不通，但是没准行呢。该死，也许我们应该搬到郊区，买一栋独立的家庭房，带篱笆墙小院，可以养狗的那种。我们坐火车上下班，过真正的美国梦似的生活。

这个可行。

我在想回家吃晚饭是什么样子，每晚躺在妻子身边是什么感觉。我回忆着那天下午海蒂在亚洲烤肉馆里的样子，她靠过来挨着我，吻我，抚摸我，还有她说的那些话：克里斯，你一定是累坏了。她也为我，他的老公，担心了，不再只是关心来自全世界的难民。她在意我的需要，而不是那些无家可归的女孩和流浪猫。

也许发生了什么变化。

我深深地怀念以前的日子。慈善晚宴上，海蒂穿着复古的红色连衣裙和我跳舞，一直跳到所有的人都走了，跳到幽暗的灯光再次亮起，清洁工打扫完会场。那时她是大学生，除了一间写着她名字的学生宿舍以外一无所有。我刚刚毕业，大部分钱用来还学生贷款而不是买国债。我一贫如洗，住在罗斯科村的一栋公寓里。我们打车到了那栋没有电梯的公寓之后，我在前面一蹦三跳地跑上去，一边走一边脱衣服，海蒂则优雅地走在后面。

我们来不及上床，一进屋就滚到了地板上。

到了早上，我以为她已经走了。因为长着像她那样美丽的棕色眼睛的人实在是个尤物，不会愿意和我这样的人在光天化日之下有什么联系。

但是我错了。

我们一上午都躺在床上，看窗外贝尔蒙街上的人来来往往。看

《价格竞猜》[1]的电视节目。然后，我们终于从床上爬起来，穿上衣服。海蒂扔掉她的红连衣裙，套上我的小熊运动衫，我们一起去古玩店购物。我们买了一个旧的开瓶器，因为那是我们唯一能买得起的东西。

海蒂和我生活了三天。穿着我的背心和平角短裤，吃外卖和送餐。我早上去上班，下班回家的时候，她还在。

她特别好相处，我以为她会一直这样，但是有了佐伊、重病和现实的重负之后，她变了。我想过那些负担是怎么把她掏空的。我想，海蒂关心世界上其他人贪得无厌的需求比关心她自己还要多。

我站在丹佛酒店的浴室里，情不自禁地想海蒂的时候有人敲门。砰砰砰很轻的声音，不用从猫眼看我也知道是谁。

我打开门，是她，当然不是海蒂。虽然我的脑子里有过一个闪念：如果是呢？如果真是海蒂从天而降到丹佛来看我呢？她抛弃了那个祸害我的家、占有我妻子全部的女孩和她的婴儿，安排佐伊住到詹妮弗家，然后跳上飞机到了这儿，和我共度良宵。

但是眼前问候我的完全是另一幅情景，卡西迪·克努森走进了我的房间。她穿着黑色的打底裤和宽松的束腰外衣，V字领一直开到胸口。她的肌肤柔滑细嫩，弹指可破，而且触手可得。她的脖子上戴着一条红铜色的项链，低垂的吊饰引领人的目光顺着V字领滑向胸部。她几乎没化妆，只涂了一点儿鲜红的唇膏，似乎是顺理成章的，仅仅是出于习惯。她穿着三寸高的高跟鞋，红色，和唇膏一样的红色。

---

1 哥伦比亚广播公司的一档游戏节目，1972年开播。

她自己走进来，像往常一样，没有等我许可。

我站在原地，穿着睡裤和背心，手里还握着牙刷。

"我不知道你过来，"我说，"也许我该……"我结结巴巴不知道该说什么。我看了一眼房间，白天穿的衣服堆在地上，我现在穿的泡泡纱裤子像保鲜膜一样裹在我的腿上。

她没必要告诉我为什么来，我知道她为什么而来。她的动作很快，她把手放在我的身上，吻上我的嘴唇，低声说："你不知道我等了多久。"我说："卡西迪。"虽然我不知道这话是制止还是鼓励，反正我无力地尝试了拒绝，但是我的心底有个声音尖叫着让我接受她，忘掉对海蒂不可磨灭的记忆，就让卡西迪如愿以偿吧，管她为什么而来呢。

她开始抚摸我，可是她的手冰凉，和海蒂的手有那么多的不同。它们急不可待又肆无忌惮，等不及熟悉就一下子冲进去，全速前进。她做的全不对，完全不是海蒂的做法。海蒂的抚摸是温柔的纵容。我发现自己在想海蒂，突然特别想海蒂。我希望在这儿的是海蒂，和我在一起。

我在猜如果海蒂知道现在的一幕会说些什么，会有什么感受。海蒂身心健康，有让人难以置信的慷慨大方；海蒂甚至不会用鞋子拍死蜘蛛。

"停！"我把她推开，开始的时候是温和的，后来变得强硬。"停，卡西迪，"我说，"我不能这么做。我不能这样对海蒂。"

我想要海蒂，我想海蒂。

我想我的妻子。

卡西迪郁闷地盯着我说："开什么玩笑，克里斯。"她这样说不是因为感情受到伤害，而是我的拒绝让她感到尴尬。"海蒂？"她问。她瞪着我，蓝色的大眼睛，小狗一样的眼神，噘着嘴说出我妻子的名字，好像海蒂低她一等似的。

卡西迪不是不能相信她被拒绝了。

她是不能相信因为海蒂她被拒绝了。

我想念海蒂和她的好、她的优点。我想念她对流浪猫、文盲和那些我说不上名字的国家里的孩子们的关爱：阿塞拜疆，吉尔吉斯斯坦，巴林……

我不能总站在那儿，在房间里，和卡西迪一起。我的耳朵里突突地跳，双手湿冷，找不到重心。我伸脚穿上门口的休闲鞋，身后卡西迪呼唤着我的名字，她笑着说着"别走"。我出现幻觉了，眩晕。我伸手扶住墙，卡西迪还在叫着我的名字，提醒我她的存在，好像这样可以让我回心转意似的。

杨　柳

我告诉弗洛雷斯夫人约瑟夫每天给我送两次饭，然后再每天两次把饭端走。我告诉她他不许我出去，即使小便也不可以出去。他会进来给我倒便盆（但是倒不掉房间里的尿味儿）。他会每晚过来，打开锁，推开我卧室的门，命令我脱掉衣服。

我告诉她，每天晚上，他回去睡觉以后，我都去检查门是不是锁好了。

我告诉她我整天坐在屋里祈祷有一天他会忘了锁门，但是日子还是这样一天一天地过去了。

我告诉她，自从马修一瘸一拐地走出门之后我就再也没见过他。

我告诉她，我也没见过艾萨克，虽然我听见他的声音在房间里回荡，知道他在，他在我再也看不到的世界里进进出出。

我告诉她我从卧室的窗户看见外面的雪融化了，在便道和坑坑洼洼的马路上汇集成了一片片水洼。

我告诉她，我每天可以离开房间一次去大便。我告诉她约瑟夫是怎么站在走廊里监视着我。我告诉她有一次我没来得及去厕所，约瑟夫是怎么让我在上面坐了好几天，直到我的屁股像婴儿一样长满湿疹。我告诉她他哈哈大笑，后来，我听见他和艾萨克取笑我拉裤子的事情。

　　我告诉她，有一天晚上，老天开眼，约瑟夫离开我的房间后忘了锁门。我坐在床上，等着听金属钥匙在锁眼里转动的可怕的声音，可是一直没有响。只有他走路时地板咯吱咯吱的响声和他蠢笨的身体压在床上时沉闷的声音，以及床垫子里的弹簧吱扭吱扭的叫声。我至少等了一个小时，确定之后我才敢从床上爬起来，蹑手蹑脚地走在冰冷的房间里，颤巍巍地握住铜把手，拉开了门。

　　我告诉弗洛雷斯夫人，我在厨房的抽屉里找到一把刀，一套十二件餐具里最大的一把刀，主厨刀，至少有 20 厘米长。我告诉她我站在漆黑的厨房里，凝视着远方暗淡的月光，思考着，虽然根本没必要考虑，因为我已经下定决心。房子里一片寂静，只能听见火炉里的嘶嘶声和管道里水流的声音。

　　但是，真的，我一无所知，因为那晚，在马修来之前，我没有走出房间一步。

　　我告诉她，我踮着脚尖走进卧室看见约瑟夫睡着了。我盯着大床上他恶魔一般的身体，听着他的鼾声。弗洛雷斯夫人飞快地在纸上做记录，生怕记错某个细节。我走近床边的时候，约瑟夫睁开眼，地板的吱吱声吵醒了他。他直挺挺地坐起来，眼睛里没有恐慌，而是迷惑。他嘟囔着，"你怎么……"我把主厨刀刺进他的胸膛。"你怎么从房间里出来的？"他想说，但是我没给他机会。我是这么告诉她的：他的眼睛和嘴巴都张开着，我拔出刀再捅进去，一次接着一次。他的手无能为力。他们说我一共刺了六刀，他们找到我的时候是这么说的。

　　不过，当然了我怎么可能知道，因为那晚，我根本没进约瑟夫和米利亚姆的房间。

　　我知道，但是我却没有告诉弗洛雷斯夫人的是：一个人年满十八岁，作为成年人要接受审讯，而一个十六岁的人，像我一样的人不用承担法律责任。如果他们知道了，知道了真相，我也不会有马修那么大的麻烦。我知道这些，因为我小的时候和爸爸一起看过一个新闻片，讲的是一个十六岁的孩子杀死了她的亲人。爸爸说成人进监狱，小孩子有时候可以免受处罚，是的，如果他们没有被处决的话。我记得当时我问爸爸："被处决是什么？"他没说，所以我一直不知道。

"米利亚姆呢？"弗洛雷斯夫人问。

"米利亚姆怎么了？"

"告诉我你对米利亚姆做什么了。"

"她没醒。"我说。我什么都不知道，因为我不在，我没去过那间屋子。我坚持说我用主厨刀连着刺约瑟夫的胸口的时候，她躺在床上，睡得很安稳。

但是弗洛雷斯夫人不肯罢休。她把笔放在桌子上，又检查了一遍录音机，发现还在转。她必须把我的话，我的供词，录在上面。"那你为什么还要杀她？"她问。一口痰卡在我的嗓子眼，我说不出话来。

米利亚姆？我差一点儿喊出来。

突然我的耳边里响起马修的声音，慢慢地，比蜗牛还慢地爬进我的脑子里，我全明白了。

如果像她一样成为植物人，我宁愿有人朝我开一枪，让我从痛苦中解脱。

他做了。

海 蒂

　　中午，趁露比睡觉的时候，我开始收拾散落在屋子里的衣物：随手塞进沙发垫里的露比的连体服；佐伊丢在门口的袜子。我把它们装进堆积如山的洗衣筐里，去我和克里斯的卧室收取我挂在门把手上的胸罩。我打开地上的箱子，我在密歇根大道的亚洲烤肉馆换回来的克里斯的那个箱子，整理里面的东西。把领尖钉有纽扣的牛津衫和工作裤揉成一团塞在箱子一角。我拿出裤子，从裤兜里掏出好几支笔、好几个笔帽、一把硬币，每次洗衣服都能从他的口袋里掏出这些乱七八糟的东西。瓶盖、凤尾夹、一整包被撕成碎片的纸巾，还有……

　　我的手摸到一样东西，我几乎一下子就反应过来了。闪亮的蓝色包装，上面印着"她的快感"。当头一棒。我在床前弯下腰，洗衣筐掉到地上。我喘不上气来，我用两只手捂住嘴巴，捂住从我心里喷涌而出的沙哑的尖叫声，一场狂风骤雨抽打着我的五脏六腑。

　　我盯着那个避孕套，我的推测得到了证实。

　　我的丈夫和卡西迪·克努森关系暧昧。

　　我想象着他们在旧金山、纽约，现在在丹佛的高级酒店出双入对，他们的身体在埃及棉的床单上合二为一。我看见他们下班以后在克里斯无人的办公室里，而我却像傻子一样被另一个故事所蒙蔽：写募股说明书，写招股书，对某家公司做全面的调查。

这些长时间无休无止的出差，全是他的借口，他在掩饰和另一个女人的秘密关系。

我的脑子飞速地旋转，回忆起克里斯在厨房里唯唯诺诺地承认卡西迪·克努森将和他一起出差。我想象着他们两个终于到了酒店的房间，兴高采烈地取笑我，拿我发现她之后的愤怒开心，把他们的快乐建筑在我的痛苦、不安和嫉妒之上。

"这是出差，都是公务。"克里斯说过。

可是，然而……

我把所有的信息汇总：没人接电话，克里斯裤兜里装有避孕套。证据，我找了这么久的证据终于有了。

我走到梳妆台前，把最上面抽屉里的东西全都倒在床上：一套浅粉色内衣——蕾丝胸罩和内裤。

我凝视着这两样东西全神贯注地想了很久，才知道怎么扳回比分了。

杨 柳

当然，我对露易丝·弗洛雷斯说的都不是真的。

她让我把一切都写下来，用我自己的话，在一页干净的笔记本纸上写下来。我写的时候，她在屋子里踱步，鞋跟落在水泥地面嗒嗒作响。我写了主厨刀和约瑟夫圆瞪的双眼。我还编了一两件有关米利亚姆的事，比如我进去的时候她在睡觉，没什么理由我就把她干掉了，只是顺手。

她盯着我，摇着头说："你真该庆幸你还没有成年，克莱尔。你知道如果你成人了，你将要面临什么样的指控吗？"

我耸耸肩说："伊利诺伊州没有死刑。"

她突然停下脚步，回头注视着我。

"但是你不是在伊利诺伊州承认的罪行，克莱尔，"她说，"你现在在内布拉斯加州。"我清楚在这儿是可以通过注射处死杀人犯的。

尤其是那些超过十八岁承认故意杀人和预谋杀人的罪人。

就像等着人睡着了，带着刀潜入房间。

我不希望马修有任何麻烦。因为我知道他做了什么，他是为我做的。我离开之后，从来没有停止想念马修。我每天想他，晚上躺在床上的时候想他，想到默默流泪，因为不能让伍德夫人和伍德先生听见。我想知道他在哪里，我想知道他过得好不好。

她拿到了我完整的供认书和录音磁带之后，让警卫送我回监室。迪娃坐在地板上唱歌，朱红色的长指甲敲打着监栏伴奏，有人尖叫着让她闭嘴。我没理会她的询问——你一整天都去哪了？——爬上床，盖上白色的薄被，蒙着头。

我闭上眼，回忆着发生在那天晚上但是我没有告诉弗洛雷斯夫人的事。

海 蒂

床上摊着一套内衣，浅粉色的蕾丝胸罩和内裤。我换上它们，走到衣柜前，把手伸到最里面。如我所愿它在那儿，那件曾经挂在商店的展架上、现在还套着塑料袋、封着口、从来没穿过的衣服。我解开下面的活扣，轻轻地摘掉外面的塑料套扔在地上。我还记得买裙子的那一天，大概是七个月以前。那天，我打电话在克里斯最喜欢的牛排馆预订了座位。翻新过的牛排馆在安大略街，是一栋赤褐色砂石的老房子。我预订了一个远离吧台的安静座位，坐在那里，克里斯只能看见我。我计划好了，把佐伊放在詹妮弗那里，我早早地下班去做头发。偏向一侧的盘头正好搭配新裙子和黑色的中跟皮鞋。

我拿下衣架，回忆起克里斯的电话。那天我还没来得及穿上它就接到克里斯的电话。他抱怨说有个紧要的任务，我在电话里听见她——卡西迪的声音——催促我的丈夫，在我们的结婚纪念日抢走了他。

"我会弥补的，"他承诺，电话里他的歉意听起来淡淡的，好像是，只是好像，他一点儿也不在意，"尽快。"

我抚摸着裙子。这是一条黑色的绉纱直筒连衣裙，后背系扣。我把它套在头上，让它自然地滑下去，挡住粉色的胸罩和内裤。我凝神看着大衣镜里的自己。我记得十月我们纪念日的那个晚上，是格雷汉姆过来陪我，他在我不应该在家的时间听见了电视的声音。他站在走廊里，一脸同情，他知道我没必要告诉他原因：我，穿着睡袍和拖鞋，发髻让人眼花得倒在一边，我没有穿黑色的连衣裙，电视上播着《价格竞猜》的节目。烤箱里在加热着冷冻快餐。

"他不配你。"他就说了这些。然后，我们回到逝去已久的大学时代，用克里斯喜欢的淡啤酒玩了一轮"百年俱乐部"[1]。我们都喝醉了，不省人事，我朦朦胧胧地感觉好像是我工作狂的丈夫制止了我们，记不清楚了。我晕倒在沙发上。第二天早上醒过来的时候看见空啤酒瓶里面插着鲜花，克里斯虚浮地道歉。

我还没醒他就走了。

我描上黑色的眼线，刷上烟色的眼影，涂完酒红色的口红之后，抿了抿嘴唇，用纸巾擦掉了多余的部分。我把头发随意地盘在头顶，和花了六十美元盘出来的头发比起来实在太难看了。然后从橱柜深处拉出装黑色中跟皮鞋的盒子，穿上长筒袜，换上鞋，站在镜子前面。

婴儿裹着粉色的毛毯躺在地上熟睡，我看了她一下就走开了，没敢多停留，我不能改变计划。她的确睡着了，不会知道我不在，我轻手轻脚地出去，关上房门。

我没时间调整呼吸，我不能慢下来让自己多想。

我刚放下手，格雷汉姆就把门打开了。他穿着牛仔裤和背心站

---

1 一种喝酒游戏。要求参与者在 100 分钟内喝掉 100 盎司的酒。

在我面前，无可挑剔，面带微笑。他注意到我的裙子、发型和刻意的妆容，从头到脚地打量着我说："啊，哈哈。"我背过手去解裙子上的扣子。他的电脑摊开在植绒沙发上；屋子里飘荡着妮娜·西蒙妮的音乐。

"你要……"格雷汉姆把我让进屋里，关上门。我撩起裙子，露出里面淡粉色的内衣。他的眼神被粉色吸引，被蕾丝吸引，目不转睛的神态足以否定克里斯对他的推断。

"你不是来真的吧？"他说。但是我回答我是。

我靠近他，他的完美一览无遗，我想让他温暖的手抚摸我，抱住我娇小的身体。

格雷汉姆，作为好朋友，一直乐于助人。对于我这个请求更是欣然接受，成人之美。我想是出于礼貌，他绕过沙发，让我上床，还没收拾过的床。

杨 柳

很晚了，房子里一片寂静。约瑟夫来过了，已经回去了。

我被一声尖叫吵醒，低沉洪亮的叫声把我从床上拎起来。

我记得窗口的白月光，但是改变不了夜晚的黑暗。我记得那声尖叫之后又安静下来，静得让我怀疑自己是不是做了一个梦。我躺下，盯着月亮，希望自己的心跳平缓，呼吸正常。云层遮住月亮，懒洋洋、慢悠悠的。古树张牙舞爪的大胳膊像无数影子，它们互相触摸着、缠绕着、搅动着空气。

然后，我听到了金属钥匙插进钥匙孔，疯狂地扭动门把手的声音。我以为是约瑟夫，他的身影出现在昏暗的灯线里。出乎意料的，是马修走进来，他神色慌张，手在颤抖，他说："快，克莱尔，起来！"我看见他手里握着一把滴血的尖刀，血流到我的床上。我抓住他伸过来的手，他把我从床上拽起来。

"你必须离开，克莱尔，"他说着把我搂在怀里，使劲给了我一个热情的拥抱。"你必须跑。"他把衣服塞进我的手里：运动衫和运动鞋，一条大裤子。马修让我换上。"快点。"他急促地说。

"为什么？"我问，"去哪儿？"

"这有一个包，"他说，"在门口。箱子里有你需要的所有东西。"他拉着我的手下楼，穿过整座静悄悄的房子，约瑟夫和米利亚姆房间的门关着。我走过他们门口的时候有一点儿害怕，我害怕里面发生了什么。

我不知道哪个更糟糕：那里已经了发生什么还是我想要的即将发生。我根本没办法知道。

"约瑟夫怎么办？"我问。其实我知道，通过鲜血和紧闭的房门，马修和我顺利地走下木楼梯——不可能让吱扭吱扭响的地板不出声音——约瑟夫死了。

那声尖叫是约瑟夫的。

刀子上的血也是他的。

他在最后一级台阶上把我搂住，轻声说："我知道他对你做了什么。"我感到双腿打软。他知道了我的秘密，他知道了约瑟夫的秘密。从某种程度上说，这卸掉了我的包袱，我不用一个人承担了。我猜这些年，约瑟夫自顾自地爬上我的床的时候，马修在墙的那边听着。我在台阶上抱住马修不想走，他又说："你必须走，克莱尔。你必须马上走。"然后从背后解开我的手。

"去哪儿？"我问，我又渴望又害怕。长这么大，我还从来没有一个人过。

"有一辆出租车，"他说，"在外面，等在门口。他会拉你去车站。"这时我才注意到路边的车灯。

"可是我不想走，"我喊着，黑暗中注视着马修的眼睛模糊了，"我想和你在一起。"我像块胶布一样贴在他身上，伸出胳膊圈住他的后背，他放任我这样抱了几秒钟之后，突然，掰开我的手指推开我。我声嘶力竭地喊着：“和我一起走。”这是我发自心底的叫喊。我泣不成声地求他：“和我一起走。茫茫世界里，我只有你了。妈妈离我而去，莉莉离我而去，现在你也要离我而去吗？”

“克莱尔。”

“和我一起走，”我像小时候一样抱着胳膊，噘着嘴，跺着脚磨他。“和我一起走，和我一起走！”我用力扯着他的胳膊，拉他到门口。门还开着，侧门的玻璃破了，地上全是碎玻璃。

我呆若木鸡。

马修是这么进来的。

“你必须走，克莱尔。”马修把一沓纸币塞进我手里，匆匆忙忙地提起地上的皮箱，递给身后的我。“马上走，”他说，“赶在……”他没说完。“快走。”他是这样说的，却把我拉过去，紧紧地搂在怀里。他全身颤抖，一身冷汗。他和我一样不想让我走，我知道。可是他猛地把箱子塞进我无力的手掌，推着我——特别用力地推——到门外，我小心翼翼地走在碎玻璃上。

我回头看了一次，只有一次，看见他站在门口，背着手把刀藏在身后，他的脸上既有留恋又有伤感，他也难过。

我对那晚的记忆犹如浮光掠影，只是在脑子里有些印象，身体其他地方没有任何感受。那天很冷，但是我没感觉。我感觉像梦游，又好像是一场梦。就像看电视一样，我听见自己在抽泣，但我不是参与者，我只是观众。我没记得告诉司机——一个短粗的男人的背影，对于我来说他和虚无缥缈的声音没什么区别，后视镜里只看得见一双眼晴——去哪里。不过，好像他知道。我上车，他开车，飞驰在坑坑洼洼的马路上。他开得特别得快，车子左摇右晃，我想他一定是听见马修说要快或者什么的，所以才这么风风火火的。马修肯定告诉他了。我抓着车门把儿，不让自己在拐弯的时候被甩出去。我琢磨着那辆日产蓝鸟翻着跟头冲下马路的情景，妈妈当时是不是也是这个感觉。

司机把车停在街角一座灰色的矮房子前面，墙砖上有写着两个蓝色的字"灰狗"。夜里的这个时间，城市的马路静悄悄的。有个老太太站在外面，白发稀疏，一手夹着烟喷云吐雾，一手叉在薄外套的口袋里。

"十七美元。"司机瓮声瓮气地说，我坐在后排像个傻子似的问："啊？"

他指了指我颤抖的手里攥着的一沓钱说："十七美元。"我从马修给我的钱里数出十七美元交给他，然后拎着皮箱下车。走过老女人的时候，我看着她。

"给点钱吧。"她对我说，但是我把钱卷起来攥在手心里，使劲握着不让她看见。

我走到里面，看见一个售货机，毫不犹豫地放进去一块钱，按下红色的按钮。一瓶苏打水掉下来，比我想象得快。我拿着它坐到旁边的空椅子上。窗外还黑着，天边刚刚露出第一缕曙光。一个唠唠叨叨的老头坐在售票亭里数着票款，一边数一边嘟囔着。我听见电视的声音，但是我看不到，电视里在播报早间新闻、路况和天气预报。

我不知道待在这儿干什么。我不知道我该干什么，该去哪里。我还没有接受这个事实：约瑟夫已经死了。我泪流满面，眼睛哭肿了。我的心跳还没有慢下来，心脏随着剧烈的跳动飞旋。运动衫里面的白色内衣上，有马修冲进我的房间时甩上的血迹。

约瑟夫的血。

我确定。我绞尽脑汁把零七碎八的东西拼在一起：碎玻璃、刀子、从喉咙发出的把我吵醒的惊叫声，马修在门口的样子，他的话"马上走，赶在……"赶什么？我坐在那里猜。赶在警察来之前？赶在艾萨克出现之前？我突然发现，我只能靠自己了。我不再属于约瑟夫，他再也不能进我的房间了，可是，马修怎么办呀……

我不知道自己在那里坐了多久。慢慢地喝苏打水，听电视。候车室里温暖明亮。我盯着天花板上一盏闪个不停的灯看了一会儿，又看着一个穿牛仔裤的男人走进了车站。他的 T 恤又脏又破，头上戴着一顶帽子，上面印着"家伙"。我以为他只穿一件 T 恤应该觉得冷，但是看起来一点儿也不。他斜眼看着我，假装没看见的样子。但是我知道他看着我。他手里拿着一个鼓鼓囊囊的行李袋，拉锁都被撑开了。

他点点头，幅度很小，好像在说"我看见你了"，然后走到墙上的图表前，伸出手在图表上指指点点。

离开。

到达。

汽车时刻表。

他走到售票亭，从唠唠叨叨的老头那里买了去芝加哥的票，然后闷闷不乐地坐在站台另一侧的硬椅子里，把帽子拉下来遮住眼睛，看起来好像要睡了。我站起来，用袖子抹了抹眼睛，走到时刻表前，上面那么多字和数让我眼花缭乱：卡尼、哥伦布、芝加哥、辛辛那提……

　　然后，我看见它，四个我意想不到的字，我知道是命中注定：柯林斯堡。

　　柯林斯堡。我无数次在大莉莉从科罗拉多寄给我的回信地址上看见过这几个字。我的莉莉，小莉莉，住在科罗拉多的柯林斯堡。

　　是去找她的时候了，去和我妹妹重逢。

海 蒂

房间没有开灯，格雷汉姆站在离我不到一米远的地方，贪婪地看着我脱掉内衣扔在地上。浅粉色的胸罩掉在中跟鞋上，丝袜卷成球被抛在一边。

他上下打量我，谨慎而从容，他注视着我肚脐下无时不在的刀疤。红色的对角线，一直延伸进耻骨看不到的地方。

我不理会那道伤疤，我告诉自己那不是真的。我想起婴儿，在隔壁裹着粉色毛毯熟睡的婴儿。

格雷汉姆什么也没说，他用温暖的手托着我的腰，把我放在床上，让我躺在有一半耷拉在地上的灰色羽绒被上，旁边的枕头还是刚起床的样子。我看着他身后天花板上的吊扇——拉丝镍配樱桃木扇叶——把梳妆台上的纸一页一页地吹到地上。那是格雷汉姆最新的作品，他是那么急不可待，根本没有注意到。他也没有注意到电扇在我裸露的胳膊、大腿和胸部吹起的鸡皮疙瘩。

他站在床边，脱下背心，我欠着身子抚摸他的三角肌和腹肌、柔软的金发、凹陷的肚脐和他牛仔裤上古铜色的扣子。我听见了。

我听见婴儿的哭声。

比汽车的喇叭声还大，比突如其来的滚雷还要吵，比蒸汽机的轰鸣更刺耳。

我腾地一下起来，从卧室和客厅的地板上捡起衣服。格雷汉姆对婴儿的哭声充耳不闻，求我不要离开。"海蒂！"他说，声音无比温柔，任何一个女人都无法拒绝，我发誓。"怎么了？"他盯着我，盯着我的眼睛。我套上裙子，穿上丝袜，手里拿着内裤，扣背后的扣子——扣错了扣眼。

"就是……"我说，我的脸红了，无法放开他的手。他的眼睛，没有离开我的身体，以一种克里斯不再有的方式注视着我。"我忘了，我还有事。"

我站在格雷汉姆门口的时候听见哭声，大声的、委屈的哭声。我开始跑，鞋跟咚咚地砸在木地板上，格雷汉姆叫着我的名字。

"海蒂。"

但是他没有追出来。

我回到家里，小婴儿躺在粉色毛毯里。

安安稳稳地睡着。

这不是幻觉。

我以为我会看见她身上的毯子像煎蛋边一样卷起来，她愤怒的小手抓着毯子。她的皮肤通红，哭声像牛筋草一样刺耳，急促，尖锐，仿佛哭了好几天、好几周、好几个月似的。

然而，她是安静的。呼吸匀称，恬静舒适地躺在粉色的毛毯里，而我则站在门口大口大口地喘着气。

她在睡觉，我对自己说。我竟然确定——就像确定我在呼吸、我活着一样——我听见了她的哭声，简直匪夷所思。

我冲到她的身边，抱起她幼小的身体，把她从昏睡中叫醒。

"呜呜。"我对着她的耳朵轻轻哼着，"妈妈来了。妈妈不会再把你一个人扔下了。"

杨 柳

马修在箱子里给我准备了可能用得到的所有东西。钱，很多钱，还有一些食物，比如巧克力棒、格兰诺拉燕麦卷和饼干等。我不知道他的钱是怎么来的。我在车上找到座位坐好，把箱子抱在胸前，这是这个世界上唯一属于我的东西。汽车开到内布拉斯加郊区的时候，太阳在晚冬的天空中冉冉升起。我把箱子平放在上下颠簸的腿上，拧开扣钩，从里面拿出一本书，他像小时候在我的卧室里藏书一样在箱子里放了书，《50 州》。我简单地翻了一下，发现他在厚厚的书页中间夹了字条。上面有潦草的黑色字迹：阿拉斯加，太冷；内布拉斯加州，想都别想；伊利诺伊，可以考虑。这是一份指导我去向的说明，这就是马修想做的。

蒙大拿，藏身的好地方。

我犹豫这件事是不是有必要：找个地方藏起来。难道会有人找我？约瑟夫，也许，或者是警察。不可能，我提醒自己。不会是约瑟夫，约瑟夫已经死了。

我闭上眼睛，强迫自己睡觉，但是没有那么容易。我眼前总是浮现马修冲进我房间时慌乱的眼神，一滴滴的血——黑暗中看不出颜色——挂在刀子上往下流。我一遍又一遍地听见约瑟夫的叫声，耳鸣不止。我尽力不去想我走了以后发生了什么，不考虑马修在那儿，他到底好不好。

我怀疑所有的人都在盯着我，所有人都知道我的事情。由此，我缩在座位里，尽可能地藏起来，不看任何人的眼睛，不和任何人打招呼。过道另一边的蓝青色座位上坐着一个男人，他穿着黑西装，戴着教士的硬白领，在翻阅一本陈旧的《圣经》。即使对他，我也没有说出迂腐的"你好"。

尤其不能对他。

我闭上眼睛，极力忽视他的存在，假装他不会察觉我的罪恶，不会像警犬一样嗅出气味，寻出端倪。

下午的时候，我透过贴着防晒膜的车窗逐渐认出了外面的景色。绿色的大牌子上有白色的粗体字，我知道那是地名，北普拉特、萨瑟兰、罗斯科……道路旁边有一块小牌子"基斯县界"。这里有我熟悉的刷着白漆的谷仓和牲口圈，被遗弃的倒向一边的木屋。我太熟悉了，尤其是八年前，我最后一次看木屋的时候，它倒在黄色的草地上，四分五裂。我不知不觉地坐直了，鼻子抵在冰冷的玻璃上。我好像听见了妈妈的声音，盖过汽车嗡嗡的轰鸣声传过来：我爱你就像小猪爱潲水。

汽车驶上 61 号高速公路，路标显示这条路通往迈康瑙希湖，我小的时候在那里搭过很多沙子城堡。阳光明媚的夏天，我总是催着妈妈起床，开着蓝鸟车带我和莉莉去附近的湖边游玩。她总是忘记涂防晒霜，所以我们都被晒伤了；傍晚的时候，雀斑和红鼻头爬上我们的脸，我们的鼻尖一直发烫直到它变成白色。我一直凝视着窗外，车子右转开进了康诺克停车场，就停在速8和舒适客栈的旁边，正对着温蒂餐馆。那个餐馆是很久很久以前，我和妈妈吃饭的地方，恍若隔世。连锁超市还在，载货汽车停车场还在，和我记忆中的一模一样。我全记得。汽车途经奥加拉拉前往柯林斯堡。这是奥加拉拉。

我回家了。

汽车停稳后，乘客们下车到超市去上厕所，买零食。我有一种强烈的冲动要拎起箱子逃跑。我的心"扑通扑通"地跳，胳膊和手抖个不停。我把箱子放在前面，推开刚上车的新乘客，小声说着"对不起"和"劳驾"，在狭窄的过道里冒冒失失地挤下车。我遭到了很多白眼。

我清楚地意识到自己对回家、回到活动房的路一点儿头绪都没有。在我八岁的时候有很多好机会，可是我没有抓住。不过没关系。随便躺在奥加拉拉路边的一个沟渠里也可以找到家的感觉。我感觉到它钻进我的毛孔里，流进我的血管里。奥加拉拉，我的家。我完全沉醉了，那里有我的爸爸妈妈。一个傻傻的想法占据着我的脑海：也许妈妈还在这儿。也许彻头彻尾就是一个天大的错误。我走回活动房，妈妈、爸爸和婴儿莉莉还在那里，不是露丝，她除了我没有其他姐妹。当我走进吱吱作响的纱门的时候，我突然回到了八岁那一年，时间仿佛停滞了。妈妈还活着，在蹩脚的小屋里一如既往地洋溢着她的热情和活力。房子和我离开时一模一样。没有其他人入住，没有小女孩睡在我的床上。我从来没听说过一个叫约瑟夫的男人。"这只是一个错误。"我一边走一边自言自语。迈下汽车的大台阶之后，我站在康诺克停车场里。我被寒冷的气流激了一下——提醒我改变主意——

但是我不管不顾。我表情坚毅地穿过停车场，走上马路。拒绝承认真实的内心感受——从头到尾就是一个天大的错误。

妈妈活着。爸爸活着。我果断地走上便道，心意已决，归心似箭。只是我每走一步，箱子都碍事地磕在我的右腿上。

我发现自己竟然记得去活动屋的路。也许我的意识不记得了，但是我的脚知道，它带着我从停车场出来右转，然后沿着勘探者大道走。箱子没有影响我，恶劣的天气也没有影响我。我开启了爸爸说过的自动巡航的模式。我曾经问他，总是开卡车他怎么不觉得累时，他就是这样说的。我坚信妈妈活着，这个信念支撑我磕磕绊绊地走过了一片破砖房。从儿时起我就记得，枯树下是第一街，然后是第二街、第三街和挨着白色的复印室、低垂着电话线的第四街。现在，树和房子都成倍地增多了，以前那个几乎荒芜的小镇不见了。云杉街上搭着移动房屋，有大片开阔的土地和广告牌。我伴着汽车的呼啸声走了近两公里的路，高速行驶的汽车带来的风刮得头发乱飞。

走到峡谷路的时候，我的腿快断了。手指麻木，胳膊已经感觉不到箱子的重量。我流着鼻涕，每挪动一步腿就像要被扯断了一样疼。

房子比我记忆中的小，白色的墙不像雪，更像麦片。以前门口好像有一段完整的楼梯，现在只有四级歪歪斜斜的小台阶，扶栏外层的铝有一半已经脱落，露出灰褐色的支柱。曾经的篮球筐不见了。一辆本田驶过，红色的，不是我看惯了的蓝鸟。

我站在峡谷路上，注视着对面我以前的家。我鼓励自己去转动门把手，盼望着，祈祷着妈妈在里面，虽然我内心深处知道她死了，但是我使劲地排斥这种想法，总是想着如果。突然间我有了一个想法：如果不去试，我永远不知道，那该有多好，因为不知道总比证明爸爸妈妈死了更好。毕竟，我只有八岁，还是一个傻小孩。也许他们告诉我的都是假的，不过是约瑟夫骗我的诸多假话中的一个。我让自己相信妈妈一直在找我，我的照片和其他失踪孩子的照片一起贴在奶箱的后面，黑白照片旁边有一张预测几年后长相的图片，不知道那个自作聪明的人会把十六岁的我想象成什么样子。"如果你认为见到了克莱尔，请拨打失踪电话1800。"我想象着他们的措辞，"克莱尔最后一次露面是在位于内布拉斯加州奥加拉拉峡谷路旁的家中。她的头发是棕色，眼睛是奇幻的蓝色。下巴处有一道小疤痕，门牙间有缝隙。她失踪之前穿着……"

安布尔·阿德勒过来通知我父母都死了的那个晚上，我穿着什么？是我经常穿的那件蓝紫色T恤吗？上面画着一管鲜红的口红，印着可爱的SWAK字母，衣服边上点缀着唇印。还是礼服？或者是带圆点的背心？还是……

我脑子里想着这些事的时候，活动房的门颤悠悠地开了。孩子们的吵闹声打破了宁静。一个母亲的声音——不是我的母亲，是另一个母亲严厉而且疲倦的声音——告诉他们请闭嘴。

他们出来了，三个人——不是四个，我看见母亲怀里抱着一个婴儿——他们像一群淘气的小猫一样叽里咕噜地走下四级摇摇晃晃的台阶。两个会走的孩子一边下楼梯一边推推搡搡地打闹着，互相叫着对方的名字。这是两个男孩，穿着同样的牛仔裤、网球鞋和厚棉服，戴着护耳的皮帽子。妈妈用粉色的毯子裹着婴儿。一个女孩，我猜，她可能一直想要一个女孩。她温柔地推着男孩，催促他们快点往前走。他们上车了，好像在赶时间。一个男孩了转了一个圈，假装委屈地哭喊着："你打我。"他冲着妈妈大喊大叫。

"丹尼尔"她说，语气平和，"上车。"但是他仍然站在台阶下面大发雷霆，大一点儿的男孩听话地钻进车里，妈妈把婴儿车也固定在车里。那个男孩，丹尼尔，大概五六岁的样子，抱着双臂，噘着嘴，下嘴唇几乎包住了上嘴唇。我吃惊地看着，想着我从来不会这样和妈妈说话。我当时就知道我不喜欢那个小孩，一点儿也不喜欢。我不喜欢他任性地把棕色的头发露在帽子外面的样子，不喜欢他把超大的外衣斜穿在身上的样子，左边的袖子完全盖住戴着手套的手。我不喜欢他海蓝色的靴子和他挂在长脸上招人厌恶的愤怒。

真正惹恼我的是他不在乎他们要去干什么，却认为那是世界上最糟糕的事。显然，他没有遇见过约瑟夫那样的人。

我不敢去超市。我想起帮妈妈推着购物车到处逛，挠着莉莉的小脚和小手、不让她哭闹的情景。我回忆起面包展示柜里刚出炉的甜甜圈浓浓的味道，那时妈妈让我给每人挑一个作为第二天的早餐。

我想象着甜甜圈的样子：蛋糕甜甜圈上点缀着五颜六色的糖屑，夹馅甜甜圈裹着巧克力酥皮。那个女人注意到我，"需要帮忙吗？"她问。我的脚情不自禁地后退，她过马路，走到我身边。她棕色的眼睛水汪汪的，有眼袋，显得很疲惫，头发不够光滑，好像还没来得及洗澡。"亲爱的，你是迷路了吗？"

一切都来得太突然了，我从来都没有见过贴在窗户上的绿色的三叶草，我们从来不用三叶草。报箱上的黑体字：布里奇曼。一只狗趴在前窗上狂叫，像德国牧羊犬一样大，它的头从窗帘的花边里钻出来，而我家没有。小门廊里摆着一把木摇椅，一个小侏儒举着一个欢迎牌。丑陋的噘着嘴的男孩，或者是那个稍大一点儿的从车里出来想看他们的妈妈在和谁说话。他过来，我转身就跑。这时她又问了一遍："有什么需要我帮忙的吗？"

这不是我的家。

现实从我的肺里切断了呼吸，我上气不接下气。我在峡谷路上跌跌撞撞地奔跑，跑过停在路边的汽车，跑过圈着篱笆墙的院落，跑过报箱和斑驳陆离的草地，碎石子在我的脚下跳跃。世界在飞速地旋转。我抄近路跑过草坪，以防开着红色丰田的女人布里奇曼夫人追踪。我被一块大圆石绊倒了，摔在一个陌生人铺在后院的木板上。我的膝盖湿了，糊着融化的雪泥巴。箱子被摔开了，里面的东西一股脑儿地掉进浸水的草坪上，书和钱沾着雪。我忙不迭地开始收拾，把我的家当装回箱子里，然后使劲地扣好箱子。

我没有马上发现它。事实上，我差点错过它。我站起来，祈祷没人在后窗看见我，突然有个东西——在本来就白的雪地里闪光——晃到了我的眼睛，我走过去，捡起来。啊，我的手里是妈妈的照片，就是几年前约瑟夫强迫我撕成碎片的那张。那张约瑟夫让我走下奥马哈家的台阶扔进垃圾桶的照片。我记得那天，马修和艾萨克坐在桌子旁看着我，看着我把妈妈的照片扔进垃圾桶，看着我上楼，按照约瑟夫的命令去祈祷，乞求上帝的宽恕。

马修不但从垃圾桶里捡回这些碎片，还像做拼图游戏一样把它们拼好了。照片的背面有千百万条大小不一的胶带，照片又厚又硬。白色、参差不齐的接缝划过妈妈漂亮的脸庞、黑色的长发和蓝宝石般的眼睛。我把妈妈捧在手心里，她穿着橄榄绿色的裙子——僧袍，妈妈总是这么叫它。船领、短袖都被约瑟夫恶毒的手撕开了。

这么多年，马修把它捡回之后藏在哪儿了？

为什么他一直不给我呢？

当然，我知道为什么。他怕约瑟夫看见。

从今以后，他再也不用担心了。

我已经很多年没有见过妈妈了。在我的记忆里，黑色的头发已经褪色，蓝色的眼睛已经暗淡，像是兑了水的汽水。她的微笑变小了，我偶尔想起来的就是她在爸爸回家的日子涂的鲜红的口红。但是，现在，她在我的眼前：乌黑的秀发和湛蓝的眼睛，浆果般光亮的嘴唇。她在笑。我听见了她的笑声，从照片里发出的笑声。我第一眼看见这张照片之后，接着就看见妈妈从我的手里抢走照相机，对着我拍了一张，然后我们去西夫韦冲出整卷的照片。我们分别收起对方的照片，这样即使我们不在一起，我们也不会分开。她在我脸上留下一个大大的红色唇印，我对着旧蓝鸟的后视镜看着这个吻痕，不愿意擦掉。

我把妈妈的照片捂在胸口上，跪在融化了的三月积雪里，巡视了一下这个陌生人家的后院，然后我想明白了，即使妈妈不在了，她也永远在我心里。

妈妈永远永远也不会离开我。

海 蒂

我搂紧婴儿，坐进摇椅里，轻声哼着永远永远不会再撇下她。她真的开始哭了，愤怒而且狂躁，她抓住我的一缕头发使劲地扯，不停地闹，哭得自己气喘吁吁。我抱着她站起来在屋子里转悠，我好像听见格雷汉姆家妮娜·西蒙妮低吟浅唱的声音："我对你施了魔咒。"他开得声音比以往都大。

难道是我的幻觉？

他是想压过我宝宝愤愤不平的哭声呢，还是在向我表明心意？我似乎看见格雷汉姆此时赤裸着身体琢磨着我刚到就离开的原因。

他在自己的家里，脱掉了背心，解开了裤子的拉链，接下来会做什么呢？他会打电话叫一个女朋友来填补空白吗？我强迫自己不去想，不去想漂亮的金发碧眼的女郎代替我躺在没有收拾过的床上。格雷汉姆无视这个改变，只在乎抚摸他的一双女人的手。我要把这个遐想从脑子里赶出去：如果不是为了婴儿，我会做什么，我会走多远？

不会的，我提醒自己。婴儿睡着了。是她吗？我突然惊愕地发现自己是那么无可救药地在意她的哭声，绝望的、无助的、彻底被遗弃的哭声，就像我在格雷汉姆家听到的一样。那个哭声在我的脑海里反复出现，声音伴着画面：格雷汉姆脱掉背心，露出三角肌和腹肌，柔密的金发，以及牛仔裤上的铜扣。

婴儿真的哭了，我对自己说。她没睡。

我来回地摇晃她，像跷跷板似的上下慢慢地颠她，尝试各种方法安抚她。她嫌我丢下她不管。我一遍一遍地说："对不起。妈妈再也不会扔下你了，再也不会了。"我深深地吻她，徒劳地表达着我的歉意。

我告诉自己我不是一个好妈妈。好妈妈不会把她一个人留下，自己出门。我想应该是一时的疏忽。蓦然间，克里斯遗忘在口袋里的避孕套却清晰地出现在我的脑子里，一想起这事，那个闪亮的蓝色包装瞬间让我坠入深渊，心慌，手软。

露比的鼻子在黑裙子上的褶皱里蹭来蹭去，她总是这样，只要饿了就这样。我走进厨房，把配方奶倒进奶瓶，加上水，摇匀，假冒妈妈应该给她的食物。我使劲回忆当时为什么用奶粉喂我的孩子，为什么不坚持母乳了。我喂过她母乳吗？我发现，站在厨房里，我回忆不起来。癌症，我对自己说。然而我又想，癌症？

或者癌症只是我的臆想，可是我想起腹部的那道线，格雷汉姆用指尖滑过的那道痕迹。他刚要问出口的时候，我把手指放在唇边，嘘——它是怎么来的？疤痕，它到底是不是刀疤？

这时一个词从脑袋里冒出来，丑陋，邪恶，我快速地摇头要把它甩出去。

流产。不可能。我搂紧婴儿，我知道那不是真的。

那个秃头的医生说，她，我的朱丽叶，已经被当作医学废物丢弃了。他说医学废物被带出医院焚化了。我终年无眠的夜晚总靠想象陪伴，或者睡着时的梦境总被恐怖填满：宝贝朱丽叶在 2000 度的炉子里，像搅拌机里的水泥一样翻滚着，她的每一个部分都暴露在烈焰之中，她幼小的灵魂化作气体融入空气里。

我疯狂地摇头，大声地喊叫："不。"

我低头看了一眼怀里的婴儿，想：朱丽叶在这儿，她平安无事。

我接着想，也许是胎记，我肚子上的痕迹和我宝贝腿上的痕迹一样。这种东西遗传吗？我回忆起昨天，在去卢普区和克里斯吃午饭的路上，在 L 线列车上，路人称赞我可爱的孩子，他们说我们长得太像了。世界上每个妈妈都渴望听到这些话。一个说她的眼睛和你一模一样；另一个说，她笑起来和你一样。他们说他们的，我用手指滑过她弯弯的上唇，中间 V 形的凸起就是人们说的丘比特之弓。

就像佐伊那样，就像我这样。

"家族遗传。"我说，我的宝贝恰到好处地露出一个灿烂的微笑，好像她一直知道自己就是大家谈论的对象，是大家注意的对象，所有人都在向她眉目传情。

她是我的，我这样想着，把她搂紧了，不去想杨柳，把露比的名字从脑子里赶出去。全是我的。

门铃响了，打断了我的思绪；声音很大，非常无礼。我把假母乳喂进我孩子的嘴里，不知道是奶的问题还是门铃的吵闹，我真不知道，总之婴儿用舌头把瓶子推出来，继续哭闹。

我走到窗边往外看，是詹妮弗，我最好的朋友詹妮弗，她手拿一杯星巴克咖啡站在玻璃门前。穿着医院的工作服和牛仔夹克，头发在芝加哥永不停息的风中乱舞。我嗖地一下蹲下去，不能让她看见我站在飘窗前，我希望她能离开。我现在不能见她。她肯定盯着我的裙子看，肯定会发现我系错位的扣子和深色的眼妆，现在它们毅然决然地流到了我的脸上。粉色的内裤和丝袜被揉成球，黑皮鞋又徒劳无功地回到了鞋盒子里。

她一定想知道发生什么事了。她会问起格雷汉姆，她会问起我的宝贝。我怎么说？我怎么解释？

门铃又嗡嗡地响起来，我跪着抱起嗷嗷叫的婴儿，从窗口偷偷地往外看。詹妮弗用手背遮挡着阳光抬头望着我家的窗户，我再一次趴下，不知道她到底看见我没有，然后我又往下瞄了一眼。我们躲在六十多厘米宽的窗下的时候，我险些把婴儿掉到地上。"嘘，"我用和她差不多的绝望求她，"嘘，别哭了。"我的膝盖开始疼。

我的电话响了，不用看我也知道，是詹妮弗，她要知道我在哪儿？如果她打到办公室找我，肯定有人告诉她我病了。达纳，优秀的前台，告诉她我得了顽固的流感，我最好的朋友带着咖啡，也许是格雷伯爵茶，过来探望。而我却对她避而远之，跪在木地板上乞求孩子安静，不要出声。

电话不响了，门禁不响了，除了婴儿都安静了。我谨慎地站起来，看不见詹妮弗了，一分钟，两分钟。我在整个小区里搜寻淡色薄斜纹布的夹克，只看到邻居老太太拉着空购物车从楼门里走出来，奔向杂货店。

我长出一口气，确定脱身。我继续恳求我的宝贝喝奶，小心翼翼地把瓶子放在她的舌头上，盼着她喝。"喝吧，宝贝。"我说。我还没说出口就听见敲门声，我顿时魂飞魄散。詹妮弗，肯定是，格林老夫人出门去杂货店的时候，她端着星巴克的杯子顺势溜进来了。

"海蒂。"她说，然后又敲门——该死的，当、当、当——这声音比任何言语都更响亮。她知道我在。

"海蒂!"她又喊一声,我抱着婴儿迅速跑进屋里,跑到离门最远的地方。我猜我们是被一氧化碳拖累了,必须找个能呼吸的地方。我缩在卧室的墙角里。詹妮弗的声音从远处传来,小了一些。我把百叶窗调到冲上开,这样下面街道上的行人就不会看见了,不过,我确实听见她站在走廊里嘟囔着"我看见你了"和"我知道你在",不停地拍打木门以引起我的注意。

他们会带走我的宝贝。他们会把宝贝从我身边带走。我乞求着:"求你了,朱丽叶,求你安静一下。"她不喝奶还不停地哭,让我惊慌失措。那个名字——朱丽叶——我脱口而出,是个十足的错误同时又是绝对的正确。哭声没有终止。婴儿佐伊又回来了,她得疝气的时候,大喊大叫,疼得打滚。但是带着佐伊的时候,我不需要躲闪,不需要蹲在卧室的地板上藏起来。

我不知道我们等了多久。一分钟,还是一小时,我说不清,我就是无声地贴着她,求她别哭了。詹妮弗敲门的声音越来越小,终于彻底消失了。电话铃声响了,停了,又响,又停,座机响了,手机也响了。

我从卧室的窗户隔着斜向上方的百叶窗看见詹妮弗的身影,她魂不守舍地在马路上转圈。她抬头看,对着我家客厅的窗户出神。她走了,把一个星巴克的杯子扔进了最近的垃圾桶。我从卧室出来,找到手机,它在门口,詹妮弗肯定听见了。手机上三个未接电话,一个语言邮件,一条短信。

"你在哪儿?"

杨 柳

露易丝·弗洛雷斯再一次提审我。一个看守来到我和迪娃的监室，打开牢门之前她要求我把手伸出监视口，要给我戴手铐。我从上铺下来，双手背在身后。

我们一起走在监狱里。

今天，弗洛雷斯夫人希望我谈谈婴儿卡拉。我坐在她对面的一把破旧的硬背椅子里。"你为什么带走婴儿？"她问。我回忆起那晚的情景，我站在漆黑的森林里，凝视着藏有宝藏的Ａ形房子的窗户。

去过奥加拉拉的老活动房之后，我回到康诺克，已经错过了去柯林斯堡的汽车，那是肯定的。我在售票小姐那里软磨硬泡，终于用旧票折价买了一张新票。她说二十，我极不情愿。可那时天已经黑了。下一趟车要等到凌晨三点多。

不过，我不是直接回到康诺克的。我在陌生人的院子里哭够了之后，去了第五街的墓地，在草地上躺了一会儿，躺在爸爸和妈妈中间。

然后，我振作起来去做我该做的事情。

Ａ形房子里的每一盏灯都亮着，我看得清清楚楚，我看见保罗·赛格尔在楼上解领带；大莉莉怀里抱着那个多余的孩子，手托在孩子的脑袋的下面，慢悠悠地前后摇荡。一条狗在她旁边欢蹦乱跳，她缓步走到后门，示意它出去："去，泰森，"我躲到一棵大树后面，她轻轻地踢了一下狗的屁股，"快点。"然后关上门。那只狗鼻子出奇得灵，它在树后找到我，舔我。我推开它，装出最严厉的语气低声吼着"走开"！避开它的身体，我仍然注视着房子里的情形。壁炉亮着，赛格尔卧室里（保罗四仰八叉地躺在床上）的电视换到新闻频道。

接着，我看见莉莉。我的莉莉在另一间卧室里，一个人，给一个娃娃编小辫。她坐在紫色的床边上，用两条腿夹住娃娃，在手上绕辫绳。我的莉莉不是小婴儿了。实际上，爸爸妈妈死的时候我还没有她现在大。

她很漂亮，超级漂亮，和妈妈一样。

"你为什么不是带走露丝？"弗洛雷斯夫人问，她掰下一小块松糕放进嘴里，慢慢地嚼着。"毕竟，露丝才是你的妹妹。"

"莉莉，"我愤怒地说，"她的名字叫莉莉。"眼前出现她给娃娃梳辫子的样子。也许她根本不会，也许厌倦了和娃娃玩耍，我不知道。但是我看见她揉搓着娃娃，盯着她的亚克力眼睛看了一秒钟，然后把它扔了出去。娃娃狠狠地撞在紫色的墙壁上，接着又重重地落到地上。保罗和大莉莉同时被惊到，大莉莉听到了我的莉莉的哭声，把婴儿放在摇篮里，上楼去我的莉莉的房间。

莉莉痛恨婴儿卡拉，我是这样告诉自己的。她在拿娃娃出气。我一直观察她，她穿着大马图案的睡衣和格子拖鞋，走到玩具娃娃趴着的地方，复仇似的踢它。

弗洛雷斯夫人盯着我看了一会儿，投降了。差不多是这个意思。她说："好吧。莉莉，露丝，随便。回答问题，克莱尔。为什么你不带走自己的妹妹，而带走了那个婴儿呢？"

真话是我的莉莉曾经有一个美好的生活，曾经。在保罗和大莉莉决定用他们梦寐以求的孩子代替她之前。我没有什么能给我的莉莉。全世界我拥有的唯一一家当都在马修给我的箱子里了：迅速减少的钱、两本书和妈妈的照片。

"我没有能力照顾莉莉，"我对弗洛雷斯夫人说，"如果我把她从那个家里带出来的话。"

"那么你能照顾那个婴儿吗？你能照顾卡拉吗？"

我耸耸肩，底气不足地说："那不是我的初衷。"

"那么你的初衷是什么，克莱尔？"她责问我。她抿着嘴，皱着眉，摘掉眼镜放在桌子上。我的莉莉应该重新过上那样的生活：海边度假、粉绿色的自行车和蒙特梭利学校。我只需要把问题解决。所以，当大莉莉上楼，保罗翻身、假装没有听见我的莉莉大发雷霆的时候，我走进了 A 形的房子。从后门进去的，可卡出来小便的时候她没有锁门。我把手伸进婴儿粉色的毛毯下面，像妈妈教我抱婴儿莉莉那样小心护着她的头，把睡梦中的她从摇篮里抱出来。我们从露台的木门走进三月没有星光的黑夜里。

克里斯

我睡过头了。

虽然终于醒了，但是有诸多久睡的不适：头痛欲裂，强烈的阳光刺得我睁不开眼。我是被急促的电话铃声吵醒的。在酒精催眠的状态下听到那个铃声特别刺耳。是亨利，电话里他像军训教官发号施令一样地问："你在哪儿？"九点多了。

我没来得及洗澡。在走廊的尽头等电梯的时候，我闻到自己身上龙舌兰烈酒的味道和头发里令人作呕的烟味，这些都是昨晚酒吧的遗臭吧。我的眼里血丝密布，手心湿冷。我忘了带便笺，上面写着我一会儿发言的要点，一群潜在投资人正在八层的会议室等着我，我们希望能他们留下深刻印象。我不动声色地走进会议室的时候，所有的目光都落在我身上。一大早，我喷着酒气，泛着胃酸，克制着一阵阵涌上来的呕吐欲望。

"你总算出现了。"亨利低声嘟囔着，我用袖子抹了一下嘴。我看见卡西迪紧挨着某个风险投资家，好像叫特德。她的嘴唇几乎贴在他的耳朵上，我想象得出，她呼出的气息刺激着他的肌肤。他突然转头看着她，两人同时爆发出笑声，我确定那笑声是针对我的。

我用手指梳理着头发。

汤姆突然把我拉到一边，让我振作起来。他递给我一杯咖啡，好像咖啡因可以扭转乾坤，可以减少我演讲中的结巴，可以让我的大脑清醒。我在公文包里翻了半天也没找到财务文件，只好掏出揉烂的纸条和记事本，还有那张写着一个"是"字的紫色字条。

咖啡多多少少起了一点儿作用。我趁中间休息的时候回房间换衣服、梳头。我突然发现丢失的财务文件散乱地摊在桌子上，于是赶紧把它们装进包里。然后刷牙，好使酒味在咖啡和牙膏的双重作用下渐渐散去。现在只剩下剧烈的头疼，我险些服用了过量的止痛片。

重回会场的时候，卡西迪和特德正在分享同一盘奶油百吉饼。他们互相依偎着。她夸张地伸舌头舔完手指，靠在他的耳边低语起来。他们转头看了我一眼继续笑。我回忆起卡西迪在我的房间里，穿着笔挺的白色束身外衣，为了留住我而敞开扣子。而我被迫穿着休闲鞋夺路而逃。我猜她离开我的房间之后去找了特德。特德，四十岁左右，风险投资家，左手戴着钨金婚戒。表面上看，他和我不一样，没有拒绝她。他任由她解开衬衫扣子，露出藏在里面的内容。

我听见海蒂的声音，她一遍一遍地对着我唱"荡妇"，像喊口号一样。妇女们联合起来！我在想特德的妻子，她漂亮吗？他们有孩子吗？

我没有丝毫的失望，更重要的是我松了一口气。卡西迪可以选择任何一个男人陪她过夜，我庆幸那不是我。

所以接下来，我无动于衷地坐在会议桌前，津津有味地吃起奶油百吉饼，看着她摆动着舌头舔干净自己的手指。

我的电话响了，我从兜里掏出来一看是马丁·米勒，我雇的调查杨柳的私人侦探。我赶紧从会议室出来，到外面的阳台去接电话。八层的阳台正好俯视酒店的中庭，那里摆满了宴会桌和豪华沙发，还有热带花卉和鱼，几十条大胖锦鲤在贯穿中庭的水池里游动。

马丁的语气非常谨慎。他有所发现。我眼前的八层楼在刹那间变成旷野，我抓住护栏，稳定自己，可能是醉酒后遗症，我有点儿晕。

"是什么？"我问，声音有点儿飘。八层楼下的锦鲤就像白色和橘色相间的小污点。

马丁说正在给我转发一篇新闻报道，标注时间是三月中旬。文中没有提到杨柳，也没有提到露比，但是他说可能就是我们要找的女孩。

我等着接收邮件，手机提示邮件到了的时候，我四肢麻木。

我打开邮件，我目瞪口呆。只不过名字不是杨柳·格里尔。标题是：克莱尔·达洛维被通缉，等待接受有关奥马哈一名男子和他妻子的死亡，以及 3 月 16 日从科罗拉多柯林斯堡的婴儿家中绑架女婴的问讯。

我浏览了一遍文章，发现克莱尔·达洛维很可能携带武器，是个危险人物。那个男人和他的妻子，约瑟夫和米利亚姆·艾伯罗汉森在睡梦中被刺死在奥马哈的家中。我读到了有关婴儿的报道，她叫卡拉·赛格尔，她母亲叫莉莉，父亲叫保罗。出生在柯林斯堡。这里有她的相貌特征：眼睛的颜色、稀疏的头发的深浅。最后是一块胎记的特写：葡萄酒色痣，文章说，像阿拉斯加州的形状。

找到她有酬劳。

我看了有关约瑟夫和米利亚姆·艾伯罗汉森的介绍，他们是达洛维小姐的寄养家庭，她八岁的时候父母双亡，他们慷慨热情地把克莱尔迎进自己家里。

我看了有关他们睡觉时被杀死在床上的描写。

"艾伯罗汉森夫妇还有儿子，"马丁告诉我，"两个，两个亲生儿子，"他补充道，"艾萨克和马修都二十多岁。大儿子艾萨克有当晚不在场的证明，他当时上第三班，正在沃尔玛整理货架。3月19日一早回家发现父母双亡，死在床上。"

"另一个儿子马修·艾伯罗汉森在逃。和克莱尔·达洛维一样因谋杀而被通缉。"

"你对谁也没说过，是不是，马丁？"我迫不及待地问。

"没有，克里斯，当然没有。但是我们必须说，"他说，"我们必须交出那个女孩。如果她是的话。"他说。我想，当然，当然我得这么做了。

"二十四小时，"我恳求着，"就给我二十四小时，"他同意了。我必须见到海蒂，必须亲口告诉她。

我不知道马丁是不是这个意思，他会不会真的等我二十四小时而不去给警察打电话。

"有酬劳。"我又看了一遍，"找到她。"

上帝啊，我想，告诉马丁我马上就得走。我必须先给海蒂打电话，必须提醒她。我拨了号码。

电话一直响一直响，可是没人接听。

我再一次读到那几个字：武器，危险。

刺——

死。

杨 柳

汽车开到芝加哥要很长时间，准确地说是二十三个多小时，中间有十六站。其中有两次我们要带着所有东西换车，换到另一辆同行的车上。我见识了以前没有见过的世界。科罗拉多的群山在我们穿州而过的时候变小，几乎消失；一片接一片的养牛场，那么多牛拥拥攘攘地挤在里面，我刚看见它们在食槽里抢食的一瞬间就患上了幽闭恐惧症。我们又折回内布拉斯加州，穿过密苏里河，受到艾奥瓦州人的欢迎，反正路边的牌子上是这么写的。

我选择芝加哥是为了妈妈。我在车站盯着贴在墙上的另一张时刻表看。我看见"芝加哥"三个字，想起妈妈和她罗列的"总有那么一天"的单子，在蓝鸟翻下马路的时候，还有那么多条她没来得及划掉。我在时刻表上没有看见瑞士，也没有看见巴黎，但是我看见芝加哥，记得妈妈特别渴望去"华丽一英里"——那里有我们想进去买东西的古琦和普拉达店。

我想既然妈妈不能亲眼看见，那我就替她看看吧。

婴儿裹着柔软的粉色毯子在我的腿上安静地睡着。我不敢把她和箱子放在地上，所以我们三个挤在一个座位上。她大部分时间都在睡觉，醒了的时候我把她抱起来让她看窗外，先看日出，再看通往"西进之门"[1] 的日落，我的家曾经在那个城市里。汽车在一个叫作灌木小镇的加油站停下来，我抱着婴儿和箱子下车去买奶粉，和妈妈以前喂莉莉的一样，还有一个塑料瓶。婴儿晚上躁动不安的时候，我把瓶子塞进她嘴里，看着她把自己喝睡着了为止。

我从来没想过这个婴儿有多可爱，也没在意她用小手裹住我的手指使劲攥的感觉。我没注意到她的眼睛在观察我，也没看见歪歪斜斜地写在她内衣上的"小妹妹"三个字。

我想的是那些海葵，小时候马修给我看的书里的海葵，它们是长着精美的天使般身体的谋杀者。当婴儿的手缠绕着我的手指的时候，我想到的是海葵纤细的触手；当婴儿看着我微笑的时候，我想到的是海葵绚丽的颜色。它们看起来像花，但实际上不是。相反，它们是海洋里的捕食者。长生不死。用毒素麻痹猎物，以便生吞活吃。

这个婴儿就是海葵。

我以为我恨她，我是这么想的。但是，随着汽车的行进，她越来越紧地握着我的小手指，时不时地望着我，或者对我笑。我必须提醒自己她是魔怪，因为这个想法不停地逃离我的大脑。我对自己说我不能喜欢她，一点儿也不能。

但是，最后，我没做到。

我们在丹佛换了一辆车，有个女孩像飞机坠毁似的扑通一下坐在

---

1 圣路易斯，这里是两百年前美国西部大开发时东部人口向西进发的起点。

我旁边，然后问："你的孩子叫什么？"我张开嘴，却说不出来。"怎么了？"她问，"你的舌头被猫叼走了？"

那个女孩瘦得像皮包骨头，脸颊凹陷。她穿的衣服特别大，完全没有形，松松垮垮地垂在身上。她的头发是黑的，眼睛也是黑的。脖子上戴着一个带刺的紧项圈。

"没有，她……"我结结巴巴，一时编不出名字。

"她有名字，对吗？"虽然我没有告诉她我孩子的名字，但是她并没有放弃。我不可能说她叫卡拉。后来，她好像明白了，问："露比怎么样？"她望着窗外，我们的车正好经过一个叫作"露比星期二餐厅"的饭馆。我确定这里正好是卡尔玛高速的入口。

我盯着那几个字，耀眼的红色大字。我从来没听过有人叫露比[1]。我联想起红宝石，红色的，鲜血的颜色。

"露比。"我重复着，好像在嘴里品尝这个名字的味道。仔细品味。然后我说："我喜欢。是的，露比。"

她说，"露比"。强化这个名字在我脑子里的印记。

女孩的头上有一个很大的肿块，手腕上有一道鞭子抽过的痕迹，她使劲扯着绿外衣的袖子遮掩着。她在丹佛上车，到奥马哈的时候她已经不在车上了。我尽量不去看她头上鸭蛋大的紫包，但是我的眼睛怎么也转不开。"怎么了？"她若无其事地问，"这个？"她用头发挡住，说："你就当我男朋友是头驴好了。"然后问我，"什么事让你这么一个姑娘半夜三更地待在马路上？还带着，"她捏了一下婴儿的小

---

[1] 红宝石的英文是 Ruby，与露比的英文 Luby 发音相似。

鼻子接着说，"一个小宝宝。"

我们两个聊起来。我喜欢她无所谓的态度和说话方式。"我们想看看不同的风景。"我说。说完之后，我们没有在彼此问过要去哪和从哪来这样的问题，因为我们都知道，另一个人来自某个龌龊的地方。

我们必须在内布拉斯加州的科尼停留一段时间。其间，那个女孩在我的头上倒了一瓶浅红色的染发水，我也倒了一瓶在她的头上。因为停留的时间不够长，所以，和盒子上展示的红色不一样，我的头发变成了带着红的褐色。女孩掏出一条破洞的牛仔裤和一件绒衣，"来，"她说着把一堆衣服塞进我已经满满当当的手里，"换换。"

我把婴儿递给她。她的双手都有刺青，两只手掌上分别刺着半只蝴蝶，合在一起拼出完整的一只。"北美黑条黄凤蝶。"我问的时候她是这样回答的。在厕所——墙上写着：贝尼爱简和丽塔是同性恋——我脱掉了马修给我的裤子和套头衫。我没有脱内衣，就是沾着约瑟夫血迹的那件。这个，我不敢让她看见。我穿上女孩的衣服：牛仔裤、绒衣和一件军绿色的帽衫，还有一双系着磨损了的棕色鞋带的皮靴。我出来的时候，她左手抱着婴儿，右手拿着一个安全别针。

"这是干什么？"我问，我看见她从耳朵上摘耳环：一对天使的翅膀，一个十字架，一个红嘴唇。

"就疼一下。"她说。我抱住婴儿的时候，她把别针扎进我的耳朵，然后把耳环插在我肿胀的耳垂里。我疼得叫出声来，吓到了婴儿，露比也跟着尖叫起来。

我们把空染发剂的瓶子扔进垃圾桶，然后女孩把我拉过去，给我画上眼线。除了妈妈经常在我的脸蛋上抹一点儿淡淡的腮红之外，我以前从来没有化过妆。我在污浊的镜子里看自己：头发、耳环、神秘的眼线。

回看我的没有别人，只有我自己。

"你叫什么？"她问，把眼线笔插进我兜里，曾经在她绿外衣的口袋里。然后她开始给我剪头。我没有反抗。我一动不动地看着镜子，她随意地剪掉几缕头发。"你知道，"她说，顺手把湿头发扔在厕所的瓷砖地上，"我曾经想做美容师。"

我看着自己的样子，心想幸亏她没做。我的头发奇形怪状：一边比另一边长，又窄又长的刘海儿挡住了我的眼睛。

"我妈妈是美发师。"我说，然后我琢磨着妈妈看见我现在这个样子会怎么想。她会失望吗，还是她会理解我的迫不得已？我在好好照顾莉莉，像我承诺她的那样。"我叫克莱尔。"

"克莱尔？"她问。我点点头。"克莱尔什么？"

她把自己的红头发染成了暗淡的金黄色。她也给自己剪了头，在肮脏的地面上，我们的头发混在一起。

"克莱尔·达洛维。"

她把所有的东西都扔进垃圾桶：剪刀、安全别针、从地上收起的碎头发。她拉开自己的包，把里面的东西也倒进垃圾桶：一本破杂志、一张身份证、半袋彩虹糖和一个电话。可是，她突然改变主意，把手伸进黑色的垃圾袋，拣出了那半袋彩虹糖。其余的她都没要。

女孩站在厕所里，手掩着门。有人在外面敲门，砰砰地捶门。"等着。"她吼道。然后对我说："我叫杨柳，杨柳·格里尔。"我知道她离开厕所之后，我们不会再见了。

"我们车上见。"她骗我说。我托了托往下滑的婴儿，看着改造我的人独自走出泛黄的木门，走进加油站，走入一队等得不耐烦的女人中间。

我回到车上的时候没有看见她。

海 蒂

她对瓶子拒之不理。

我千方百计地把奶瓶放进朱丽叶的嘴里，但她就是拒之不理。我把嘴唇贴在她的额头上，冰凉，没有发烧。我给她换尿片，给她安抚奶嘴，在她已经痊愈的湿疹上抹润肤膏，但是全都无济于事，什么都不能抚慰我的孩子。

她在我的黑裙子褶里蹭鼻子的动作提醒了我，我恍然大悟，答案非常简单：这是只有妈妈可以做到的一件事。

我坐在摇椅上，一只手伸到背后，解开系错的扣子，从裙子里撤出一只胳膊，这样，我把自己暴露在朱丽叶面前。没有她没见过的，我想，回忆起我和朱丽叶在一起的那些夜晚。淡粉色的墙壁、粉红色的床单，淡淡的月光，我坐在摇篮旁的喂奶椅上，搂她到胸前，让她可劲儿地吃，吃到她的眼皮沉得睁不开、睡着了为止。她有时候瞪着巨大的棕色眼睛炯炯有神地看着我，发出贪婪的啧啧声，仿佛我是世界上最美丽的事物。她的眼里闪动着爱恋和敬畏，对我的爱恋和敬畏。

但是朱丽叶，注视着眼前这个孩子，我注意到，朱丽叶的眼睛是蓝色的。

没关系，我告诉自己，婴儿的眼睛瞬息万变。这一分钟是棕色，下一分钟就可能是蓝色。但是，还有什么不对劲的地方，那双眼睛和看我时的眼神。

我把乳房送到朱丽叶的嘴边，喜悦地看着她找到乳头。她叼住的一瞬间，我感觉一切是那么的熟悉，胸口的刺痛感、体内的荷尔蒙让我感到的安逸。我用一只手托着我的朱丽叶的头，轻声说："好了，可爱的宝宝。"我看着她有节奏地吮吸和吞咽的动作，看着她大大的棕色眼睛注视我的目光，敬畏，爱恋。她需要我，只要我。

可是，恰恰相反，那双眼睛里有愤怒，蓝眼睛不信任地看着我，好像我在欺骗她，她要哭了。我在我的胸和她的嘴之间插进一根手指引导她调整好位置。我两头轮换着喂她，都不管用。我抱着朱丽叶走到沙发边，我躺下，让她趴在我身上，这是生物养育法。佐伊不好好吃奶的时候，我的哺乳顾问安吉拉是这样建议的。

我想起哺乳顾问安吉拉，我想如果这样还不奏效，我就给她打电话咨询一些。安吉拉会过来，她一贯如此，她会帮助朱丽叶找好位置，让她开始吃奶；在我确定朱丽叶会像以前那样自己吮吸之前，她会再教给我怎样挤压乳房，增加奶量。

我听见门口有脚步声，响亮而焦躁。我料定了是詹妮弗，趁人进出的时候她又溜进来了，这次省下了按门铃和打电话的工夫。我想这该算非法闯入，我的瑞士军刀在哪里？

我躺在沙发上，半敞着黑色绉纱裙，祖露着胸部。朱丽叶趴在我的身上，像一只出水的鱼一样不安地摆动，一副随时准备哭闹的样子。

大门被撞开，朱丽叶发出令人毛骨悚然的一声尖叫，我已经没时间躲进卧室了。我看见他，站在木门外边，目瞪口呆地看着我，看着我的黑裙子和脸上花了的妆容。

他的嘴像一个完美的圆，眉毛却惊讶地吊了起来。

他的头发竖着，一团糟。我心跳加速，整个房间旋转着将我圈起来。朱丽叶的尖叫一声一声地冲击着我的耳朵，她扭动的身躯让我难以把持。

根本不是詹妮弗。

而是克里斯。

杨 柳

我们在芝加哥下车。当我和露比从车站走上热闹的城市街道的时候，我不断地提醒自己，外面很冷，有风。风城，我的脑海中浮现出和马修在奥马哈图书馆共度的时光，我们在书里查询过有关芝加哥的信息。

我还从来没见过芝加哥这样的景色。到处是人、汽车、公交车、伸进云层里的高楼、摩天大厦。我对自己说，现在终于知道为什么这么说了。我回过头去看：一座高楼，上面林立的天线捅破了天空。它得有上百层高，比奥马哈的那些建筑要高出两倍，不，三倍！

我很快就知道了自己无处可去。人们盯着我看，不是友善和关心，而是厌恶、审视和冷漠。开始，我躲躲藏藏。婴儿和我随便钻进一条黑胡同里，靠在发了霉的砖墙上，旁边的门不是锁着就是被封着。胡同里堆着臭气熏天的垃圾桶和垃圾袋，偶尔有成群的老鼠出没。我整天坐在水泥地上——被雨水淋湿了——仰望着逃生梯的金属栅栏。到处东躲西藏。我总以为他们来了，保罗和莉莉·赛格尔来了，约瑟夫来了。但是过了一两天之后，我想明白了，芝加哥有那么多人，他们没办法找到我。

还有约瑟夫，好吧，约瑟夫已经是个死人了。

接下来，我就不担心赛格尔夫妇来找我了，也不担心约瑟夫了，我开始担心其他的事情：吃什么和睡哪里，因为马修给我的钱都花光了。外面很冷，白天冷，晚上更冷，大风有时候刮得人不能走路。我扛了一个晚上，也许是两个晚上，就不得不在饭馆打烊倒掉剩饭菜之后到垃圾里寻找食物。我在胡同里他们看不见的地方徘徊，恳求婴儿保持安静，然后，我从垃圾里找东西吃。我把所有的钱留给婴儿露比，给她买奶粉。

我害怕，我有很多害怕的理由，但是我最害怕婴儿出事，出坏事。我不想伤害她。我只是在做我该做的事。晚上婴儿烦躁不安，当她把自己哭睡了的时候，我一遍遍地这样提醒自己。

我喜欢芝加哥，真的喜欢。我喜欢这儿的建筑和它的隐蔽，因为世界上没有人能想到来这里，来"风城"找我。我最喜欢的是火车，它们在城市的街道上呼啸而过，然后往下，往下，钻进地下。我差不多花掉了所有的钱买了一张通票，这样我和露比就可以尽情地坐火车，L线，我听见别人这样说。我的脑子里不断地出现各种字母R，P，Q，我必须用心地记住是L。如果天气特别冷或者下雨，再或者我们闲得无聊的时候，我们就坐车，婴儿和我一起坐车。

我很快就发现在棕线沿途有图书馆。地图上清清楚楚地标着：图书馆。我确定这是一个预兆，一个指示，坚信不疑。

四月的一个雨天，我们来了一周或者两周后的一个大冷天，我抱着婴儿去站台。上楼梯的时候，为了不让雨水淋到她，我把她兜在衣服里面。在站台上，我旁边是拿着特别大的伞、公文包和手提包的男男女女。他们目不转睛、指指点点、交头接耳，冲着婴儿，冲着我。我不看他们，假装不知道，我用头发挡住眼睛，这样我就看不到他们注视的目光和他们指指点点的手势。

第一辆车来了，太挤。我不喜欢拥挤，不喜欢和陌生人靠得太近，不喜欢闻他们的香水味和洗发水味。再说太近了，他们也会闻到我的臭味：积攒下来的体臭和汗味，从垃圾里飘出来的酸牛奶和臭海鲜味，还有在我和婴儿睡觉的时候包裹着我们的恶臭。

所以我告诉婴儿我们要等，等下一辆。我站在那里看着其他人上车，没有一个人愿意为我耽误时间。

就在这时，我看见一个女人在上车之前犹豫了一秒钟，她是全芝加哥唯一一个为我犹豫的人。但是后来，她也上车了。我虽然看着别处，眼睛直愣愣的假装一无所知，但是我知道她在隔着车窗看，看婴儿和我。

棕线车来了，我上去，去芝加哥的图书馆。图书馆在市中心，是一座巨大的红砖建筑，绿色的屋顶上排列着带翅膀的小精灵，一直低头看着我。但是我不怕。

我没想过还会再遇见那个女人。

但是后来，我们又遇到了。

克里斯

我简直目瞪口呆，我的嘴大张着，却一个字也说不出来。海蒂躺在客厅的沙发上，赤裸着上身，把一条我从来没见过的黑色裙子脱到了胸部以下的位置。她的头发散乱着，好像盘过，现在却松了。脸上的妆一道一道的；黑眼线，我从来没见过我妻子描眼线；深色的口红，蹭得到处都是。婴儿在尖叫，发疯似的，我必须对自己说海蒂是不会伤害婴儿的。

海蒂喜欢孩子。

但是，我也不是特别确定。

我环视了一下我的家，感受到空旷的同时，马上注意到我工作室的门。杨柳，也是克莱尔的房门关得严严的。"海蒂，"我一边说着一边迫不及待地走进自己的家，关上房门。"杨柳在哪儿？"

我怕克莱尔拿着刀躲在门后，所以压低了声音。我暗想这都是克莱尔干的，她扒掉了我妻子的上衣，吓得婴儿恸哭。但是，海蒂并没有被捆在沙发上，她没有受到任何束缚。

我颤颤巍巍、断断续续地说出那几个字。我真不知道它们是怎么进出来的。我的喉咙发干，像沙滩；我的舌头变得有原来的两倍大。

我眼前晃动着卡西迪·克努森半裸的身体，后来一个男人和女人被刺死在床的画面代替了她。

"海蒂。"我又叫了一声，这时我看清了，她把孩子放在胸口上。海蒂永远不会伤害那个婴儿的。我又提醒自己一遍，却被眼前的情景吓呆了，搞不懂到底发生了什么事。我明白了，恍然大悟，我知道海蒂在尝试什么，我的老天!

我的心脏完全停止了跳动。我不能呼吸。

我突然冲进屋里，拼命要从海蒂手里夺过婴儿。

海蒂在我抓住她之前一下子站起来，搂住婴儿，就像是她的孩子似的。我想起婴儿腿上的胎记。"医生说我们应该认真考虑切除。"她说过，她跟我说过。我们像谈论自己的孩子一样讨论过这个问题，讨论过我们的宝贝。

我顿悟，海蒂执着地帮助一个在火车上遇见的无家可归的女孩，根本不是为了杨柳。

而是为了这个婴儿。

突然，我就不担心杨柳躲在工作室里面了;我开始担心海蒂做了什么伤害那个女孩的事。

"杨柳在哪儿?"我再问一遍，顾忌着海蒂和婴儿。我和她们保持着一两尺的距离。然后，她还是不答话。"杨柳在哪儿?海蒂?"

海蒂的声音呆滞，在婴儿的哭声里几乎听不见。但我从她的嘴唇里可以看出来，只有简单的一句解释:"她走了。"

醒醒，醒醒，醒醒!我的意识在尖叫，这肯定是昨晚狂饮的后遗症，肯定不是现实。

"她走了。"我对着海蒂重复了一遍，但更像是说给自己听。然后我问："去哪儿了？"我的脑子里涌现出无数种可能，无数种能把我吓得半死的可能，一个比一个凶险。

可是海蒂不回答我的问题。

婴儿在她的怀里挣扎。我从椅子上抓起一条毯子递给她，让她披上。"把孩子给我。"我对我的妻子说，可是她摇着头，向后退，一直退，退到飘窗前，中途踩到了猫尾巴。为了缓和气氛，我建议道："我抱一下露比，你穿好衣服。"对海蒂亲切的棕眼睛里冒出的冲动毫无准备。她的眼睛开始发狂，皮肤变红。

她开始尖叫。

她说出的词乱七八糟的，像电视里的头脑风暴节目似的。一些毫无逻辑关系的词，弄得我一头雾水。诸如婴儿和朱丽叶，朱丽叶。她一定唠叨了十几遍，甚至几十遍了。

可婴儿是卡拉。

"海蒂，"我说，"这个孩子是……"

"朱丽叶，"她厉声说，一遍又一遍地，"朱丽叶！"她怒吼着，孩子受到越来越多的惊吓。

我实在想不起来这个名字，对它的记忆太遥远了。然而，我还是想起来了，星星点点的。海蒂——几年前——躺在病床上，穿着病号服哭泣；海蒂把避孕药一片一片地倒进马桶里冲走，掩盖她的哭声。

现在，她在叫我的名字：骗子、凶手、小偷。她不是这个意思，我知道她没有，但她在下意识地挤压婴儿。婴儿在哭，海蒂也在哭，眼泪像决堤的水一样顺着她的脸流下来。

"你搞错了。"我尽量温柔地说。海蒂已经深信不疑，那个婴儿，那个孩子，是她十一年前因为重病失去的那个孩子。我可以解释这种愚蠢的行为——事实是那个孩子死了，事实是如果那个孩子还活着，他或她应该十一岁了——但是我意识到站在我面前的这个女人已经完全不是我的妻子了。

我走过去，伸出手要孩子，但是海蒂夺路而逃。"这个孩子，海蒂，这个孩子不是……"我不能继续说下去，不能。我被她眼睛里的狂乱吓到了，不知道她会对孩子做出什么，尽管不是有意的。海蒂永远不会伤害任何一个婴儿，无论如何不会是故意的。

可是我真的不知道。

"我就抱一下，"我说，然后试着安抚她，"让我抱抱朱丽叶。"我开始思考我们失去那个孩子后我应该做而没有做的所有事。我应该给她更多的安慰，我想，那是我该做的。我应该听从妇产科医生的建议带她去见精神病专家。至少应该做这件事。

但是海蒂说她很好。为了治疗海蒂的病，我们做出放弃那个孩子的决定以后，海蒂说她没事。然而，我忽视了她脸上的痛苦、渴望和需要。我以为只要我们忽视它，它就会自己消失，像流浪猫或者招人烦的兄弟姐妹那样自己走开。

她冷静下来，注视着我。我确定如果我可以说服她这样对孩子好，她会妥协的。"咱们给她冲点奶吧，"我说，语气像丝绸一般柔软，"她饿了，海蒂。我去给她冲奶粉。"

我的话是恳求，同时也带着绝望。海蒂没有放弃。她能听出我真正的意思，海蒂太了解我了。

她从我身边挤过去，我抓住她的胳膊肘，但是她甩开我。我没有想到我的妻子有那么大的劲，害得我失去平衡，差点摔倒。她走进厨房，开始翻抽屉。等我站稳的时候，她手里拿着一把瑞士军刀，刀锋冲着我。

　　我应该预料到的，我应该早就知道。我回忆了过去几天的情形，冥思苦想有什么是我忽视了的，我知道了，是海蒂需要帮助时绝望的哭声。

　　崩溃，此时此刻。精神崩溃，精神病发作。

　　但是我怎么没预料到呢？难道是我忽视了预警信号？

　　"走开，克里斯。"她说。

　　她没想用那把刀——也许，我对自己说——但是我不确信。

　　"海蒂。"我低声说，她挥舞着军刀，刺杀着房间里的空气。我看了一眼墙上的表，佐伊该回家了。

　　这是我有生以来第一次，不是在考虑自己。我在考虑海蒂、佐伊和这个婴儿。

　　我扑过去，这样做不可能控制局面，但足够打掉她手里的刀。刀子梆的一声插进橡木地板里，留下一个永久的痕迹，提醒我们永远记住这一天。我们两个争先恐后地过去抢，海蒂双手乱舞，婴儿随着一阵乱颤，她的哭声在疲惫和惊恐中渐渐地弱了。我在地上抢到了瑞士军刀，像跑垒员一样从一垒跑到二垒，双手握着刀。

　　就在那个时候，海蒂转身——在我抬脚之前——跑起来，冲过狭窄的门厅跑进卧室，嘭的一声关上门，把自己和孩子反锁在里面。

　　婴儿在哭，海蒂在哭。我听见了，她气急败坏地说着一些让人困惑的话，什么婴儿和朱丽叶啊，卡西迪和格雷汉姆啊，我们的邻居格雷汉姆，住在隔壁的那个男人。格雷汉姆，我应该找格雷汉姆帮忙，但是来不及了。我试着劝她："海蒂，求你了，开开门。咱们聊聊。

咱们把这事说开。"但是她不听劝。

　　我开始想卧室和浴室里所有可能被当作凶器的东西：指甲刀、指甲锉、插座。

　　我突然想起窗户，五层高，下面是水泥地。

　　我不敢多想，抓起电话，拨通了 911。

　　"是我妻子，"当调度员问我是什么性质的突发事件时，我绝望地回答，"我担心她……我不知道……她需要帮助。"我快速地摇晃着脑袋，我不知道海蒂还能做出什么事。结束她自己的生命？结束婴儿的生命？三十分钟之前，我会说不，永远不会，海蒂不会。

　　但是，现在，我不知道。

　　"快点来。"我催促着，然后飞快地说出了地址。

　　挂上电话，我匆匆地跑到卧室门口，准备破门而入。

海 蒂

起初，我并不知道发生了什么。

有人抽我的血。他们把我按在医院硬邦邦的白推床上，两个男人，两个戴着口罩、手术帽和手套的男人。他们按着我，另一个人把针头扎进我的身体，抽我的血；他从我的身上偷我的血。我踢着，叫着，扭动着……戴口罩、帽子和手套的两个男人把他们的重量全都压在我身上，让我不能动弹，而克里斯无所事事地站在杂物车的后面。他们陌生的脸孔直对着我：他们的脑袋超大，没有头发，他们的眼神让人捉摸不透又心生敬畏。他们用这个用那个检查我的时候，既没有鼻子也没有嘴巴。我尖叫，但是克里斯远远地看着，却什么也不说。

然后，他们让我坐到桌子旁边，一张折叠桌，配有三把黑色的软垫椅子，墙上挂着一个钟表，还有一面你在电视上见过的不可或缺的单面镜。

起初，我并不知道发生了什么。

"我女儿。我必须见我的女儿。"我继续喊叫，他们说如果我配合，很快可以见到我的女儿，如果我配合。这是抽血前还是抽血后，我不知道，我分不清。那儿有一个女人，银色长发的老女人，我看见我的朱丽叶从一个人的手里传到另一个人的手里，再传给下一个人，然后不见了。

"你动动啊！"我求克里斯，但是他无动于衷，和几十把桌子椅子一起站在屋子里。他对我无动于衷，他的目光越过我，对我视而不见。他们带我进房间，关门。他都不看我，他可能永远也看不见我了。我像空气、氧气、鬼魂。也许，我就是一个鬼魂，一个幽灵。也许我已经死了。也许在推床上，带口罩的男人并没有抽我的血，而是给我注射了氯化钾，让我去死。但是我的手被铐着，银色长发的女人可以看见我。她问了我许多问题，有关克莱尔·达洛维，她在我们之间的桌子上摆出很多照片，一些让人毛骨悚然的场景占据了我的脑海，残忍之至：一个血淋淋的男人、血迹斑斑的床、一个压在他身上的女人的尸体，两个人都泡在血水里，深红色黏稠的血浸透了茶色的裹尸布。

我想起杨柳内衣上的血迹，我开始尖叫。

"他们把孩子带到哪儿去了？"我喊着，徒劳地想把手从手铐里挣脱出来，反而划伤了手腕。为了不让我动，他们把我的手捆在身后，我每次试图站起来去找我的孩子的时候，总有一个警卫过来把我按回椅子里。"他们把我的朱丽叶带到哪去了？"她不回答，我又问了一次。然后我听见了，真真切切的，我听见我的孩子在哭。我的眼睛迅速地扫过隔音屋，在各个角落搜寻我的朱丽叶。是的，她在这儿，她就在这间屋子的某个地方。

"有人照顾她。"那个女人说，但是她没告诉我她在哪儿。我把头伸到桌子底下去找：她在吗？藏在桌子下面了吗？

"伍德夫人？"那个女人敲着桌子提醒我。她缺乏耐心，而且脾气急躁。她拿着录音机和签字笔，"伍德夫人，你在干什么，伍德夫人？"

没有啊。只有褪色的瓷砖，渍着咖啡印、污垢、尘土，让人恶心。

"我必须看见我的孩子，"我说着抬起头盯着她，"我必须看见我的孩子。"

沉默了片刻之后，那个女人，露易丝·弗洛雷斯，自称是律师的助手一类的人，用阴暗的灰色眼睛注视着我说："你肯定搞错了，伍德夫人。你留下的那个孩子，"她告诉我，"那个孩子叫卡拉·赛格尔。她不是你的孩子。"

我怒不可遏，我发现自己竟然站起来了，对着她怒吼，是她的错，那个孩子是我的，我的！我不知道自己能动，我拼命挣扎着，我感觉到胳膊和后背的疼痛，但是我顾不上，就像看见自己的孩子卡在车轮下的女人，凭借一个千斤顶就能自己托起三千多斤的重量一样。

警卫飞快地冲过来，命令我："坐下，马上！"他吼着。这时我看见他了，看得一清二楚：一只杂毛的加纳利犬从屋子的另一头扑过来，龇着锋利的牙齿，怒噪——狂躁、粗哑的嚎叫声，以示警告。口水垂挂在他裂口的大嘴边缘，他的牙齿像一排长矛，死死地盯着即将进口的美餐。他的双手钳住我的肩膀，把我压回到椅子里，我的肩胛骨被他抠得生疼。他咬我，加纳利犬咬我，迫不及待地咬我，竟然撕裂我的皮肤，鲜血顺着我的胳膊流下来。我看着血和其他的东西都不见了。血是看不见的，我也是看不见的。

我坐下。但是我没有一直坐着。我又一次站起来，推倒警卫，可是身体失去平衡，一头撞到了墙上。"我必须见我的女儿！"我尖叫着，"我的女儿，我的女儿！"一遍又一遍的，千万遍。最后，我泪流满面地摔倒在地。

当时，我已经完全失去了控制，那个女人决定离开，她从椅子上起身说着："我觉得我们就到这里吧。"她灰色的眼睛没有看我。

我听见她说什么需要精神辅导。她走了很久之后，"妄想""混乱"这两个词还在屋子里飘荡。

然后是血、轮床、戴着口罩和手套的男人。他们给我注射和检查的时候，我的耳朵嗡嗡地响。但是，哪个是开始呢，我不知道。我不知道最先发生的是什么，不知道为什么克里斯远远地躲在杂物车后面，看着那两个男人扎我，抽我的血，给我注射致命的氯化钾。"阻止他们！"我命令克里斯，但是他仍然视而不见。他对我无动于衷，我是隐身的幽灵、鬼魂。

我的克里斯，从来不哭的，现在却泪流满面。他站在那里，像尊雕像，在杂物车后面，一动不动。我永远不会原谅他。

然后，我觉得累了，突然间筋疲力尽。两个带口罩和手套的男人把我压在推床上，观察我。我的身上仿佛压着一千块砖。我盯着天花板上白花花的管灯，眼皮一下子沉得睁不开了。在我睡着前的最后一分钟，我在想，他们还会从我的身上拿走什么。

我想求克里斯阻止他们，求他做点什么，但是我发现自己已经不能说话了。

我醒过来的时候躺在床上，房间的窗户下面是一片绿油油的草地。一个女人背对着我站在窗边，望着窗外的景色。她穿着肥腿裤和扣角领的衬衫。墙上贴着壁纸：淡褐色和绿色的人字纹图案，地上铺着木地板。

我想动动，却发现自己被固定在床上。那个女人听见金属撞击的声音，转过身来看着我，我还看见了亲切的绿眼睛和一个微笑。

"海蒂。"她特别愉快，好像我们认识，似乎我们是朋友。但是我不认识她，根本不认识。可是，我喜欢她的笑容，这个笑容让我怀疑带口罩的男人、提问的女人、氯化钾、杂毛加纳利犬都是梦。我瞟了一眼自己的胳膊，发现没有血，没有参差不齐的牙印，没有止血的绷带。我在这间无菌室里寻找朱丽叶，我的眼睛在透明的窗帘里寻觅，在床单的褶皱里寻觅。

"他们把我的孩子带到哪里去了？"我虚弱地问。我的嘴像是棉花，说出的话有气无力。我喊不出来。我无精打采地晃了晃手铐，想下床。

"这是为你好，"那个女人说着拉过一把扶手椅，坐到我的床边，"有人照顾你，海蒂。你很安全。孩子也安全。"我不知道是因为她同情的话语还是我实在太累太绝望，总之，我开始抽泣。她从床头柜上抽出两张面巾纸，然后三张，擦我的脸，因为我自己的手够不到。一开始，我想避开她，我不想让陌生人碰我，但是我发现自己竟然迎上去，走进她温暖的手掌里，走进柔软的面巾纸里。

她告诉我她的名字，可是我马上就忘了，只记住了最前面的头衔"医生"。但她看起来一点儿也不像医生，她既没穿白大褂也没挂着听诊器，更没有秃头。

"我们只是想让你感觉舒服一些，就这样。"她说，声音温和，让人听着舒服。她拿纸巾擦干我脸上的泪水。她的手带着一股蜂蜜和香菜的味道，这让我想起妈妈的菜。我的思绪回到童年：在家里，我们四个人围坐在敦实的餐桌旁。妈妈、爸爸、哥哥和我。我的回忆定格在爸爸身上，爸爸死了。我眼看着棺材被送到地下，我的手里还捧着淡紫色的玫瑰花。妈妈站在旁边，坚忍地看着我在被雨水冲刷过的墓地里支离破碎。或许她在等——我猜——难道有另一种可能？我是那个看着的人，等着妈妈支离破碎？

我渴望伸手摸到他的婚戒，我要把爸爸的结婚戒指攥在手心里，用我的手指包裹住那条黄金项链，但是我却被固定在床上一动不能动。

"我的孩子在哪里？"我再问。她只是说她很安全。

她主动地说起她的孩子。三个，两个男孩，一个女孩。女孩叫玛吉，只有三个月大。我这才注意到，她原本瘦小的骨架上还留有没有完全退去的孕期肥胖。这个话题使我们之间的对话简单起来，让我更轻松地袒露了埋藏在心中已久的秘密。

露比、朱丽叶，露比、朱丽叶，然后我想起了那个著名的鲁宾的花瓶。

我们聊起了那些失眠的夜晚和我的身心疲惫。我告诉她朱丽叶还不能睡整宿觉，但是我的脑子昏昏沉沉的，很迟钝，我的话都钻进了天上的云层里。我告诉她婴儿生病了——尿路感染——安慰一个病痛的孩子更是难上加难。这个友善的女人点头表示赞同。她说她的玛吉患有先天性心脏病，出生几天就必须接受手术。那时，我知道这个医生听懂了。她理解我在说什么。

再往后，她问起杨柳，和另一个女人不一样，比她和蔼，比她体贴。她问她什么时候走的，为什么走。"她为什么走？"她问了，所以我告诉她。我给她讲了我爸爸的婚戒和那条金项链的故事。还有我记得我把项链挂在复古红的金丝鸟挂钩上，可是后来去看的时候却空空如也。

　　不对，我想，我又拼命地拽着被锁在床上的手，我想亲眼看见项链在我的脖子上，在它该在的地方。我请那位女士帮忙，看看我爸爸的婚戒是不是在金项链上，但是她扒着我的病号服看过之后告诉我没有项链，没有结婚戒指。

　　我的脑子开始回放，可是隔着雾气，怎么也看不清楚。仿佛我以前看过的一部电影，角色的名字和电影名都忘记了，但是电影的片段却散落地存留在我的记忆深处：经典对话、恋爱的场面、激情的对吻……

　　在我的电影里，我托着两粒椭圆形的白药片站在床边，看着佐伊拿起来闭着眼扔进嘴里，吞下去，然后使劲喝水。我回到浴室，把药放回一直开着的药橱里，我一眼看见"安眠药"几个字，挨着止痛片和抗组胺。然后，我轻手轻脚地关上门。

　　"你为什么不报警？"我讲到结婚戒指的时候，那个女人这样问。我耸耸肩，眼泪在眼眶里打转，我说我不知道。我不知道为什么没报警。

　　但是，我知道，不是吗？

　　我回到我的电影里，关上放药的柜子门，观察了一下佐伊，她吃了我的安眠药而不是抗组胺，迷迷糊糊地睡过去了，今晚不会醒了。然后，我想起一句话，那天晚上总是出现在我脑子里的一句话：没人知道黑夜会带来什么。

　　我看见自己从脖子上摘下金项链，准备挂在金丝鸟上，但是我没有。我停顿了一下，把它攥在了手心里，然后回到主卧，亲了佐伊的额头一下，走了出去。

　　我走进客厅，看见杨柳坐在椅子里，我的朱丽叶躺在地板上熟睡。我开始收拾剩饭剩菜，我看见，在我模糊的记忆中——或者根本不是记忆，而是白日梦，是幻想——我把剩面条倒进塑料垃圾袋的时候，我从远处看见，挂着婚戒的金项链从我的手里滑进垃圾袋，和变硬的意大利面还有血红的面酱混在一起，我拎起塑料袋走出去，扔进垃圾道。

但是，不是，我想，我不停地摇头。不是这样的，这不是真的。

杨柳拿了我爸爸的戒指。她杀死了那个男人，接着偷了我爸爸的婚戒。她是杀人犯，是小偷。

"还有吗？"那个女人看着我从左到右、像老爷钟的钟摆一样晃脑袋的时候问，"你能猜到杨柳去哪儿了吗？"

不可能。杨柳拿走了戒指，我记得当时，我坐在浴缸边上，开着水龙头为了不让佐伊听见我的哭声。我抬头发现挂钩上什么也没有，我给克里斯打电话，却是白费力气，他忙着和卡西迪·克努森纠缠在一起，没空接我的电话。

我搞不清哪个是事实，哪个是虚构，是幻想还是现实。我告诉她不能，我不知道杨柳去哪儿了。我呼喊着，突然我特别特别地想爸爸，想让他摸着我的头告诉我一切都会好的。

杨柳、露比、佐伊和朱丽叶，鲜血、尸体和还没出生就被从我的子宫里取走的婴儿一下子全都向我扑过来。

那时，是她，那个善良的女人，我不知道她的名字，是记不住她的名字，伸出手，轻抚着我的头顶，像爸爸那样，她说一切都会好的。我想问："是爸爸吗？"

我知道如果我用爸爸的名字称呼她，她会怎样看着我，会说些什么。

"我们会查清楚的。"她向我承诺，她的话让我感到柔软，她舒缓的语气让我彻底放松。我闭上眼睛，任凭它们带我回到睡梦里。

克里斯来的时候，天已经黑了。房间里只有一扇窗，窗外的世界一片漆黑。

"你叫他们来的，"我颤抖地说，克里斯要对这个完全混乱的局面负责。是他让他们带走了朱丽叶，我的朱丽叶。"你叫警察来的！"我对着他大喊大叫，然后又破口大骂。我试图从床上起来，扑到他身上，但是没用，我还被捆着，我的手还被锁在床上。

"有必要吗？"克里斯问走进来的护士，她正准备把五花八门的管子和针头扎进我胳膊的血管里。戴着口罩和手术帽的男人给我注射。"真的有这个必要吗？"护士冷冰冰地回答："这是为了保护她自己。"我知道她接下来会对克里斯说什么，我小声对克里斯说她听说我疯跑地去撞墙，现在我头上的紫包就是证据。

"她狂躁，"护士对克里斯说，就当我听不见，当我和他们不在同一个房间，"要马上给她加大药量。"

我想知道是什么药，他们是不是还要让我躺在床上，给我注射，再来一次？还是允许我吃药片。椭圆形的药片，捧在手心里，我又想起了安眠药。

不，我告诉自己。抗组胺，止痛药，不是安眠药。

我永远不会喂佐伊吃让她睡觉的药片的。

但是我不知道。

"都是你做的！"我轻声哭泣着说，克里斯举起双手，疲惫的脸上呈现出一副无辜的表情。他现在一身邋遢，脸上愁云密布，有担忧，还有我看不出来的东西。他往常不是这样的：棕色的头发总是一丝不乱，棕色的眼睛总是炯炯有神，整洁干净的脸上总是荡漾着迷人的微笑。

他可能会指控我，我的克里斯，他喜欢推卸责任，逃避惩罚。他可以说是我把自己和朱丽叶锁在卧室里，不是他。

他可以说他担心我会伤害孩子，我的孩子。我呢，我会笑出来，不是吗？我会笑的，冷笑，嘲笑。他和我一样心知肚明，我那时站在那里，站在逃生通道口，他破门而入的时候我差点失去平衡。

但是警察来的时候，他没有讲这些，他没讲。

他坐在我的床上，抓住我的手。我在大海的旋涡里越沉越深，海浪冲刷着我的身体，我无声地尖叫着，下意识地喘息着。我的喉咙在抽搐，肺里的盐水一股一股地涌上来。

"我们会解决的，海蒂。"他说，他顺着我的手抚摸我的胳膊，没有察觉到我在反胃、干呕、呼吸困难。我慢慢地沉入水底，克里斯和佐伊，他们两个站在岸边看着。

护士在房间里走动，对克里斯说："就五分钟，她需要休息。"然后走出去，关上门，只留下克里斯和我。我听见他说话，软绵绵的，很遥远，然后又是水，排山倒海似的大浪再次把我拖进海底。

我看见克里斯，后来，我看见他在远处发现我了，他跳进水里，朝我游过来，只是特别慢。

"佐伊需要你，"他说，停顿了一下，"我也需要你。"当我在激流中挣扎的时候，他抛给我一根救命稻草，我可以抓着它，拼命地游。

杨 柳

没过多久，警察就在密歇根大道找到我了。当时，我正隔着玻璃欣赏着普拉达店。我被迷住了，挪不动脚。橱窗的玻璃啊，闪闪发光，里面的模特穿着华丽精致的裙子，我什么也没想，因为我看见妈妈穿着它们。她多喜欢那些裙子啊！

警察扣留了我一段时间，但是并不长。由此再一次证实我是个没人要的小孩。

我在教养院迎来了自己十七岁的生日。教养院在奥马哈和林肯之间，所以我们有时候开车去普拉特河远足，穿过林地可以俯视宽阔的河面，但是经常看到的都是河泥。我们一共有十二个女孩，跟南和乔夫妇生活在一起。我们每周都有不同的活干，比如打扫厨房、洗衣服。南每天给我们做晚饭，我们围坐在一张大桌子上吃饭，就像一个混搭的大家庭一样。

这里特别像爸爸妈妈死后我生活过的那个家，但是这一次，我想待在这儿。

这里人来人往，比如阿德勒夫人，还有一个可爱的凯西女士，她让我反复地讲约瑟夫对我做过的那些事，她让我一遍一遍地重复

"这不是我的错"。她说，我要一直重复，直到我真正开始相信这句话，相信约瑟夫那样对待我是错误的，相信我的莉莉被赛格尔夫妇收养等所有的事，都不是我的错。妈妈也不会埋怨我。

事实上，她曾经告诉过我，她用翡翠绿色的眼睛看着我说："你妈妈会为你骄傲的。"

但是，还是有很多个夜晚，我躺在床上，听见约瑟夫溜进我房间的声音。我听见门的吱扭声，地板的咚咚声和他对着我耳朵气喘吁吁的声音；我听见他用话语麻痹我，让我不敢叫出声。"欺骗父亲，不顺从母亲的人的眼睛会被山谷中的乌鸦啄瞎，尸体会被老鹰吃掉。"他说。我的耳朵里回响着他的话，直到惊醒。我大汗淋漓，在屋子的每个角落里搜寻约瑟夫的影子，衣柜里，床下面，他一定在。

每一点儿响动、每一次有人上厕所，我都以为是约瑟夫，他来找我，把他滚烫的野蛮的身体放在我的身边，我永远也不会忘记：约瑟夫死了。

我强迫自己必须每天重复上百遍——约瑟夫死了——直到我完全相信的那一天为止。

他们准备了纸杯蛋糕庆祝我的生日，巧克力蛋糕上面带着巧克力碎屑，就和妈妈以前做的一样。在我生日的前几天，保罗和莉莉·赛格尔带着露丝和卡拉开车从柯林斯堡过来。规定要求我不可以再见卡拉，不可以碰她，所以她和保罗站在外面，站在教养院门前的草坪上，等着大莉莉和小莉莉——露丝。我可以从窗户看见卡拉，她长得真快。她会走路了。保罗总想抱她，但总是被推开，因为她已经一岁多，不喜欢被束缚了。我看着她摇摇晃晃地走在草地上，摔倒在地，一次、两次或者三次，手上和膝盖上沾着泥，然后再嗖地一下站起来，像打鼠游戏里的鼹鼠一样。每次，保罗都在旁边擦干净她膝盖上的泥，检查她有没有受伤。虽然以前我不知道，但是现在我看出来了：保罗是个好爸爸。

大莉莉在客厅里注视着我，她说："如果我早知道……"她说不下去了，迷人的眼睛里噙着泪水，"你的信……"她说，"我以为你过得很幸福。"

伍德夫人渴望孩子，她比我更配得到她。她会照顾她，照顾卡拉——露比，比我强。我深信不疑。我知道我在那里，和他们共处一室，对伍德夫妇而言是隐患。我听见他们总在讨论这个问题。伍德先生提到过警察、监狱和被拘留。我不想惹麻烦，不想给他们惹麻烦，不想给伍德夫人惹麻烦，她是那么的善良。

可是我真的没有偷戒指。

那些探员在刀子上、在奥马哈家卧室的门把手上提取了指纹，不是我的。我说还是不说都不重要，他们应该知道真相。

我不知道马修是不是了解指纹。我怀疑他是不是诚心留下指纹为我开脱。

赛格尔夫妇，他们拒绝起诉我绑架婴儿，虽然我希望他们这样做。我觉得应该有人为发生的一切负责，但是他们没有。他们认为，妈妈的去世和约瑟夫那些年对我的折磨已经够了。但是他们说不允许我见卡拉，那时不行，永远都不行，只能在他们带莉莉来看我的时候隔着窗户看她。我每年可以见莉莉两次，每365天才有两次，而且必须在监视下，这就是为什么大莉莉总在，在房间里和莉莉在一起，有时候会换成阿德勒夫人或者南和乔——以防我带莉莉逃走。看见那位女士凯西，我就要开始我的忏悔，但是，我喜欢和她聊天，聊很多。那根本不是惩罚。

在监狱的一天，我万万没有想到弗洛雷斯夫人来了，她告诉我我自由了，可以走了。但是不能想去哪儿就去哪儿。"不行，"她说，"你还未成年。"未成年的意思是我还受国家的监护。她露出马牙笑着，事实上我还是个囚犯，这让她自鸣得意。

然后，是安布尔·阿德勒夫人开着她的破车带着她超大的耐克包来接我，把我送到教养院，在那里把我安顿在一间大的蓝色卧室里，和其他三个女孩同住。她说，"如果你早告诉我，克莱尔……"她像大莉莉一样哽咽着，眼含悲伤，就发生的事情和约瑟夫的所作所为说抱歉，好像是她的错，她说她应该去约瑟夫的家抽查，应该亲自去和老师交谈。那样，她就会知道。她告诉我，她不知道我没上学。"但是，约瑟夫……"她说，她痛苦的声音在那里悬了一两分钟。"我以为……"她不用说完我也知道她要说什么。约瑟夫，她以为，是善良的。

"完美的组合，"我搬去和约瑟夫、米利亚姆同住的那天她这样说的。有福气，好运气。

被诅咒的噩运。

他们一直没找到马修。他们有刀子和门把手上的指纹，但是无从比对。他们问了我很多问题，无数问题。关于马修，关于马修和我。

但是，我不知道他去哪儿了，而不是知道不告诉他们。

我看得出来保罗和莉莉非常爱我的莉莉。而且莉莉，她也爱卡拉。他们是真正的一家人。我的莉莉，她差不多忘了我是谁了。他们来看我的时候，她在奥马哈和林肯之间的家里拥抱我，因为赛格尔夫人让她这样做。我从她的眼神里看出她对我还有模糊的记忆，来自梦里的朦胧记忆，但是在晨曦中融化了。她最后一次见我的时候，我只有八岁。她最后一次见我的时候，我开心幸福，无忧无虑，满脸笑容。

是露易丝·弗洛雷斯告诉我发生在伍德家的事情的。她告诉我伍德夫人的脑子不太好使。"妄想奇怪就奇怪在，"她好像对自己说，她结束工作了，收起档案和文件，就像阿德勒夫人和她工作的清单一样，"有妄想的人还能有相当正常的举止。他们的妄想不是完全脱离现实的。"她试着给我解释，受伤或者其他什么事情之后，比如伍德夫人的父亲去世，然后她就一直不太好，后来，雪上加霜，她又得了大病，失去了她的孩子。

她不可能再有孩子了。伍德夫人，她渴望孩子。这个想法让我很难过，因为伍德夫人是我很久以来见过的最可爱的人，我从来没有丝毫认为她是坏人。我觉得她只是有一点点神志不清。

我不时地在教养所的邮箱里收到字条，没有名字，没有回信的地址。纸片上只写着一些天马行空的问题。

你知道吗？你不能睁着眼打喷嚏。

你知道骆驼有三层眼皮吗？

你知道蜗牛有 25000 颗牙齿吗？

你知道海獭睡觉的时候要互相牵着手吗？这样它们才不会彼此分离。

致 谢

　　写作可能是一件孤独的事情。我们坐在电脑前，或者拿着本和笔把自己锁在屋子里，沉迷于塑造的角色里。有些天，我发现自己和想象中的人物说的话比对生活中的人说得还多。三更半夜，当世界熟睡的时候，我们的角色却纠缠着我们，命令我们替他们做这做那。

　　写作的确是件孤独的事情，但是出版可不是。我庆幸我的出版团队里有那么多出色的人：非凡的经纪人蕾切尔·狄龙·弗里德、杰出的编辑埃里卡·依姆里依、我的公关艾莫尔·弗朗德斯，以及禾林出版和格林伯格经纪公司其他所有勤奋敬业、各方面都才艺出众的人——编辑、公关、市场营销，每一位破例与我见面的文稿代理和助理们（还有那些我没有见过的、在幕后辛苦工作的人）！我自豪是禾林出版和格林伯格经纪公司大家庭中的一员。

　　接下来必须要感谢我在写作过程中遇到的那些令人赞叹的作家，他们帮助我、引导我、听我诉说，给了我所需要的精神支持，尤其是他们像对待自己的作品一样无私地促成了我的作品。谢谢，谢谢，谢谢，谢谢！我很荣幸加入这样一个和谐共进的写作集体。

　　写第一部小说的时候我悄无声息的，写这本《别对我温柔》的时候我则一直在和家人与朋友分享，这个过程太美妙了。当时，我在忙着推销第一本书，所以特别感谢我的家人和朋友，他们在过去的一年里照顾我生活的方方面面：我的父母李·库比卡和艾伦·库比卡、我的姐妹米歇尔·舍米尼克和萨拉·卡伦贝格以及她们的家庭，以及库比卡和克里琴科家族成员。我亲爱的朋友们，我没有办法把你们的名字一一列出，但是希望你们知道我记着你们（我必须大声喊出贝丝·席勒——你太棒了）！你们和我分享图书出版的乐趣，让我受宠若惊。你们在亲朋好友间帮我推荐图书，或是请我去你们的图书俱乐部宣传；你们帮我照顾孩子，使我得以出席各州的会议和签书的巡展；你们看我的书；你们询问我写作的进度。我写《别爱上任何人》的时候只有一个人，我写《别对我温柔》的时候我就有一支啦啦队了！所以，我永远表达不完对你们的谢意。

最后，我要感谢我的丈夫皮特和我的孩子们，感谢你们的耐心、支持和鼓励。没有你们我将一事无成！

我爱你们就像拥抱爱上接吻。

图书在版编目（CIP）数据

别对我温柔 /（美）玛丽·库比卡著；高环宇译.
— 北京：北京联合出版公司，2017.1
ISBN 978-7-5502-9310-6

Ⅰ.①别… Ⅱ.①玛… ②高… Ⅲ.①长篇小说 – 美
国 – 现代 Ⅳ.①I712.45

中国版本图书馆CIP数据核字(2016)第291334号
北京市版权局著作权合同登记图字：01-2016-8619

别对我温柔

项目策划　紫图图书 ZITO®
监　　制　黄利　万夏
丛书主编　郎世溟

作　　者　［美］玛丽·库比卡
译　　者　高环宇
责任编辑　李红　夏应鹏
特约编辑　李媛媛　申雷雷　袁旭姣　覃英
版权支持　王香平
装帧设计　紫图图书 ZITO®

北京联合出版公司出版
（北京市西城区德外大街83号楼9层　100088）
北京嘉业印刷厂印刷　新华书店经销
190千字　880毫米×1230毫米　1/32　10.5印张
2017年1月第1版　2017年1月第1次印刷
ISBN 978-7-5502-9310-6
定价：42.00元